D0902317

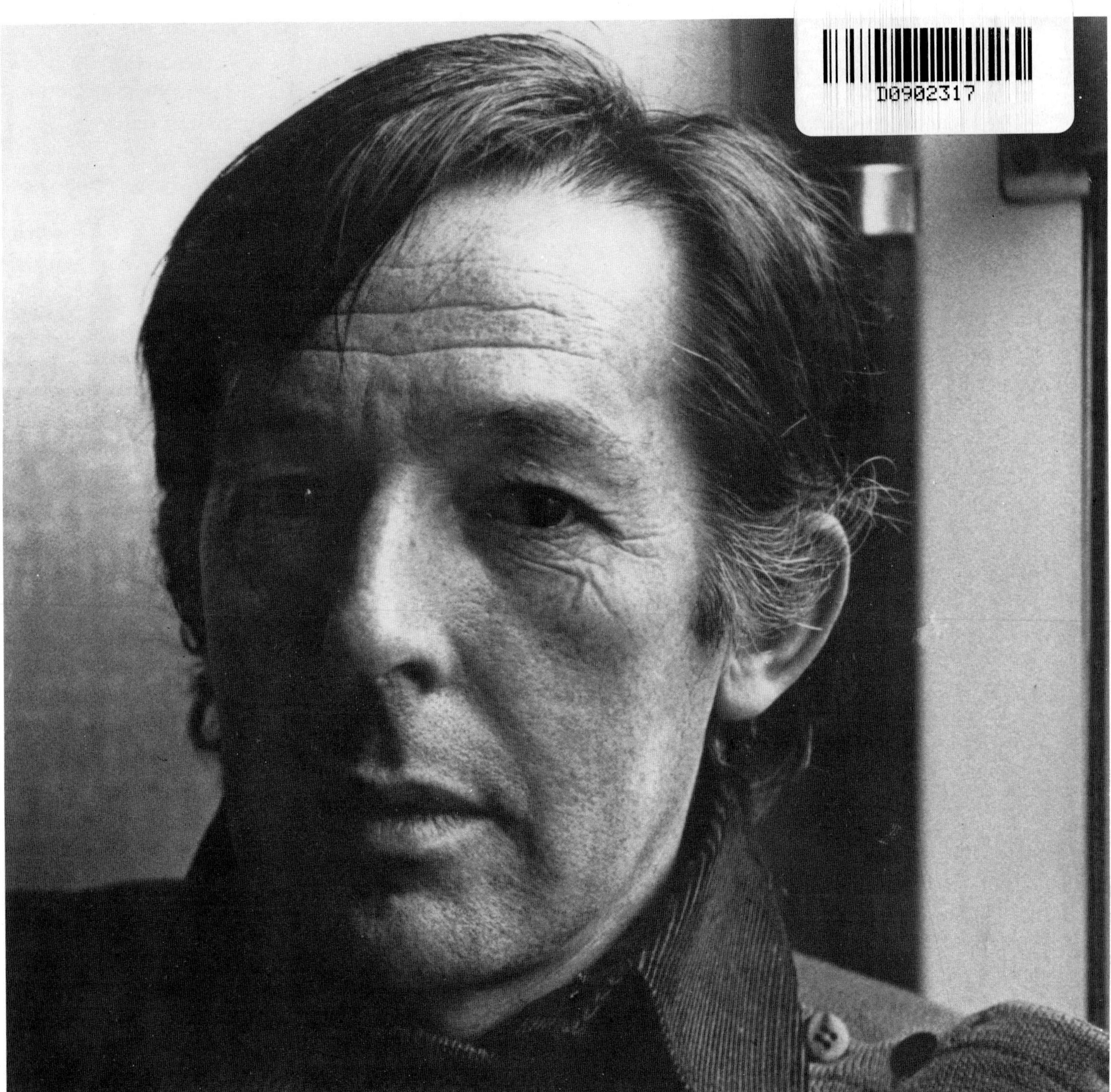

VIALLAT

MUSÉE NATIONAL D'ART MODERNE

L'exposition de Claude Viallat a été organisée par
le Musée national d'art moderne au Centre Georges Pompidou dans les espaces des Galeries contemporaines et du Forum du 24 juin au 20 septembre 1982.

Organisation de l'exposition :
Dominique Bozo, Bernard Ceysson, Alfred Pacquement, Claude-Louis Renard;
assistante : Catherine Wacogne.

Catalogue : Alfred Pacquement, documentation : Catherine Bompuis.
Maquette : Peter Knapp.
Fabrication : Jacky Pouplard, assisté de Françoise Bertaux.

Cette exposition a été réalisée avec le concours des activités Recherches Art et Industrie de la Régie Renault.

SOMMAIRE

INVITATION

Dominique Bozo

Toiles de bâches, draps, rideaux, serpillières, toiles cirées, bas de pantalons, parasols, tapis de table avec franges, «robes d'Henriette», chemises des uns, fripes des autres, cordes, filets, bâches de bateaux, que sais-je ! Une tente montée, tout y passe ! Débauche de peinture qui ne nous déçoit pourtant jamais. Que vous invitiez Viallat à vous peindre «ça», il revient avec le triple, recouvert et peint de toutes parts, sur toutes les faces. Le tout arrive collé face à face, de peinture encore fraîche. Ça craque quand on déplie, ça sent la sciure de l'arène après la course, c'est sale et ça laisse échapper toutes sortes d'ingrédients ramassés au sol de l'atelier, ou quelques graviers de la cour où Viallat a peint à même le sol.

Au début c'était contenu dans une valise. On avait le sentiment d'un représentant en draps déballant ses échantillons. Trousseaux de jeunes filles, draps chiffrés, marqués à l'encre d'imprimerie ou teints généralement de couleurs tendres. Il y avait de la timidité, de la modestie. Gigantesque maintenant, c'est transporté en camion que l'on charge à la brouette ! Ainsi la grande bâche prévue pour le Forum : plusieurs dizaines de kilos manipulés, travaillés, organisés, couverts comme à l'issue d'un affrontement, par Viallat, seul dans l'atelier d'Aigues-Vives. J'exagère à peine ! Aujourd'hui, il faudra s'y mettre à plusieurs pour déplier cet amas de toiles. On est dérouté, envahi, on s'interroge ! Pourquoi cette forme, toujours répétée, inlassablement, motif unique ! Quand on suspend au mur c'est sublime ou le «chaos», c'est-à-dire chargé, et toujours quoi qu'il en soit, c'est le même triomphe de la couleur affirmée sur la toile ! On croyait la forme plate, simple, presque un objet minimal. C'était il y a quinze ans, au temps des expériences «sérieuses», théoriciennes, fondées sur l'utilisation banale de la «marque», le «haricot» comme dit un ami peintre. C'est bien cette forme et l'usage qu'il en fait qui irritent toujours autant. Comme si son identité volontairement banale était essentielle alors même que son propos est de faire place à la peinture. Sage au début, inscrite au pochoir : bleu de méthylène sur toile vierge écrue... On n'en finirait pas d'énumérer les «passages», de citer les expériences, les pratiques qui les engendrent. D'autres s'y sont déjà employés, justement.

On s'interrogeait et il semblait impossible que cela évolue. Mais en 1975, peut-être 1974, le blanc s'introduit en dessous et comme recouvrement passé à la brosse, non plus à l'éponge, trace désormais irrégulière, voire avec de l'épaisseur. Mise en question — d'ailleurs d'actualité — volontairement banale de la couleur plate bue par la toile non préparée. «Retour à la peinture» diront certains comme si elle avait jamais été absente. Nécessité logique de réinvestir la peinture par des données plus complexes ! Peu importe, on avait alors le sentiment que «l'expérience pour l'expérience», «le travail pour le travail», bref l'expérimentation, c'en était peut-être terminé. Mais surtout que la maturité était là, que l'ambition d'un projet s'affirmait. Les observations les plus élémentaires : marquage, réaction des textures, effets de la peinture sur la toile, effet de déperdition, de rigidité, de rétraction selon les matériaux utilisés, tous ces récents «degrés-zéro» de la peinture disparaissaient dans une expression plus sauvagement complexe : traces de la brosse, salissures... générosités ! Picasso, après Matisse, pouvait servir de référence. Il est tentant de le dire et c'est facile. Pourtant ce qui est évident, c'est ce que nous sommes devenus vraiment et plus que jamais confrontés à la peinture, mais cette fois dans une toute autre dimension. Essais toujours plus complexes de dominer par la couleur, l'espace éclaté des bâches assemblées que la peinture déborde. Mais aussitôt après, des triptyques d'essence quasi classique proposent cette même expérience contenue cette fois dans un espace traditionnel. C'est que, chez Viallat, chaque pratique engendre toujours son contraire comme nécessaire. Son projet n'est pas tracé sur une ligne unique. Il évolue en permanence, entre deux termes apparemment opposés. Il est entre. D'où son extraordinaire richesse, sa liberté ! Et la cohérence qui en résulte. Avant comme après le travail sur la bâche neuve aux surfaces uniformes, dimension classique de la peinture, le même effort se porte sur des supports «vulgaires», usés, débris récupérés et le plus souvent du plus mauvais goût comme ces stores de confiseurs ou de pâtisseries. Proximité des matériaux du collage cubiste : papier peint à fleurs sublimé par Picasso dans le grand collage de 1938 : *Femmes à leur toilette.* Nous sommes toujours dans cette peinture entre le sublime et le vulgaire ; mais quel plaisir ! Je cite ces quelques données comme repères. Viallat s'est suffisamment et clairement expliqué et les textes rassemblés dans ce catalogue sont assez éloquents par eux-mêmes. Aujourd'hui ces déplacements de la peinture, à peine perceptibles à l'heure de leurs passages successifs, attirent notre attention jusque-là plus retenue par la forme que par la peinture même. Ainsi mesurons-nous vraiment la transformation considérable qui s'est accomplie et dont l'ampleur était insoupçonnable alors.

Depuis longtemps, nous nous interrogions avec Bernard Ceysson sur ce que pourrait être un «point de vue de Musée». Terme dangereux ! Mais n'y avait-il pas quelque chose de troublant dans ce propos de Viallat : «je me fie au goût de ma femme» lorsqu'on lui demandait s'il avait des critères de choix face à son œuvre et s'il lui arrivait de juger une toile meilleure qu'une autre. Nous nous demandions aussi, si parmi cette production innombrable, il n'y avait pas des œuvres, des moments, des expériences majeures. Un bilan de presque vingt années de travail n'était-il pas devenu nécessaire ? C'est dans cette perspective que nous nous sommes placés en demandant à Bernard Ceysson d'en formuler l'introduction. L'exposition, au-delà de ces quelques repères rétrospectifs, présente surtout des travaux récents, dont une des toiles conçues pour l'Entrepôt Lainé de Bordeaux où Viallat exposait en 1980.

Outre certaines œuvres inédites, réalisées dans le cadre des activités Recherches Art et Industrie de la Régie Renault, et pour lesquelles je remercie Claude-Louis Renard de son aide et de sa collaboration, cette exposition prend part de la politique du musée pour l'aide à la création.

Qu'il me soit enfin permis de dire à Claude Viallat ma gratitude pour sa collaboration généreuse et son amitié. Qu'il partage avec Henriette, sa femme, nos vifs remerciements pour avoir l'un et l'autre rendu cette exposition possible. Que Jean Fournier, le compagnon de route, cette fois encore, que Bernard Ceysson et tous ceux qui ont collaboré et contribué à cette exposition, trouvent ici l'expression de notre profonde reconnaissance.

LE COMMENTAIRE AU DÉFI

Bernard Ceysson

Jamais dans ses écrits, et pour ce que j'en sais dans son enseignement, Claude Viallat n'a décrété de lois promulguant une orientation impérative et définitive de l'art rejetant en marge du champ des pratiques artistiques valables celles qui paraîtraient récuser ou ignorer leur juridiction. Claude Viallat n'a jamais proposé de méthode, comme Seurat, et une déclaration comme celle-ci «mes toiles ne sont que l'image du travail qui les a produites» ne signifie pas qu'il appliquerait un programme dont les œuvres feraient, en quelque sorte, la démonstration. A lire ses textes on se rend compte, en effet, qu'ils ne constituent pas un programme. Ils précisent simplement les étapes du travail par le réexamen serré des processus qu'il sait devoir ajuster à la fois aux possibilités de l'histoire et aux exigences d'une nécessité intérieure. Il lui faut vérifier, par l'analyse, la justesse d'une pratique qu'il sait ne pouvoir fonder sur les seules données de l'intention et de l'expression. La situation historique impose, en effet, ses conditions dont les artistes, moins que les autres, ne peuvent se départir, qu'il leur faut donc maîtriser, dominer, pour, une fois reconnues les possibilités de la peinture, pouvoir préciser celles qu'ils choisissent comme exemplaires et seules justes. C'est pourquoi les exposés théoriques tendent, pour la plupart, à établir l'argumentation rationnelle qui les justifient, au nom du Beau naguère, au nom de l'histoire et de l'histoire de l'art aujourd'hui, régulation de la production et de la consommation des œuvres. C'est que l'activité artistique est devenue une activité spécialisée et, depuis déjà quelques décennies, les peintres, qui savent cela, s'emploient à transposer le traité praticien en essai esthétique. Il leur faut faire la preuve par l'histoire et dans l'histoire que l'art passé et l'art à venir ne peuvent être liés dans le présent que par et dans leur œuvre, fin et commencement de l'art. Et pour donner plus de solidité à cette démonstration les artistes n'hésitent pas, depuis quelques années, depuis surtout la vogue des «sciences humaines», à l'étayer par une argumentation scientifique, philosophique et souvent politique. L'Art est une vérité. Les écrits de Claude Viallat sont, en regard de cette production textuelle, quelque peu insolites. On passe, à les lire, de l'exposé théorique à l'explication praticienne et à l'expression «poétique» de l'attitude et des aspirations. Ces écrits retracent ainsi un cheminement, un peu à la manière du traité de Léonard, et révèlent l'attention fascinée mais analytique et critique du peintre pour les matériaux, les procédés techniques, l'action fabricatrice et les retours, médités, de cette attention sur une «théorie» en développement qui ne s'abîme jamais en programme pédagogique comme on l'aurait voulu et comme on l'a dit. Dans un texte qui accompagnait la présentation d'œuvres de Claude Viallat à l'Abbaye de Sénanque nous nous étions efforcés, maladroitement et en vain, de briser les conventions de lectures nécessaires à ce moment-là, nécessaires à une génération. Nous voulions comprendre ces conventions de lectures comme effets et constituants d'un moment artistique et culturel. La tentative fut manquée, car comment reconstituer le puzzle, à la fabrication duquel on participe, sans en connaître le «patron» ?

A vrai dire, on ne pouvait alors que réunir les premiers éléments d'une «fortune critique» dont les œuvres s'accommodent en lui échappant. On le mesure pleinement depuis peu. Le surgissement d'une nouvelle génération de peintres, dérangeant les belles ordonnances bâties lors de la décennie écoulée, vient nous rappeler la vanité de toute explication définitive et de toute saisie prétendûment absolue d'une œuvre. Réaction prévisible qui obéit à la loi d'alternance des styles et des manières, satisfait au culte du nouveau, peut «s'expliquer» par le moment de crise que nous vivons, le climat de pessimisme généralisé propre aux «fin de siècle», l'impossible espérance d'un lieu terrestre où vivre, les peintres et les critiques réhabilitent, contre les programmes et le classicisme d'une peinture pure où rien ne disait l'histoire sinon son dépassement, un art où la manière et les effets sont recherchés, où reviennent les figures du mythe, de la fable et de la nature, où l'allégorie et le symbole disent l'unité perdue, où le travail du peintre s'assume comme virtuosité, effusion sentimentale ou expression d'une tragédie intérieure.

Les œuvres qui ont, naguère, collé à un discours énonçant les lois et dictant les règles de production d'un art universel sont comme d'un coup datées, vouées à illustrer un moment déjà fini de l'histoire de l'art dont elles n'apparaissent que comme des symptômes. Dans l'isolement du musée ou de la collection elles ne montrent que leur appartenance à ce moment, ne donnent à voir que les caractéristiques, reconnaissables et reconnues, d'un style ou d'une tendance. Elles ont gagné une stabilité qui leur interdit la présence, la présence qui annule tout savoir dans l'émotion qui saisit. L'œuvre forte et décisive accepte la multiplicité des interprétations qui assure sa survie et confirme, ce faisant, l'impossibilité d'une appréhension qui l'expliquerait. La capacité d'une œuvre à saisir vient de son évidence énigmatique. Les œuvres de Claude Viallat, et pas seulement celles qu'il peint maintenant, où déferle la couleur dans un emportement hédoniste qui déchire même le contour de la forme-emblème, s'ajustent à la situation nouvelle, disent, là où nous n'avions vu que la poursuite de l'impossible épuisement d'un système «objectivement» déduit d'un état de l'histoire de la peinture, un déchirement entre la plénitude classique et le vertige baroque où s'affirme la singularité d'une personnalité exceptionnelle. Il y a, en effet, comme un déchaînement d'énergies et de violences dans ces marqueteries de couleur que la forme scande, ornement répété, maintenant, au gré du compartimentage de la «toile», en fonction de la situation physique du peintre sur cette toile, posée au sol lors de son exécution : «L'ensemble agit en soi et dans son multiple morcellement. Nulle volonté de charger d'intentions différentes les fragments entre eux, mais une parcellisation des surfaces et la surprise des rencontres. Là, plus qu'ailleurs, la position de travail est importante.» On serait presque tenté de concentrer le commentaire sur le pouvoir du peintre, sur sa manifestation «géniale», d'autant que dans les œuvres récentes, la peinture a remplacé la teinture, la forme est désormais «écrite» par un travail de la brosse qui marque le fond et assure par la forte inscription du passage de celle-ci la planéité de la surface naguère affirmée par l'imprégnation. Le moment présent suggère le retour à une histoire de l'art emphatique soulignant la maîtrise et la singularité d'un projet et «décryptant» son contenu «intrinsèque», nécessairement redevenu lié à la biographie du peintre. Mais ceci dit, l'exposé tourne court.

L'exercice d'une histoire de l'art s'attachant à juger les œuvres à partir d'une saisie impressionniste du rendu, du motif ou de l'effet, est par avance invalidé. Les œuvres de Claude Viallat renvoient toujours à la description du travail producteur car l'évolution, dès que signalée, se révèle à la fois incontestable et démentie par d'autres aspects d'un travail «immense», inlassablement répété, «toujours le même, jamais le même» (Yves Michaud)(1), sans cesse repris, sans cesse en retour sur lui-même dans une progression que l'artiste a parfaitement décrite : «Mon travail je ne le conçois pas comme progressant dans le temps, linéairement. Il se développe à partir d'un noyau, et différents problèmes se retrouvent donc à des moments différents du temps et de l'espace. Je peux faire, aujourd'hui, une toile qui répète une corde à nœuds, puis travailler une toile avec capillarisation... Il n'y a pas depuis 1966 de progression dans mon travail... Il n'y a pas de progrès... c'est la même chose qui tourne autour de son axe élargissant sans cesse son cercle». Comme il ajoute que tout «s'établit sur un plan d'équivalence» et que «c'est l'ensemble du travail qu'il faudrait présenter, dans sa continuité, depuis son début», qu'il persiste dans cette conception, puisqu'il est revenu depuis peu à une production d'objets qui semblait close, il nous faut accepter cet exposé de principes et s'en accommoder.

1. *Yves Michaud, «L'ornement et la couleur», in catalogue de l'exposition,* Claude Viallat. Traces, *musée d'Art et d'Histoire, Chambéry, 1978.*

En fait c'est une problématique de l'espace et du temps qui est mise en œuvre et intensément vécue. Ce que dit Viallat c'est le déploiement du moment originel de sa peinture, «continuum spatio-temporel» en extension, dont l'infinité se dit dans l'impossible épuisement de la répétition de la forme-source. Forme «approximative» dit-il, ni organique, ni géométrique, accomplissement donc du vœu de Judd comme l'a rappelé Yves Michaud, née par hasard dans le «jeu des possibles» et organisant son expansion sans l'imposer, en s'adaptant aux espaces qu'elle s'approprie, à leur structure matérielle, à leur configuration, comme à la nécessité intérieure de son opérateur. Les filets, les cordages, les nœuds, les trempages peuvent être perçus comme des «essais sans dessein», des bizarreries, des solutions étranges accompagnant et précisant son expansion. Le matérialisme de Claude Viallat tient du bricolage et en diffère radicalement pourtant. Comme le bricoleur il ramasse et utilise ce qui lui tombe sous la main mais, s'il tient compte dans l'utilisation de ces objets et matériaux de leur physique, il les adapte, contrairement au bricoleur, à un projet artistique qui s'élabore dans leur appropriation : leur marquage. On pourrait, quand même, dire du travail de Claude Viallat ce que dit François Jacob de l'évolution : «l'évolution procède comme un bricoleur qui, pendant des millions et des millions d'années, remanierait lentement son œuvre, la retouchant sans cesse, coupant ici, allongeant là, saisissant toutes les occasions d'ajuster, de transformer, de créer»(2).

2. *François Jacob,* Le jeu des possibles, *Paris, p. 72.*

Il serait toutefois absurde de faire du travail de Claude Viallat l'illustration des mécanismes de l'évolution. On peut cependant suggérer le rapprochement entre cette fabrication artistique et ce que disent les savants de la fabrication naturelle. On songe ici encore à Léonard qui «avait prétendu faire de la peinture» en son temps, selon les possibilités de ce temps, «le seul art apte à tout exprimer» (André Chastel). Dans la *Sainte Anne,* dit André Chastel, «on distingue parmi les cailloux du sol sous le pouce du pied droit de sainte Anne, un embryon minuscule, pareil à un caillot de sang»(3). Au-delà des trois âges de la vie, Léonard figurerait dans sa peinture «la loi organique et les forces de la nature». Toutes proportions gardées, que souligne l'écart chronologique, l'ambition de Claude Viallat est un peu du même ordre. Elle répond en tout cas à la vocation mimétique de la peinture dont on sait depuis longtemps qu'elle n'est plus ni un miroir, ni une fenêtre. «Imiter la nature ne signifie pas nécessairement prendre un chevalet, aller dans la forêt et copier un arbre. Dans les textes anciens le mot signifie au contraire faire comme la nature...» (4)

3. *André Chastel,* Art et humanisme à Florence au temps de Laurent le Magnifique, *Paris, 1961, p. 440.*

4. *Jean Wirth, «Le paradoxe du travail artistique», in* Critique, *n°395, avril 1980, p. 391.*

Dans les premières œuvres, la forme apparaît bien comme un noyau au centre de la toile dont l'expansion va d'emblée s'accomplir non par sa dilatation mais par sa répétition. Le processus est clairement indiqué dans les œuvres où cette forme est répétée jusqu'à couvrir toute la surface du support, le plus souvent carré. Le centre de la toile reste marqué par la couleur plus forte de la (ou des) forme(s) ou par le tracé d'un carré enfermant la forme (ou les formes) génératrice(s), tracé qui la (ou les) coupe, pour dire à la fois la volonté et l'impossibilité de sa (de leur) retenue. Il est possible de lire ce marquage insistant du centre comme l'expression d'une réticence à l'abandon d'une configuration formelle «relationnelle» qui serait proprement française, à en croire quelques artistes et critiques américains, comme encore la rémanence d'un schéma traditionnel de composition ce que confirmerait la répartition, très concentrée, sur la surface de quelques-uns de ces encore mais déjà plus tableaux, de formes à la couleur plus soutenue.

On pressent toutefois le débordement inéluctable du support traditionnel. La technique de l'imprégnation entraînait-elle encore la fin de la tension de la toile sur le châssis ? Pas forcément, comme en témoignent les œuvres de Morris Louis et de Kenneth Noland lesquels, avant Viallat, avaient déjà eu recours à cette technique. L'emploi et le travail de la toile souple conduisaient peut-être aussi au respect de sa matérialité et à l'exploitation de ses possibilités mais pas forcément ! Il fallait pour «ne pas séparer la couleur de la matière, considérer l'une et l'autre comme intimement liées, matière-couleur et couleur-matière indissociables» la coïncidence heureuse entre un projet de peintre, manifestement juste dans une certaine situation de la peinture, et un projet intérieur. La forme que Viallat répète régulièrement sur les supports qu'il «travaille» ne s'y impose pas, elle se confond avec leur texture, s'y conjugue, tout en demeurant aisément reconnaissable. Marcelin Pleynet a judicieusement noté que la dimension de la forme n'était pas proportionnelle à l'étendue du support. C'est que le problème pour Claude Viallat ne s'est jamais posé en termes de compositions ou d'aménagements structurés d'un espace comme, par exemple, pour les artistes américains dits «Minimal» mais de marquage d'un territoire à peindre à l'extensibilité infinie qu'il faut faire sien, déclarer sien, par l'apposition de son signe, sans le dénaturer. On saisit ici encore une autre différence avec le «Minimal art» : les préoccupations de Viallat ne portent pas sur la scansion des pleins et des vides, la répétition sérielle, les limites du tableau comme index de l'œuvre, mais sur l'occupation physique, corporelle de l'étendue. L'appropriation passe par l'arpentage : «placement du corps sur la surface à peindre et peindre autour de soi en arpentages successifs, en affrontements de zones». Il n'y a pas ainsi, répétons-le, de programme qui déterminerait les œuvres à priori et permettrait, après exécution, de les apprécier. Le programme se constitue au fur et à mesure de son évolution «spiralée», au fur et à mesure de l'arpentage appropriateur : «le projet plastique de la toile s'organise au fur et à mesure de son exécution».

L'œuvre ne serait donc que le produit du travail ou plutôt de la conjonction, de la liaison, rendue indissociable par l'opérateur, (le peintre), du travail, (le temps), et de la surface, (l'espace). Mais «même si l'auteur, dit justement Roger Caillois, n'a fait que suivre son instinct, que laisser agir des forces qu'il ne contrôle pas (mais auxquelles il s'est remis) les laissant faire (mais leur préparant la voie), l'œuvre répond à son vœu, et, même informe, sa forme est celle qu'il a cherchée. En ceci, sa préférence ; en ceci, sa démarche, peut-être son aberration ; à coup sûr, sa responsabilité» (5). On ne saurait mieux dire la contradiction fondamentale du «matérialisme» de Supports-Surfaces et de Claude Viallat. Malgré ses déclarations sur le rôle restreint du peintre, sur l'importance du matériau, il n'en reste pas moins l'auteur «c'est-à-dire, selon l'étymologie, l'argumentateur, celui qui confère la portée et l'importance» (6). En fait, tout se passe comme si, par une sorte de transfert, ce rôle était dévolu à la forme, véritable substitut emblématique du peintre, la promotion artistique de la surface étant assurée par son apposition qui la transforme en territoire de l'artiste. Le recours à la teinture montre que Viallat ne s'arrête pas à la surface. L'imprégnation transmue la couleur en «force colorante», l'expression est de Bachelard, elle pourrait être de Claude Viallat, comme ce qui suit : «L'acte de teindre prend toute sa force première ... apparaît bientôt comme une volonté de la main, d'une main qui presse l'étoffe jusqu'au dernier fil. La main du teinturier est une main de pétrisseur qui veut atteindre le fond de la matière, l'absolu de la finesse. La teinture va ainsi au centre de la matière» (7). Le passage que Bachelard consacre dans *La Terre et les rêveries du repos* au rêve d'imprégner devrait être cité dans son intégralité. On en retiendra ceci que l'on pourrait comparer à quelques-uns des écrits «théoriques» de Claude Viallat : «Le rêve d'imprégner compte parmi les rêveries de la volonté la plus ambitieuse ... le rêveur en sa volonté de puissance insidieuse, s'identifie à une force qui imprègne à tout jamais. La marque peut s'effacer. La juste teinture est indélébile. L'intérieur est conquis dans l'infini de la profondeur pour l'infini des temps. Ainsi le veut la véracité de l'imagination matérielle.» (8)

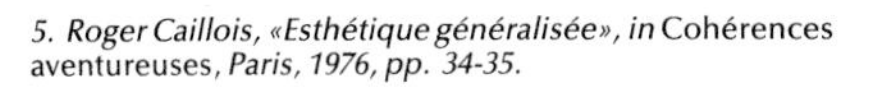
5. Roger Caillois, «Esthétique généralisée», in Cohérences aventureuses, *Paris, 1976, pp. 34-35.*

6. Roger Caillois, ibid.

7. Gaston Bachelard, La Terre et les rêveries du repos, *Paris, 1948, p. 36.*

8. Gaston Bachelard, ibid, p. 35.

Bachelard insiste sur l'identité, dans l'opération alchimique, de l'acte de teindre et de l'acte de transformer. Viallat ne dit pas autre chose. Par le marquage de la toile qui lie la force colorante de la couleur à la matière du support, Viallat sait qu'il transmue celui-ci en œuvre d'art. A jamais. Peut-être saisit-on mieux, ceci dit, ce qu'il entend dans la «parabole» qu'il aime à répéter à propos de la toile de Cézanne qui aurait servi de porte à un poulailler et «qui reste cependant un Cézanne, de la peinture». Claude Viallat, Yves Michaud commentant ce propos du peintre l'a justement noté, «dénie la puissance du regard» (9), proposition surprenante venant de quelqu'un qui a, quand même, accepté de fonder sa «théorie esthétique» sur une analyse marxiste de la pratique de l'art et qui devrait donc, au contraire, souligner le pouvoir du regard dans la constitution de l'œuvre. A vrai dire il n'y a pas contradiction. Pour Viallat, l'acte de transformer qui a produit un Cézanne reste bien réel et quoiqu'il advienne du Cézanne, il n'en demeure pas moins un tableau ce qui voudrait dire que, pas plus qu'il n'aurait une authenticité qui le mettrait hors de l'histoire, il ne serait réductible aux déterminations extérieures. On touche ici au cœur du problème.

9. Yves Michaud, op. cit.

Reste une contradiction plus difficile à lever. Bachelard dit que le rêve d'imprégner traduit une volonté de conquête de la profondeur pour l'infini des temps ; Viallat dit, lui, «accepter la couleur dans son vieillissement et dans ses mutations, ses transformations considérées comme des avaries non regrettables, productions de leurs propres effets». Pour ce faire, il a soumis ses toiles à la pluie, au soleil, laissé aux vagues de la mer le soin d'imprégner la toile de couleur. Peut-être, a-t-il désiré, inconsciemment, s'approprier dans ce territoire privilégié qu'est pour lui la toile, les forces élémentaires devenues ainsi éléments constitutifs de l'œuvre ? Quoiqu'il en soit, il a pris soin de ne pas contrarier ni les effets de ces forces sur les œuvres ni les variations physiques propres à la nature des matériaux utilisés pour les exécuter. Il ne veut plus, dit-il, «fixer les choses dans un présent intemporel». On ne peut esquiver le problème en osant arguer du décalage inévitable entre la pratique et ce qu'inconsciemment elle met en œuvre et une réflexion théorique, c'est là, entre autres, sa grandeur, qui «s'ajuste à la réalité sans vouloir la soumettre.» En fait, répétons-le, on ne peut confondre le travail et ses produits. «L'infini des temps» est désiré non dans une œuvre qu'on ne peut arracher à sa propre transformation matérielle, qu'on ne peut délivrer des vicissitudes de l'histoire et du monde physique, mais dans le travail. C'est la répétition sans fin du marquage, de l'apposition de la forme, qui promet l'«infini des temps à jamais». Le temps de Viallat c'est celui de la transformation qui ne doit jamais cesser. Viallat a dit et redit que son œuvre n'évoluait pas, qu'elle se transformait, qu'elle ne se développait pas linéairement mais en spirale. La spirale assure dans l'infinité des temps une cohérence du temps et de l'espace que le peintre accomplit physiquement par la répétition du marquage, la redondance de l'empreinte : «Le temps non linéaire est le plus souvent une nappe ou un champ. Serait-il dès lors réductible à l'espace ? ou à un espace ? Nous appelons espace une multiplicité relativement homogène, isotrope, soumise à quelque loi ou à une définition... Il faut une certaine redondance pour qu'un espace soit possible...» Michel Serres (10).

10. Michel Serres, Genèse*, Paris, 1982, pp. 186-187.*

L'exposé succombe ici à la tentation de l'explication et n'explique rien. Il oublie les œuvres dans sa dérive dangereuse vers une psychologie de la forme. Si l'on ne peut décrire une évolution, le mot ne concerne pas le travail de Claude Viallat, du moins devrions-nous décrire les phases et les passages.

Noter l'emploi de bâches neuves vers 1973, l'exécution de toiles aux formes polychromes vers la même époque puis l'utilisation de bâches usées, de vieilles chemises, de toiles de tentes usagées, de parasols rapiécés, vers 1976, conjointement à l'abandon de la teinture et le «recours-retour» à la peinture passée à la brosse dont on laisse les traces marquer les supports, n'aboutit cependant qu'à établir une chronologie un peu banale. On pourrait signaler la forte inclination du peintre pour certaines gammes de couleur bleu-blanc, rouge-bleu et commenter... Il apparaîtrait très vite qu'il faut déborder la description et le constat par la comparaison : confronter les bleus de Viallat à ceux de Matisse ou de Hantaï avec lequel il partage, mais dans son sillage, une même délectation pour les formes découpées de couleur claire et vive, rouge, bleue, verte ou encore noire, séparées par des blancs intenses. On pourrait encore rapprocher les toiles polychromes puis les «peilles» de 1976 des patchworks intensément colorés peints par Sam Francis durant les années 50 et 60. On pourrait ainsi inscrire Claude Viallat dans la lignée du Claude Monet des *Nymphéas*, ce qui est tout aussi judicieux que de le placer dans celle de Matisse. On toucherait ainsi aux sources de la forme dont on pourrait repérer les avatars jusqu'à sa définition nette par Claude Viallat... A vrai dire, à établir ces rapprochements, nous effacerions des différences formelles et conceptuelles surtout qui devraient être, au contraire, privilégiées. Il faut donc procéder autrement.

On peut tenter de saisir le travail de Claude Viallat en son temps, entreprendre de cerner le «moment initial» (André Chastel). Nice permettrait de convoquer pour une confrontation où s'avoueraient des «influences», les Nouveaux Réalistes par exemple ; et l'on jugera l'apposition cumulative de la forme, de gauche à droite et de haut en bas, comme reprise de certains travaux d'Arman. On pourra ensuite comparer ces additions de formes emblèmes aux tamponnages de Louis Cane exhibant, répétée, l'inscription «Louis Cane artiste-peintre». Rien ne sera pour autant dit. Le moment où Claude Viallat définit sa démarche est un moment complexe où coexistent des tendances diverses dont le peintre tient à se distinguer ou dont il n'a cure. C'est le moment où la France découvre l'art américain et une certaine lecture de cet art dont «l'imperium» va régler pendant plus de dix ans et la pratique et la théorie artistiques.

Cette approche de l'art et des possibilités artistiques d'un moment, que Claude Viallat a su admirablement saisir, a autorisé à inscrire son projet dans la perspective progressiste tracée par la critique d'art américaine. Nous avons dit ailleurs ce qu'il en est résulté. Il convient pourtant de poursuivre la comparaison. Le commentaire, par Greenberg, de l'usage de la teinture chez Louis et Noland pourrait aussi s'appliquer à Viallat : «Imprégné de peinture au lieu d'être couvert par elle, le tissu devient lui-même peinture, couleur, comme une étoffe teinte. La trame et le tissage sont dans la couleur (11).» En fait, si nous nous bornons à ce constat formaliste il faut souligner l'antériorité des Américains et s'en tenir là, puisque la valeur artistique se confond dans la perspective historique avant-gardiste avec la «position historique» qui est «indubitablement», note Robert Klein, «un critère esthétique». Dans le cas de Morris Louis et de Kenneth Noland, l'usage de la teinture doit, mais pas seulement, c'est vrai, accomplir la réduction de la peinture à elle-même, «purger, comme le dit Claude Gintz à propos de Frank Stella, la peinture de tout vestige illusionniste et révéler son statut d'objet» (12). Dans cette perspective de dépassement, ce qui est espéré c'est une assomption de la peinture dont on n'ose plus dire, comme naguère les constructivistes, Mondrian ou Gorin, qu'abolie elle se confondra avec la Cité où vivront les hommes réconciliés, mais qu'on voue donc plus prosaïquement, plus pragmatiquement, par des ajustements successifs, à devenir elle-même. Il faut entendre une activité spécialisée ne renvoyant qu'à sa propre histoire d'activité spécialisée. Cette conception suppose un savoir toujours maîtrisé de la peinture et sa définition «technologique». C'est pourquoi les artistes américains abstraits des années 60 ont privilégié les formes non organiques et leurs œuvres portent témoignage de leur fascina-

11. Clément Greenberg, «Louis and Noland», in Art International*, mai 1960, cité par Claude Gintz in* Regards sur l'art américain des années 60*, Paris, 1979.*

12. Claude Gintz, op. cit., p. 6.

tion non pensée pour le classicisme, le fonctionnalisme. Il est significatif de constater le peu d'intérêt de ces artistes pour le matériau, qu'ils choisissent d'ailleurs selon des critères fonctionnels et «économiques». «Il n'y a rien de sacro-saint dans les matériaux» affirme Don Judd, et Frank Stella, à une question posée par un critique sur la nature des couleurs qu'il emploie, répond : «Si quelque chose ne colle pas avec cette couleur vous ne l'employez plus : il y a un gros effort pour travailler avec de meilleurs matériaux... je n'aime pas ce qui souligne les qualités matérielles.» On rétorquera que, vers les années 60, un peu avant l'avènement de Supports-Surfaces, certains artistes américains souvent passés par une phase minimaliste s'efforcent, contre l'idéologie du fini du «Minimal art», de souligner le déroulement du processus fabricateur. Robert Morris et Richard Serra, par exemple, mettent littéralement en «œuvres» les propriétés physiques des matériaux mais dans la perspective fonctionnaliste et évolutionniste propre à la société industrielle. On ne sort pas d'une «technologie artistique».

Le modèle américain s'est imposé à Claude Viallat par le truchement des démonstrations radicales du groupe B.M.P.T. En réduisant la peinture à un état «minimal», à des bandes verticales, horizontales, à des cercles, à la répétition à intervalles réguliers de l'empreinte d'une brosse carrée chargée de peinture sur la toile, ce groupe aboutissait à une parodie de l'art moderne et de ses caractères récurrents qui interdisait alors, si l'on acceptait les implications «philosophiques» de son travail, la poursuite de toute activité artistique ou contraignait à la penser historiquement dans ses possibilités matérielles de production. Bref, l'art était mort, il fallait le recommencer.

Yves Michaud a magistralement étudié l'obsession des origines que trahissent les travaux et les écrits de Claude Viallat : ses «prises», «semblables aux galets préhistoriques à empreintes», «ses cordes, nouées en échelles qui font penser à des quipus d'Amérique du Sud, ses projections de mains comme celles qu'on peut trouver dans les grottes». Yves Michaud ne dit pas avec Claude Viallat «que ce sont les mêmes gestes élémentaires qui sont à l'œuvre dans tous ces objets», il souligne d'emblée entre les deux séries «le fossé historique» et s'interroge sur ce que le peintre «a voulu montrer» et «sur ce qui est montré» (13).

13. Yves Michaud, op. cit.

Développant une analyse de la «primitivité» dont il retrace l'évolution dans la pensée esthétique et la pratique artistique de la fin du XIXe siècle à nos jours, il est amené à rapprocher la théorie et les pratiques primitivistes de Claude Viallat des exposés sur les origines de l'art de Gottfried Semper. Les similitudes sont en effet troublantes et la comparaison éclaire le dessein de Claude Viallat. Joseph Rykwert a souligné, et Yves Michaud après lui, que contrairement aux recherches contemporaines ou postérieures sur la naissance des styles, les thèses de Semper étaient résolument non évolutionnistes, voire anti-évolutionnistes. De plus, comme Viallat aujourd'hui, Semper concevait l'art comme une morphologie transformationnelle conditionnée par la nature des matériaux utilisés, leur flexibilité, leur résistance. La teinture dans cette vision des origines est donnée comme précédant la peinture : «le procédé de teinture est plus facile que la peinture et donc plus originel» (Semper, *Der Stil*, vol. I, p. 190), et liée à des dispositifs sommaires de fabrication : entrelacement, tressage, assemblage de matériaux dont l'élaboration expérimentale répond à une nécessité qui traverse l'histoire de l'humanité : lier, ordonner, délimiter. Semper insistait sur le «procédé conceptuel qu'implique le tissage : la fibre conduit au fil et à l'entrelacement, le fil et l'entrelacement suggèrent le nœud», le nœud qui est «peut-être le plus ancien symbole technique et l'expression des premières idées cosmogoniques surgies chez les peuples» (Semper, *Der Stil*, 1878, p.12). On pourrait poursuivre. Pour Semper encore l'origine de toute forme découlerait du choix «du matériau mis en œuvre, ainsi que des techniques et outils employés pendant la fabrication». Ajoutons que Semper voyait dans la tente la première habitation issue de ces techniques sommaires originelles (14) comme, semble-t-il, implicitement Claude Viallat, ce que démontrerait la pièce «américaine» présentée dans le Forum du Centre Pompidou. Il pourrait sembler ici que malgré leurs ficelles, nœuds, rubans, depuis les bâches usagées qu'il marque de son sceau, «signe de reconnaissance a nul autre semblable, emblème unique mais sans cesse répété : ce qui fait trace — l'empreinte — est signature. C'est là où gît... le nom...» (15), Claude Viallat abandonne la question des origines de l'art pour retourner à une peinture plus traditionnelle ou plus préoccupée d'expressivité. On peut noter que la peinture remplace depuis 1976 la teinture, que la couleur n'imprègne plus le support qui est, selon les termes de Viallat, «médiatisé» par l'écran d'une couche de blanc qui s'interpose entre la nature physique du matériau et la peinture. C'est moins la matière qui est déterminante maintenant, que la configuration spatiale. La découpe et le compartimentage des contours de supports tels que chemises, parasols, auvents, toiles de tentes déterminent, mais en fonction de la position physique du peintre qui les arpente en les peignant à même le sol, la composition, c'est-à-dire la répartition de l'apposition de la forme. Yves Michaud a justement proposé à propos du mode d'apposition de la forme depuis 1976, le terme d'«élaboration ornementale». Pour les toiles antérieures à 1976 où la répétition du «pattern» s'ordonne rigoureusement, nous oserions avancer le terme de décoration, au sens où l'entend Guy Brett qui lie l'apparition de la décoration à l'invention de l'artisanat et de l'agriculture, «la composition ordonnée, écrit-il, est peut-être un reflet du travail méthodique que nécessite la culture comparée à la liberté désordonnée de la chasse», «la peinture des chasseurs paléolithiques a une composition fluide, et s'étoile dans toutes les directions sur les murs des cavernes». Il en est bien ainsi dans les «peilles» et les bâches peintes à partir de 1976 par Claude Viallat. Leur composition rappelle en effet «l'utilisation par le peintre préhistorique des potentialités de forme ou d'image de la paroi» (Yves Michaud). Nous serions ici ramenés à l'origine de l'art, à ce moment «édénique» d'avant la domestication des animaux dont on ne soupçonnait pas avant 1879 les prodigieuses figurations originelles. Il importe, en effet, que les premières manifestations artistiques aient figuré des taureaux dont on sait la place qu'ils tiennent dans la mythologie personnelle de Claude Viallat et dans le rituel des fêtes des villages du pays nîmois (16). Le «primitivisme» de Viallat concilierait ainsi les exigences intérieures et la nécessité dans une situation historique donnée «de faire le primitif». On pourrait encore ressentir cette quête des origines comme une manifestation exacerbée du comportement artistique moderniste, soumis à la valeur de «position historique». A se mettre dans une situation adamique, on se mettrait dans une situation d'antériorité absolue. L'ambition est ici plus élevée, elle est un élan vers la transcendance, vers un au-delà de l'histoire et du savoir.

Claude Viallat cependant n'idéalise pas le moment originel. Il ne propose pas une Arcadie «matériologique». Au risque de l'anachronisme on pourrait comparer son attitude à celle que Panofsky décrit admirablement, de Piero di Cosimo. Piero, dit Panofsky, «n'idéalise pas». Au contraire, il rend «réelles» les premières phases de l'histoire universelle, à tel point «que les plus imaginaires de ses créatures... ne sont qu'une application de théories évolutionnistes sérieuses». On pourrait presque en dire autant de Viallat. Il rend réelles les premières phases de la production artistique de l'humanité. Viallat, pas plus que Piero,

14. Pour tout ce passage voir, Joseph Rytwerk, La maison d'Adam au paradis, *Paris, 1976. Joseph Rytwerk, «Gottfried Semper et la question du style», in* Macula, *5/6.*

15. Gaya Goldcymer, «Chiffre et Paraphe», in Blickfelder 81, *Bielefeld, 1981.*

16. G. Brett, «Champ, agriculture, décoration», in Macula, *I. Il faut rappeler ici la parenté entre l'apposition de la forme, le marquage de l'espace par Claude Viallat et le marquage des maisons, à leur signe, des classes de conscrits dans le pays nîmois. Le marquage signifie bien sûr l'entrée en virilité, l'accès à une identité mais peut-on discerner une influence directe sur la technique de Claude Viallat ?*

17. E. Panofsky, «Les origines de l'histoire humaine», in Essais d'iconologie, *Paris, 1967.*

ne regrette la «félicité d'un âge primitif», il se comporte comme «un primitif». Panofsky dit encore de Piero que ses tableaux nous confrontent à «la mémoire subconsciente d'un primitif dont le hasard voulut qu'il vécût à une époque de civilisation sophistiquée» (17). Il en va de même pour Viallat et Yves Michaud, nous l'avons dit, insiste sur le gouffre de l'histoire qui interdit à jamais à Viallat de connaître la situation adamique qu'il feint de vivre. «L'adamisme matériologique» de Viallat est un peu celui que vit dans son île Robinson Crusoe. Pas plus que Robinson, Claude Viallat ne peut oublier le savoir de son temps et l'inscription historique de sa peinture qui n'est en rien celle du chasseur paléolithique. «La re-expérimentation pour son propre compte» des processus artistiques originels pourrait alors nous renvoyer à une conception du temps et de l'espace qu'éclaire le commentaire de Bachelard sur «le rêve d'imprégner». On n'échappe pas à la spirale.

L'histoire de l'art moderne ne peut s'analyser que dans ses rapports à la société industrielle. L'horreur de l'industrie et de ses conséquences sociales et culturelles se manifeste dès les débuts du développement industriel qui a été perçu d'emblée comme déchirant une harmonie, entraînant la perte de l'unité de l'homme et de la nature. Incapables d'accorder une conception humaniste de la nature au monde réel, matériel, en pleine transformation de l'ère industrielle, les artistes occidentaux ont tenté d'esquiver le réel par deux sauts qui abolissent le présent et l'histoire. Le premier vers la Cité Idéale transforme le monde industriel en lieu où vivre sans penser le comment de la transformation (Mondrian, Malevitch, etc.) le deuxième vers l'Eden perdu efface le monde industriel, (les Symbolistes, Chirico, les Surréalistes, etc.).

Il convient donc de replacer le primitivisme de Claude Viallat dans la situation historique de ses premières manifestations. Nous avons esquissé l'analyse dans la préface à l'exposition de Sénanque. Ce que Jean Clair a heureusement appelé l'abstraction ethnographique surgit à un moment d'expansion technologique. Guérie de ses obsessions colonisatrices, la France s'industrialise et connaît à son tour les bienfaits et les maux de la société de consommation. Toute une civilisation bascule et se délite sous le coup du progrès technologique que les classes dirigeantes peuvent organiser dans l'euphorie expansionniste du moment. Le dépeuplement des campagnes s'accélère. La motorisation, le Marché Commun, la télévision bousculent la structure économique et culturelle du monde rural, la télévision surtout qui unifie les comportements par la diffusion d'une culture de masse dégradante. Par contre-coup les régions découvrent leurs particularités. Le Midi de la France plus fortement qui, délaissé par les «aménageurs industriels», devient une sorte de réserve pour les loisirs des Français et des Européens du Nord. La production artistique porte trace de ces bouleversements et des contradictions qui travaillent cette société en mutation. Le travail de Viallat confronté à l'art cinétique qui officie la machine et la technologie, à l'art Minimal et à son rationalisme fonctionnaliste, prend tout son sens.

Le primitivisme de Viallat peut être aussi compris comme le refus non pas de la technique industrielle mais de son usage qui renforce l'exploitation des hommes et modifie sans qu'ils l'aient désiré, leurs modes de vie, de travail et de loisirs... En fait, le primitivisme de Viallat est un réalisme... Reste «le petit pan de mur jaune»...

NOTE

De nombreux auteurs ont commenté le travail de Claude Viallat. Parmi eux Jacques Lepage, Marcelin Pleynet et Yves Michaud. Ils ont écrit sur ce travail les textes fondamentaux, les textes qui accompagnent l'œuvre dans son cheminement, les textes auxquels toujours on reviendra. Les études présentes et à venir leur sont et leur seront redevables. Il convenait de le rappeler.

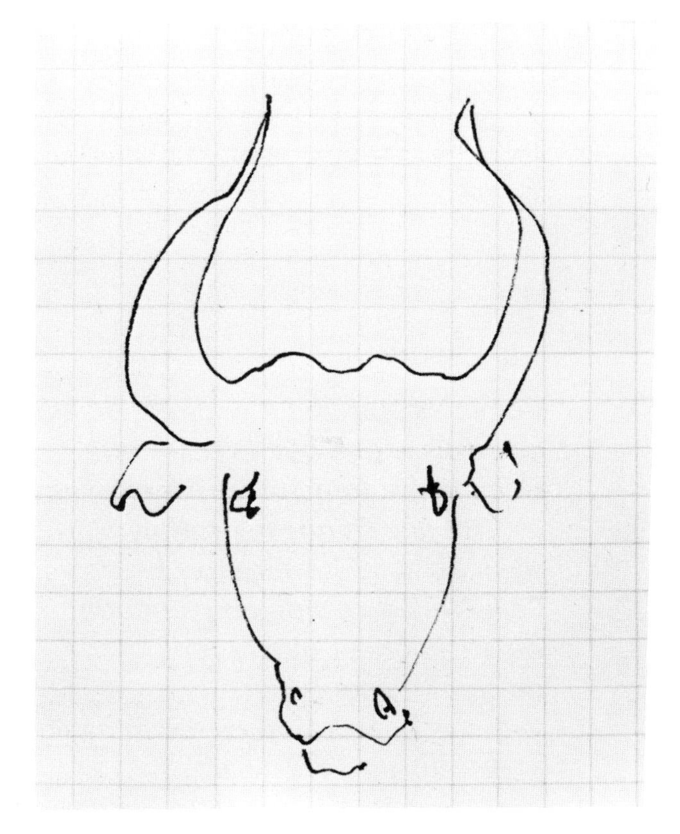

1981, Dessin.

Pour Henriette :

Comment autrement te dire mon amour
que dans le peu que je peux faire ?
Comment autrement te dire mon ignorance
à n'être que ce que je produis,
qui n'a d'autre justification ?
Peut-être est-ce vide ou plénitude,
espace intérieur que tu remplis,
ou creux d'impuissance ?
Je te sais là dans la force qui m'habite
et ne veux d'autres désirs.

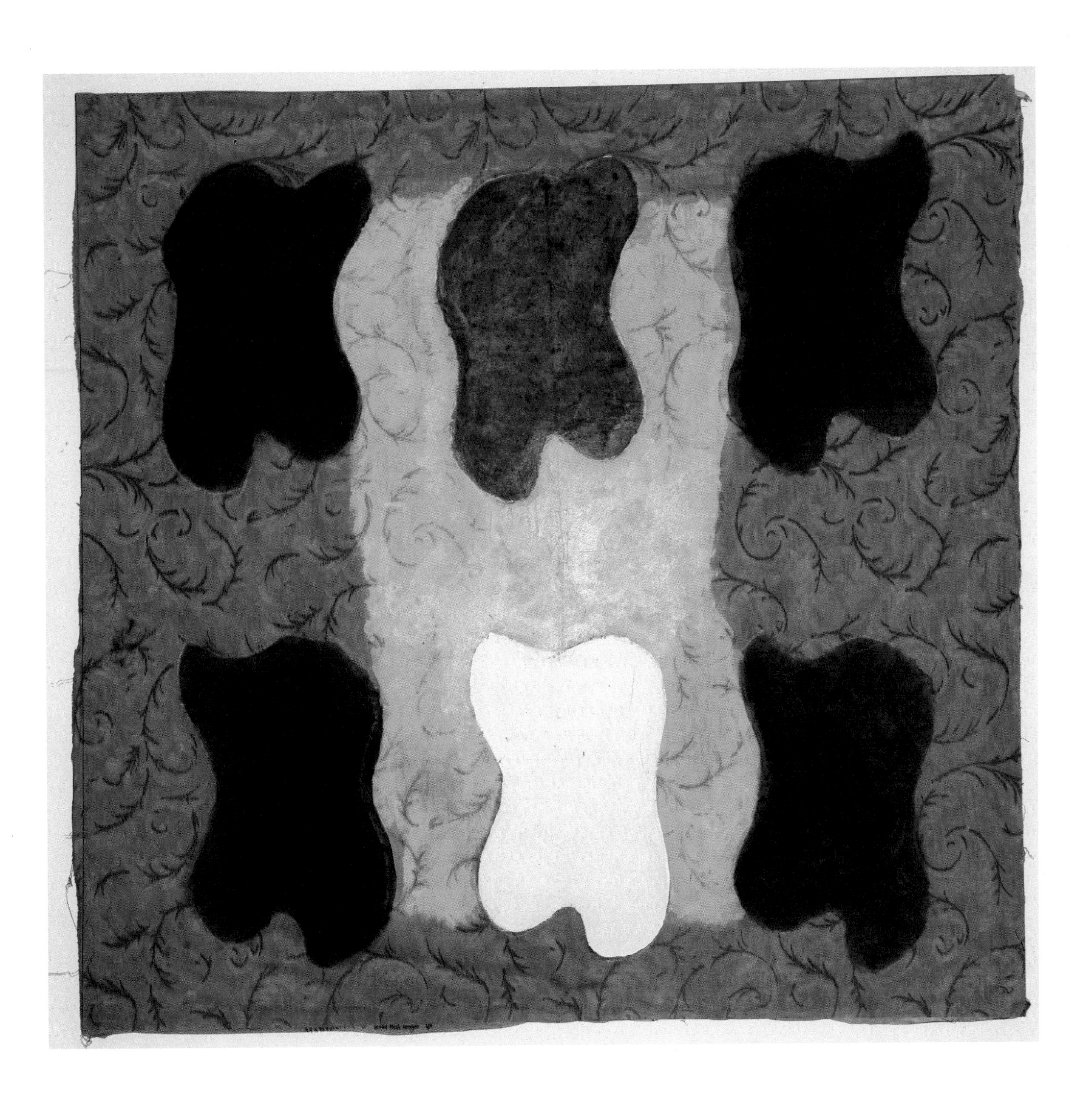

1966, Tissu à motifs teint tendu sur châssis, empreintes, gélatine et rubson, 113 × 117,5 cm

1966, Toile tendue sur châssis, huile, 100 × 200 cm.

du châssis
de la toile - fil - trame
du marquant - teinture - peinture
de la couleur
de la non couleur - matières
de la destruction de la couleur
des liants - huile - produits huileux - essences
de la forme de la contreforme, de la détérioration et de la destruction
de l'une et de l'autre
de la dimension - surface - périmètre
de la forme extérieure - de la forme intérieure
du support
du clou - moyen de fixation
de l'espace intérieur - de l'espace extérieur
du pli - pliage - déroulement
du froissage
du côté - bord
du coin - angle.

Travail de mise en critique pratique du renversement systématique des évidences — création — contre-création — travail — contre-travail — le résultat obtenu étant un nouveau terrain d'action — où agir — énumération effective de toutes les possibilités. C.V.

1966, Toile métis, gélatine, 150 × 142 cm.

1966, Toile métis, gélatine, recto-verso, 175 × 192 cm.

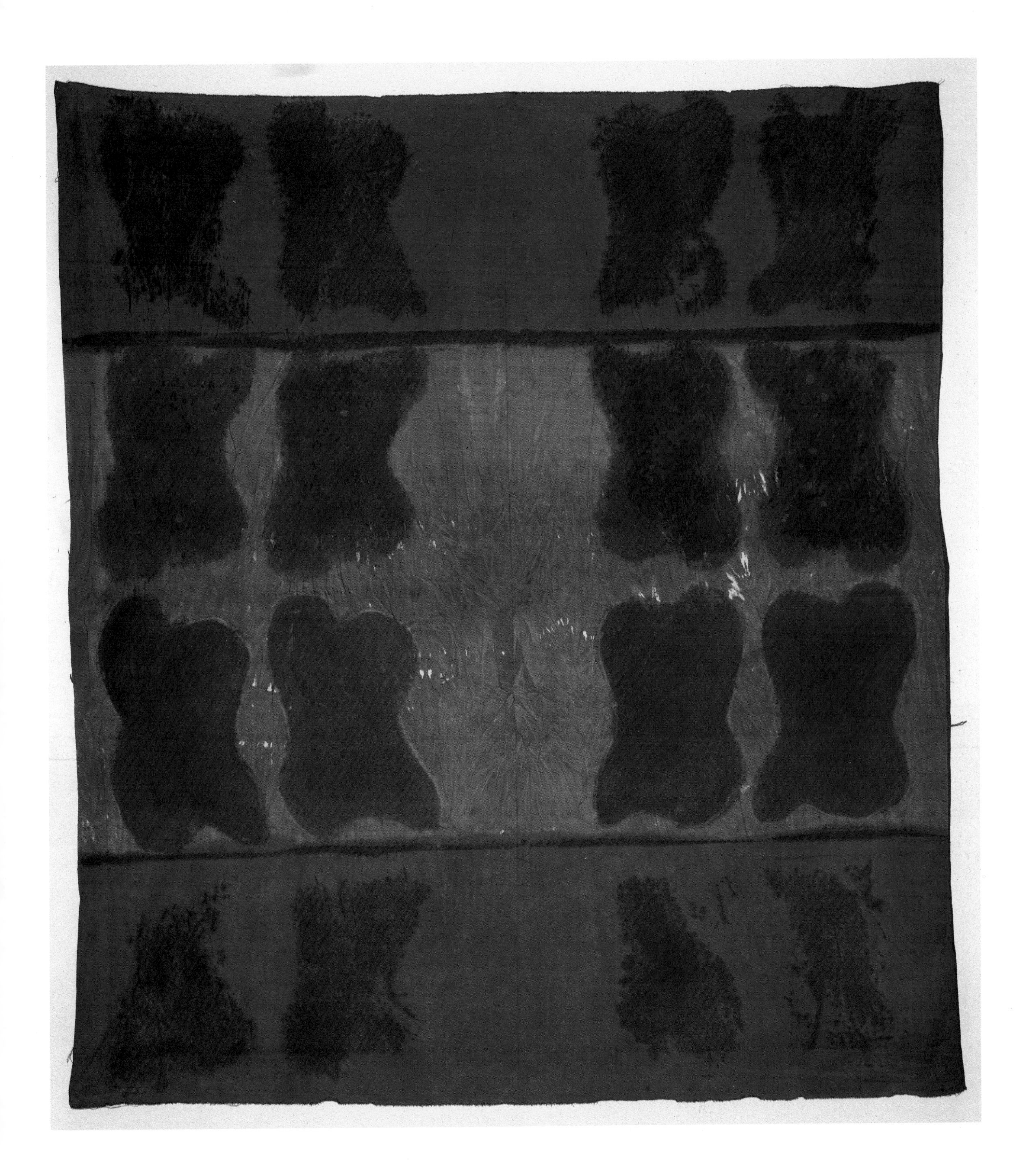

1966, Toile métis, gélatine, pliage, recto-verso, 157 × 143 cm.

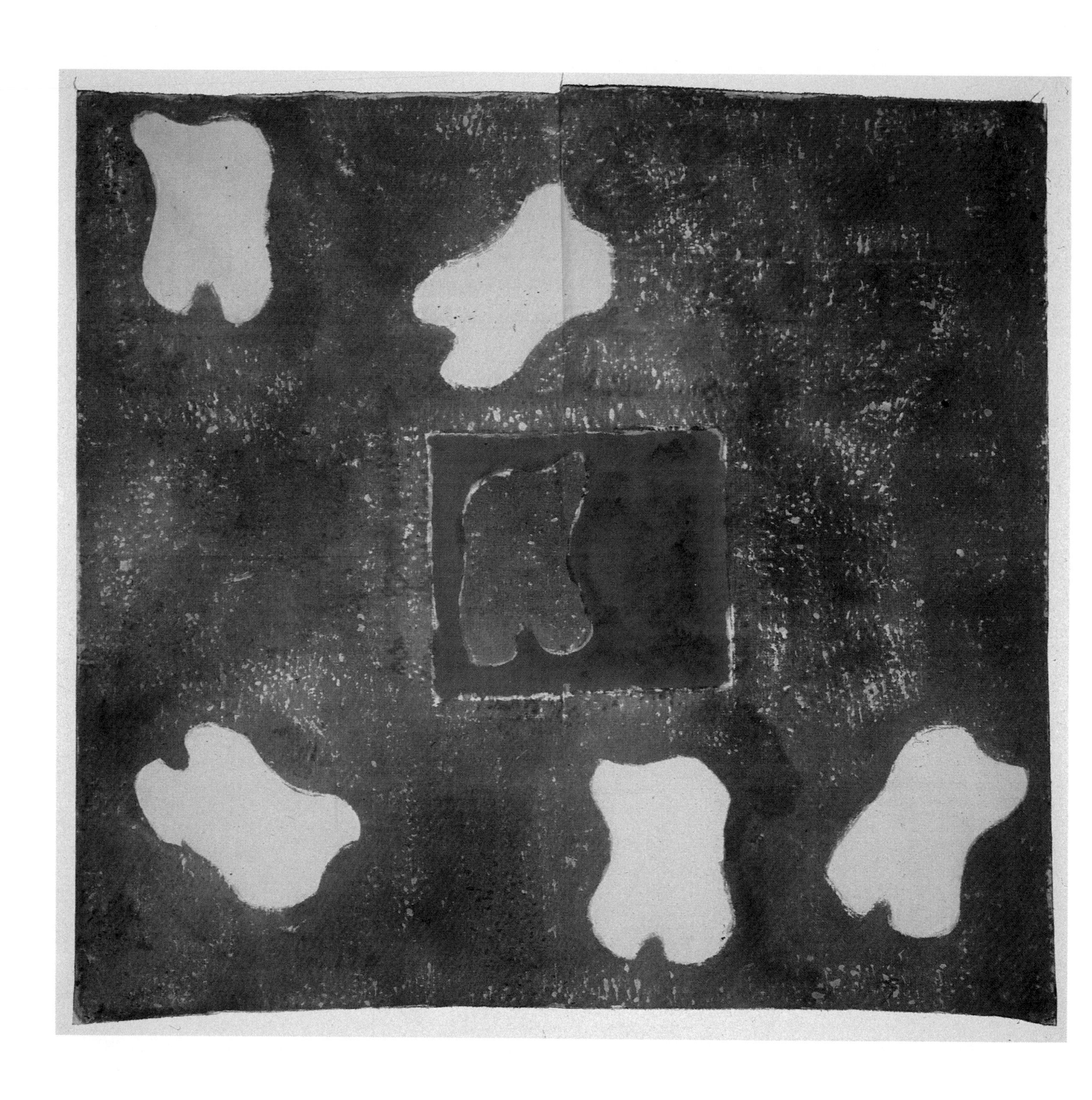

1967, Toile métis, gélatine, recto-verso, 161 × 178 cm.

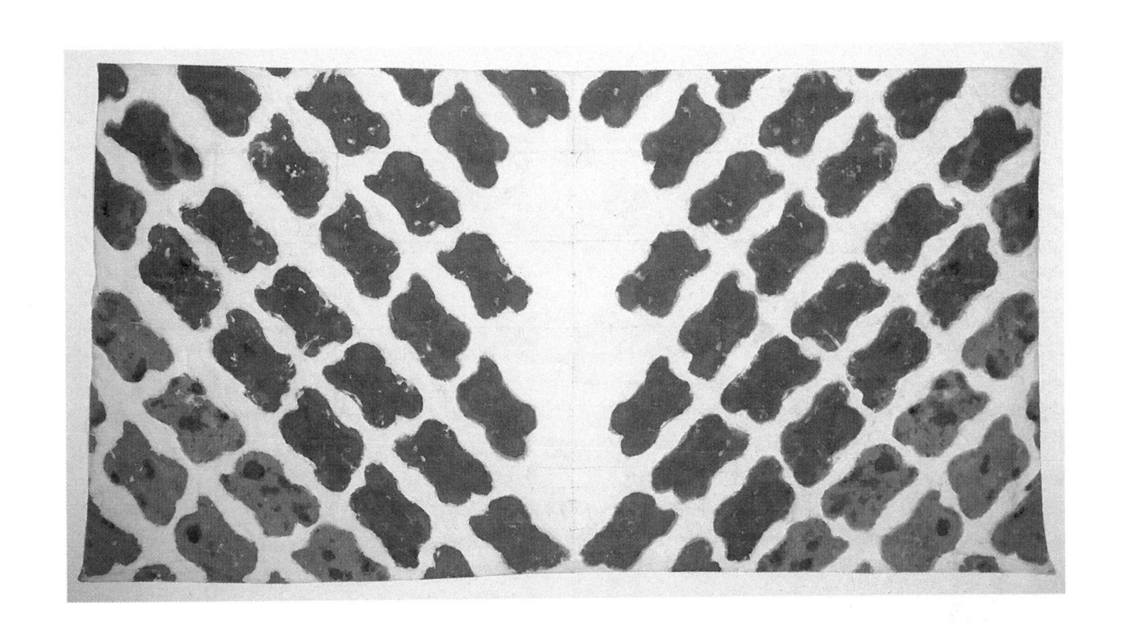

1967, Toile métis, gélatine et vinyl blanc, pliage symétrique, 200 × 385 cm.

1967-1968, Toile métis, acrylique, 240 × 325 cm.

La mémoire m'a souvent servi dans mon travail, alignement de billes ou de souches, rangées, quadrillages ; filets, voiles, linges étendus aux fenêtres ou sur les galets, greffes, ligatures, marquage au fer, etc., jeux d'enfants ou travaux quotidiens et saisonniers.

Mon travail de l'été 1966 a consisté à réduire au maximum, à la fois le système de production de l'image et sa signification.

Un certain procédé employé dans les pays méditerranéens pour «blanchir» les cuisines me parut approprié. Une éponge trempée dans un seau de chaux bleue et appliquée systématiquement sur un mur blanc.

Ce procédé d'empreintes adapté à une forme quelconque pressée sur une toile non tendue et non apprêtée devait se révéler extrêmement productif.

Trouver une forme quelconque revenait à utiliser la première forme venue. Je dessinai dans une plaque de mousse de polyuréthame une forme approximative de palette que je trempai dans la couleur liquide (gélatine + colorant) et pressai le tout sur la toile.

Pour nettoyer la forme imprégnée de couleur, je la trempai dans la Javel presque pure. Retirée, la forme se déchire en lambeaux.

La plus grosse forme fut utilisée dans tout mon travail ultérieur, forme de hasard, forme donnée par accident, aussi vraie que n'importe quelle autre.

Cette technique ne nécessitait plus la tension préalable et traditionnelle de la toile sur un châssis et la toile souple imposait alors sa propre matérialité. Elle se pliait, se froissait, restait souple et mobile, toutes les possibilités de présentation n'en modifiaient pas l'image portée, image du travail, toujours semblable même si la perception en était changée par la présentation.

Par ailleurs le travail fait par imprégnation était produit recto-verso, parfois simplement modifié par la capillarité parfois délibérément différente sur les deux faces.

Une des conséquences pratiques était le peu d'encombrement des toiles pour leur logement «pliées comme des draps dans une armoire» ce qui leur donnait une grande mobilité et en facilitait le transport en leur enlevant le caractère précieux et sacralisé qu'avait eu la peinture jusque-là.

Il s'agissait de ne plus donner de sens autre à l'image que celui du travail qui la produisait.   C.V.

1967, Toile métis, gélatine et sérigraphie, 197 × 235 cm.

1968, Patchwork tissus imprimés, bleu de méthylène, 257 × 128 cm.

968, Patchwork tissus de couleur, bleu de méthylène, 288 × 143 cm.

1967, Toile métis, acrylique, 178 × 265 cm.

1968, Panneau de bois, gouache acrylique, 53×34 cm.
Musée national d'art moderne, Paris.

1969, Toile métis, bleu de méthylène, 450 × 210 cm.

1970, Toile métis, bleu de méthylène, 305 × 205 cm.

1970, Toile métis, bleu de méthylène, 595 × 140 cm.

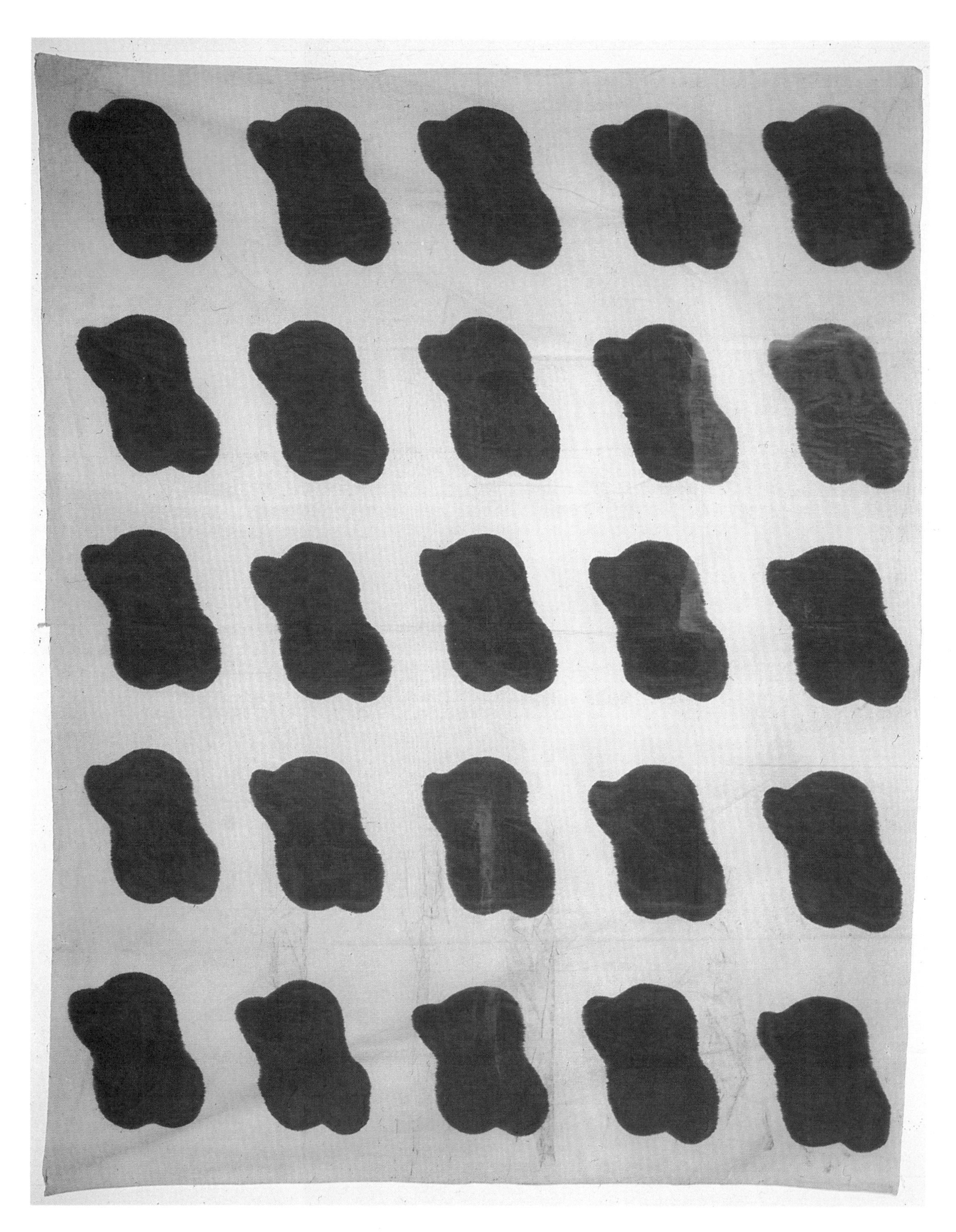

1970, Toile métis, éosine et alcool à brûler, 261 × 209 cm.

UNE ŒUVRE MULTIPLE

Alfred Pacquement

«Mon travail, je ne le conçois pas comme progressant dans le temps, linéairement. Il se développe en spirale à partir d'un noyau...» Le rappel de ces propos de Viallat est presque inévitable pour qui veut se pencher sur son œuvre. Ils sont, en même temps que la permanence de la forme, au cœur de la peinture. Porter aujourd'hui un regard d'ensemble sur celle-ci exige d'abord de garder en mémoire cette volonté d'équivalence, ce refus de progresser. Dès le départ Viallat radicalise sa production avec la répétition d'une seule forme, neutre et non-symbolique, toujours identique, toujours de même format. On a beaucoup écrit là-dessus en oubliant parfois de souligner que l'important n'est pas tant que Viallat ait découvert une forme plutôt qu'une autre, mais ce qu'il en a fait, d'avoir su concilier cette rigueur avec le renouveau permanent qu'implique une pratique picturale. Ainsi la «marque» Viallat, présente au point qu'elle a parfois pu encombrer son auteur, ni style ni technique contrairement à la plupart des peintres, n'est-elle pas seulement une certaine forme répétée mais aussi les autres composants du travail, par exemple la diversité des supports qui la reçoivent. Qui d'autre peint sur un parasol?
Si «la même chose tourne autour de son axe élargissant sans cesse son cercle», c'est bien aussi que l'œuvre connaît un *mouvement interne,* des transformations loin d'être contredites par ce refus du progrès, notion incompatible avec l'histoire des formes (et Viallat s'intéresse tout particulièrement aux premières d'entre elles, celles des temps préhistoriques). Pour aller plus loin dans cette analyse, il est nécessaire de ne pas se contenter d'une vision schématique du travail, d'ouvrir son regard vers tout ce qui peut paraître marginal, d'accepter les transformations au lieu de les occulter, surtout quand elles bouleversent quelque peu certains des principes d'origine.
D'un peintre, pour qui chaque œuvre a pourtant été vécue comme un moment particulier, confirmation et mise en cause à la fois, on ne garde trop souvent qu'une image globale et synthétique, forcément limitative. Dans le cas de Viallat cette «image» dominante, qui éclipse quelque peu le reste du travail, correspond sans doute aux peintures les plus radicales de la fin des années 60 et du début des années 70. Les empreintes y sont répétées uniformément, d'une seule couleur sur un fond, peintures bleu et rouge ou colorées sur toile écrue. S'ajoutent toutes sortes d'expériences sur le mode d'application de la couleur : solarisation, toile brûlée, pluie... Cette époque où le travail pictural est relayé par de nombreux textes de nature théorique est celle où Viallat s'est imposé à beaucoup d'entre nous, celle aussi — est-ce un hasard? — de «Supports-Surfaces».
Trop souvent réduite à une invention, au moment où l'on pensait l'art de manière plutôt conceptuelle, l'œuvre de Viallat a dans l'ensemble été décrite à travers ce seul moment. Négligeant ce qui le précédait (dont l'importance n'a d'ailleurs pas suffisamment été signalée), la critique s'est de plus comportée «comme si cette œuvre s'était refermée sur elle-même dès qu'apparue» (Bernard Ceysson). Le discours formaliste, s'appuyant largement sur les textes de l'artiste, a simplifié à l'extrême un travail autrement complexe. Il n'y a ni théorie préétablie, ni exercices de style, de la part de Viallat, mais une pratique de peintre d'une énergie exceptionnelle où aucun acte n'est gratuit et dont aucun moment ne saurait dès lors être négligé.
Il faudrait ici entrer dans le détail de chaque œuvre, étudier par exemple ces objets de corde, de bois, dont Viallat dit qu'ils sont une nécessité, un «passage obligé». La place manque pour une analyse aussi approfondie. En se limitant aux peintures, il est toutefois possible d'entamer quelques idées reçues à condition de remonter aux sources, c'est-à-

dire à l'année 1966, et d'opérer, par une sorte de va-et-vient entre œuvres les plus anciennes et les plus récentes, une mise en lumière du travail présent.
Ici nous intéressent tout particulièrement les peintures antérieures à 1968, exécutées avant la mise en place des répétitions d'empreinte. Le travail de ces deux années 1966-1967 est mal connu car très rarement exposé ou publié. Au lieu d'asseoir petit à petit, par tâtonnements, un «système», ces œuvres annonçent au contraire des recherches nettement ultérieures, proposent immédiatement une multitude de possibilités que la suite reprendra au fur et à mesure. L'année 1966, il faut sans doute le rappeler, voit d'abord naître des toiles abstraites aux formes molles et sinueuses, évoquant Arp et le Matisse des gouaches découpées. Travaillées en aplat, fréquemment cernées d'une bordure interne, elles sont composées sur le principe d'une figure et d'un fond. Parfois apparaît une ligne refermée sur elle-même anticipant directement sur la forme que Viallat choisira bientôt. Il semble donc que le hasard qu'il revendique dans cette découverte («forme de hasard, forme donnée par accident») n'ait fait que réintroduire une figure utilisée précédemment. Une toile bleue et grise de format carré marque en quelque sorte le passage : trois formes identiques successives traversent horizontalement une composition organisée autour d'elles. Mais Viallat commence déjà à ne pas se contenter d'un support donné. D'abord travaillée à l'endroit, la toile est ensuite retendue à l'envers et achevée ainsi.
Les premières peintures où la forme est obtenue par le procédé de l'empreinte restent tendues sur châssis et sont exécutées, il est important de le noter, non sur de traditionnelles toiles de peintre, mais sur des supports inusités pour un tel usage : toile de jute, drap ancien brodé, tissu imprimé. Ainsi, ce n'est pas tant le choix de la forme qui importe — «forme aussi vraie que n'importe quelle autre», dit Viallat — mais la méthode d'inscription, la nécessité de la répéter et le besoin immédiat de l'appliquer sur d'autres supports. Viallat ne fait d'ailleurs rien pour dissimuler le monogramme brodé ou les motifs du tissu. Il les inclut, tout en neutralisant ce qu'ils pourraient contenir d'anecdotique, comme il agira quelque dix ans plus tard avec les premières bâches.
La technique même de l'empreinte permet de privilégier une toile souple. Très vite celle-ci va donc être présentée sans être tendue sur châssis ; c'est là une autre étape d'un processus de déconstruction théorique, mais aussi de déduction proprement plastique, aboutissant à des œuvres radicalement différentes. Là encore le plus important n'est peut-être pas tout ce qu'on a pu lire sur les conséquences pratiques de cette exclusion, mais bien la conscience immédiate qu'a Viallat des possibilités picturales qui s'en déduisent : modes de présentation différents et par conséquent appréhension autre du dos de la toile qui peut être également travaillé (peintures recto-verso) ; éventualité du pliage qui permet une diffusion de la couleur par superposition ou encore une division médiane avec formes inversées se faisant face qui sera reprise beaucoup plus tard dans des polychromies.
La composition est alors la question en suspens, celle qui se résoudra peu après par la répétition. Or, certaines formules alors employées par Viallat seront réutilisées par la suite, comme de jeter au hasard le pochoir sur la toile posée au sol. Quant aux supports, ils restent toujours multiples : une chemise ancienne ou un tissu imprimé «peau de tigre» peuvent éventuellement faire l'affaire. Peu après, Viallat travaillera même sur de véritables patchworks, inscrivant régulièrement son empreinte au bleu de méthylène sur un réseau désordonné de fragments de tissus, colorés dans un cas, à motifs dans l'autre.

Comme on le voit, tout ce travail des dernières années sur les supports les plus divers, aux compositions fractionnées, ne sort pas de nulle part. On peut même remarquer que dans ce développement en spirale, dont aime à parler Viallat, les œuvres récentes reprennent certaines des préoccupations premières, avec bien entendu l'acquis de tout ce qui leur a fait suite. Voir ici une nouvelle période, un passage du minimalisme au baroque, est contradictoire avec l'essence même du travail de Viallat : «La notion de redites, de séries ou de répétitions devient une nécessité de fait... Une toile seule n'est rien, c'est le processus qui est important.»
Est-ce à dire que rien n'a changé, que tout était déjà contenu dans ce qui précède? Certainement pas. La série de bâches imprimées, à motifs floraux et géométriques, qui inclut cet «Hommage à Picasso» d'après les «Femmes à leur toilette», témoigne d'une rare maîtrise, d'une audace nouvelle. La forme, ou l'interforme, car tantôt l'une, tantôt l'autre sont travaillées, sont désormais exécutées en accusant sans retenue le geste du peintre. Plus n'est besoin d'intervention des éléments naturels, d'introduire une distance entre l'artiste et sa toile. Viallat ne parle-t-il pas aujourd'hui, formule inimaginable de sa part il y a dix ans, de «la traînée d'un pinceau chargé de pâte» ou de la «caresse de la main». Toute son œuvre présente témoigne de cette liberté nouvelle, qu'il s'agisse du travail dans la couleur encore fraîche où la forme se liquéfie, ou encore de ces dessins tauromachiques vigoureux et rapides.
L'étonnante variété des supports en est un autre signe : ces parasols de marché, bâches en corbeille, toiles de tente..., sont toujours acceptés tels qu'ils sont avec leurs couleurs d'origine, leurs empiècements, leurs compartimentages ou ouvertures qui déterminent la composition. Comme le souligne Viallat «la forme externe n'est plus neutre», elle joue comme une sorte de «Shaped Canvas» inversée puisqu'en partant de la découpe extérieure, la peinture s'organise en incluant le morcellement interne. Ces objets tridimensionnels à fonction précise deviennent, mis à plat, œuvres picturales autonomes sans un quelconque résidu anecdotique. L'importance des bords extérieurs est du reste telle que Viallat y inscrit depuis quelque temps un autre type de forme, signes aussi primaires que possibles, ponctuations alignées, polychromes en général, non sans rappeler certaines inscriptions pariétales accompagnant parfois les mains soufflées.
Le sens est partout. Rien n'est laissé au hasard et chaque élément est à prendre pour ce qu'il est mais aussi pour ce qu'il est devenu dans la peinture. Le pompon est l'image du pinceau; la tente, celle de la grotte; le store à franges, la «Fenêtre à Tahiti». Partout des références prises dans l'histoire de l'art mais aussi dans des cultures traditionnelles; fusion d'une modernité, d'une conscience historique profonde et d'un enracinement, du rejet de tout ce qu'il y a d'artificiel dans un soi-disant progrès de civilisation : telle apparaît aujourd'hui la peinture de Viallat. Œuvre en mouvement, tournant sur elle-même, où, Marcelin Pleynet a été le premier à l'écrire, «aucune toile ne peut se donner comme le modèle de l'autre». Chaque élément y est achèvement et ouverture et ne prend son sens que comme partie d'un tout. Rares sont les démarches aussi globales, uniques les œuvres d'une telle intensité.

Alfred Pacquement.

NON DIT

Jacques Lepage

Nous pensons à l'aide de la parole mais la peinture est muette. Nous paraphrasons, symbolisons ; nous métaphorisons mais notre discours reste l'habit de notre ignorance. Le texte n'est rien davantage que le masque imposé par l'écrivain à l'œuvre du peintre ; simulacre où s'unissent nos fantasmes à la leçon socio-culturelle que l'époque impose. Autrement en est-il si le peintre dit ?

Voici dix ans et plus, nous avons réalisé, avec Claude Viallat, un ouvrage (1) dont on trouve ici quelques extraits joints à des textes plus récents. Presque en préalable le peintre dévoile l'ambiguïté du discours langagier : «De même, écrit-il, que les idées se pensent dans la langue, la peinture doit se penser dans ses moyens.» Les moyens du peintre sont-ils davantage qu'une occupation d'un espace avec des formes et des couleurs ? Les mots ici ne sont d'aucun secours : ils trahissent. Ce que la peinture communique ne s'explicite que dans la matérialité interprétative de travaux picturaux. Viallat, Supports/Surfaces (2), s'ils ne sont pas les seuls à le dire, furent en pointe pour l'avancer, car si Picasso avec *Les Ménines*, avec les *Déjeuner sur l'herbe*, si le Pop Art américain expérimentent, avec d'autres procès, la contestation du discours paraphrasique propre à la critique d'art, la conscience qu'ils en ont reste obscure.

Ainsi prévenu contre toute version digressive, Viallat objectivera au plus concret son discours. Dans un temps — nous sommes dans les premières années 70 — où la théorisation délire, le peintre débute son ouvrage en affirmant «que la peinture est une permanence au même titre que les saisons». Extrême simplicité de l'acte, de la fabrication, fait naturel, démystifié des fantasmes où des mythologies démiurgiques le tiennent. Peindre, c'est s'exprimer selon des lois aussi vulgaires que vivre, aimer, disparaître.

Au long des pages que nous lisons, Claude Viallat maintient ce refus de l'enflure parolière. Il exclut l'extrapolation du contenu pictural s'abusant dans l'indécision de la phraséologie. Le lexique lui-même ne s'égare jamais dans l'équivoque : il répond aux définitions que l'évidence lui accorde. Il décrit la pratique, c'est-à-dire le travail «acte concret qui provoque un résultat physique», dans l'ensemble de ses composants. Et l'image, inévitable, n'est plus dans l'organicité du procès de transformation, ce «néant d'objet» dont parle le philosophe, mais le sens même du travail, autrement dit sa production.

Fragments s'achève par un constat. Texte de 1975, dernier en date, qui, en onze points, remémore l'ambition du groupe, sans intitulé, «inventant» dans les dernières années 60 ce qui dérivera en Supports/Surfaces. Dans sa concision, ce texte réunit les éléments régulateurs qui ont modifié le déroulement linéaire de la pratique picturale. Rien d'une énumération des concepts-écrans communs à la littérature sur l'art, mais la mise en évidence de faits insubstituables.

Dans des textes plus récents, que l'on trouvera ci-après, Viallat maintient cette problématique de l'incertitude langagière : «Ecrire les détours de la peinture, dira-t-il, l'épaisseur du corps pictural et l'activité qui le constitue, est faire un dérapage contrôlé d'une glissade inconsidérée.» Ainsi la récusation de l'événementiel au profit de la consubstantialité de l'acte pictural avec le sens intransitif de l'œuvre, apparaît en filigrane dans chacun des textes et c'est «... ce que la peinture d'elle-même essaie de dire sans détours».

Dans ces textes Claude Viallat poursuit l'imposition du cadastre d'un métier ainsi confondu avec l'œuvre même. Nous n'en sommes plus à l'inventaire des moyens mais au marquage des rives, «libre arpentage de surface que le regard constitue et que la mémoire et l'imagination argumentent». Mais la déviance guette si l'on ne parle la peinture «avec une langue nouée», si on laisse au langage ses pouvoirs de dérive.

Peut-être, dira-t-on — mais on le pressent plutôt qu'on ne l'éprouve —, Viallat s'écarte du descriptif, laissant le sentiment tressaillir dans les marges du texte ? L'imageant davantage. S'y livrant jusqu'à l'émotion. En témoigne la page, de vif intérêt, de grande beauté, consacrée à la Baume Latrone où il conclut avec cette interrogation : «notre travail est la force qui nous projette dans cette surface toujours à remplir, toujours vide à combler. Relance de regard ou balisage, où trouver une assurance dans cet impossible questionnement ?»

1. Fragments, *CIEREC, Université de Saint-Etienne, 1976. Pour réaliser l'ouvrage nous procédâmes par correspondance, Viallat étant à Limoges et moi à Coaraze. Viallat m'adressait ses textes ; je lui répondais en les discutant, y apportant des modifications, l'interrogeant, etc. Il répondait par de nouveaux textes, etc.*
2. *Cf. Patrick Saytour, VH 101, n° 5, printemps 1971.*

FRAGMENTS

Claude Viallat

Coupé, le papier ne reconnaît plus le ciseau.

La peinture est une permanence au même titre que les saisons.

L'interforme crée la forme et la forme l'interforme, les deux se communiquent, s'interchangent, se valorisent et se détruisent.

Le peintre n'a pas besoin de justifier d'un savoir mais de mettre en évidence et en pratique ; il n'est pas un illusionniste, un créateur de phantasmes, un montreur d'images ; il lui faut, à l'intérieur d'un langage, parler une langue autre, en établir le vocabulaire — immédiatement perceptible — et les possibilités de communication.

Déconstruction, cela demande, dans un premier temps, de faire un inventaire complet des diverses données, de les mettre en cause directement, de les envisager différentes, et de les expérimenter différentes.

Le savoir n'est plus alors qu'une curiosité ou un raisonnement.

La notion de redites, de séries ou de répétitions, devient une nécessité de fait.

La signification n'est plus le déchiffrage d'une «production» mais le déséquilibre d'un système.

La récupération des images est un faux problème.

Une toile — pièce — seule n'est rien, c'est le processus — système — qui est important.

De même que les idées se pensent dans la langue, la peinture doit se penser dans ses moyens.

Elle ne doit pas être un fétiche, mais une arme.

L'objet crée l'espace et l'espace l'objet, les deux se communiquent, s'interchangent, se valorisent et se détruisent.

La mise en situation — présentation — est un problème, le résoudre par une indépendance totale porte en soi sa dépendance, valorise l'objet.

Un inter-échange s'instaure, quels que soient le lieu, les conditions et la manière, entre le «cadre» de présentation et l'œuvre ; la difficulté est de rendre celui-ci — l'inter-échange — le plus neutre possible.

Donner à la peinture la même importance qu'à un tract.

Ne pas prendre ce travail comme une fin en soi, comme une somme aboutie de vérités figées. Limité dans le temps, partiel, il ne bénéficie que de l'éclairage restreint d'un relatif et inexistant recul.

Voir ici l'amorce d'un travail dialectique fait de l'intérieur de l'œuvre déjà commencée et qui va se poursuivre au fur et à mesure que son développement proposera d'autres éclairages.

Travail jusqu'à présent sans progrès interne, chaque texte étant en soi *et partie d'autres textes, de même que chaque toile est* en soi *fin et commencement, développement d'équivalences en équivalences, s'opposant, se complétant, se modifiant, chacune étant acceptée dans les qualités qui sont son évidence et qui la définissent et la proposent.*

Travail non basé sur l'expressivité mais sur le mot comme véhicule d'idées à découvrir (dé-couvrir), sur l'image acceptée comme résultat nécessaire de travail et non comme fin. Travail, sur l'adéquation polymorphe de l'acte qui traduit quelle que soit la manière dont on le propose, sur les traces qu'il laisse et sur le véhicule de ces traces, image du travail.

Textes, toiles, dessins sont un tout qui peut trouver son sens dans sa somme, sa globalité...

1966, Toile de jute teinte industriellement, tendue sur châssis, goudron dilué d'essence.

Un point sur un espace compose cet espace. Un espace quelconque, un point quelconque. Chaque point sur chaque espace conditionne cet espace, chaque marquage, chaque élément de l'espace. L'espace lui-même est conditionné par sa mise en évidence.

La peinture commence à la prise de conscience de son support et de son marquant.

A l'origine la trace de la main sur la paroi de la grotte, mais avant cela la boue sur la main et la trace de la main dans la boue, et la main dans la boue et la main et la boue préexistant au geste.

Lignes, points, formes, nœuds, volumes sont des formes simples puis complexes, combinatoires, signifiantes, symboliques, qui ne peuvent que se compliquer de toutes les intentions, les relations et les histoires dont on les chargera, mais ils restent aussi avant tout les gestes élémentaires qui les suscitent.

1965-1966, Peintures.

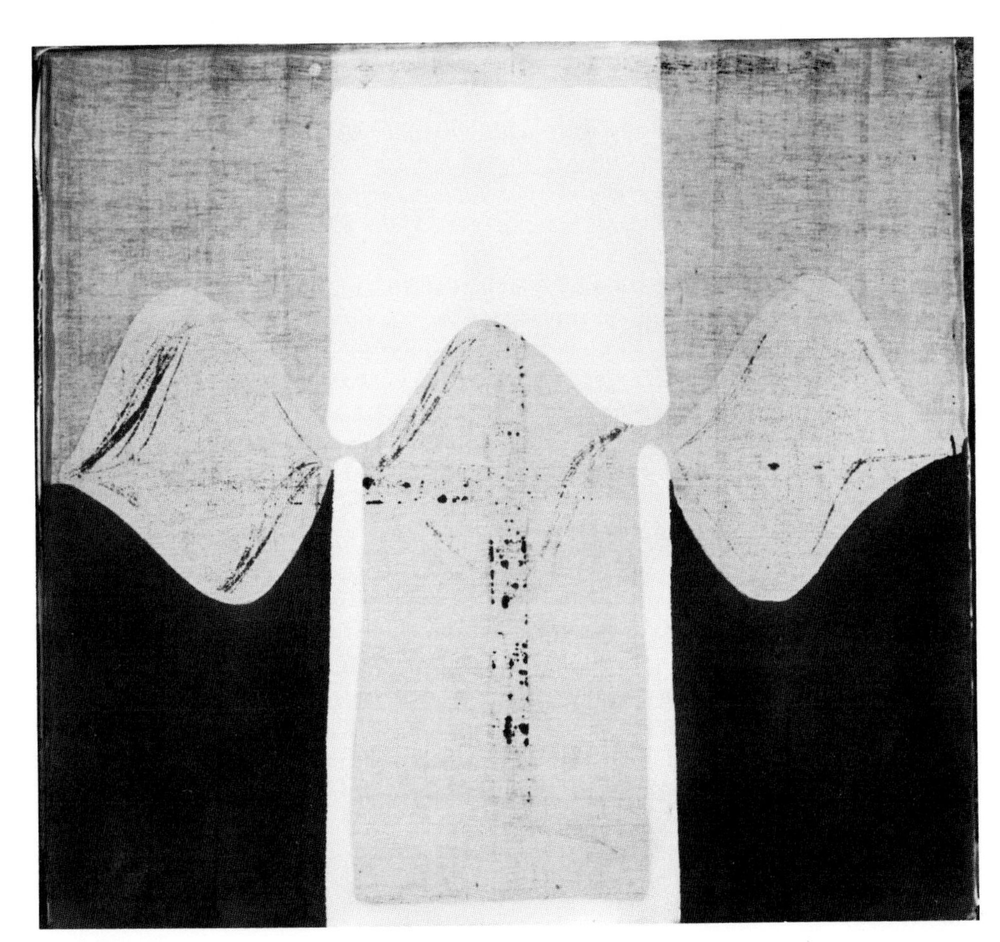

Mai 1966, Peinture sur verso de toile, goudron blanc.

1966, Encrage original publié dans «Les Yeux Déchirés» de Jacques Lepage.

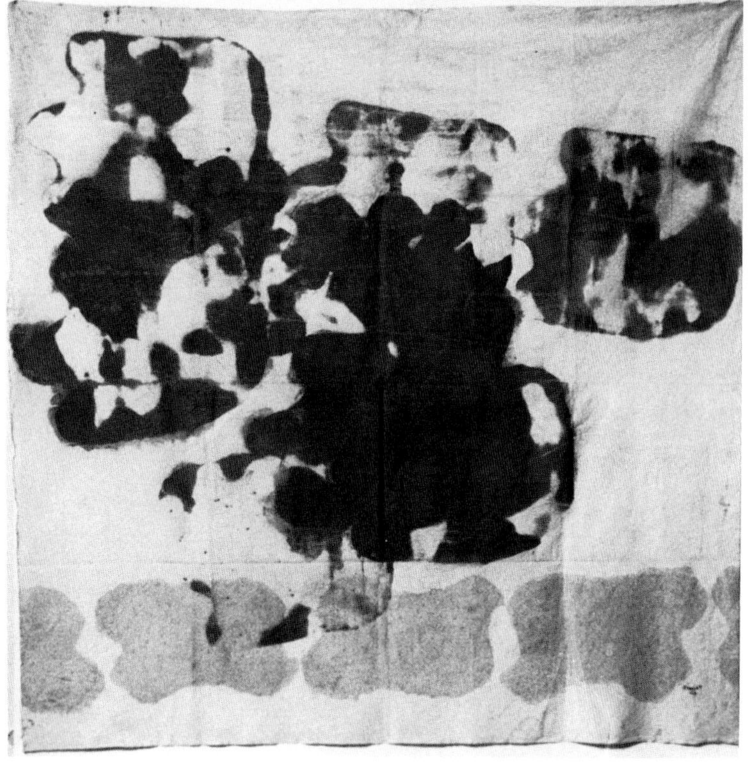

Juillet 1966, Toile, gélatine, «forme» initiale et «forme» définitive.

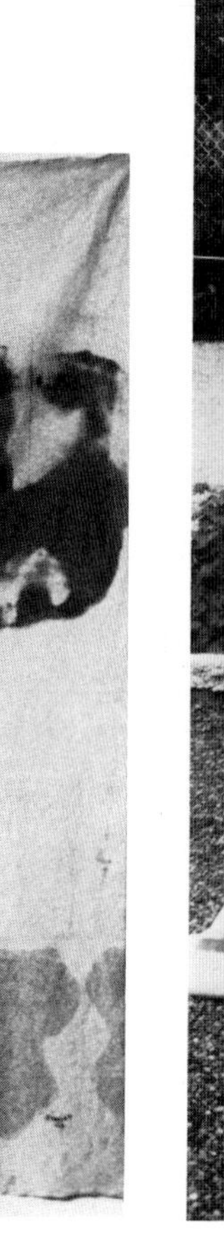

1966, Toile, gélatine, 9 carrés en report.

1966, Batik recto-verso, pointillage de graviers, Musée national d'art moderne, Paris.

Travailler la couleur en tant que marquant, en tenant la «valeur» et le «ton» comme obligatoires, en ne lui conférant aucune symbolique, impose de ne pas la particulariser, ni de lui donner la préférence, mais de l'accepter dans sa matérialité. Elle n'est plus alors un véhicule d'expression mais celui du travail qui l'utilise et la produit, pâteuse, fluide, ductile, solide ou poudreuse.

La couleur est acceptée dans son vieillissement et dans ses mutations, ses transformations considérées comme des avatars non regrettables, productifs de leurs propres effets. Considérer que le colorant (pigment) perd de son intensité et se fane, que la couleur se craquèle et noircit, qu'elle peut jouer en capillarité, en étalement (auréole du liant), c'est utiliser tout ce qui jusqu'à présent a été rejeté comme défauts de conservation ou de technique, c'est accepter l'incontrôlé, l'incontrôlable et le hasard, c'est admettre toute transformation normale des choses à des fins productives et ne plus vouloir les figer dans un présent intemporel.

C'est aussi ne pas séparer la couleur de la matière, considérer l'une et l'autre comme intimement liées, matière-couleur et couleur-matière indissociables.

C'est considérer le transparent comme la couleur, comme couleur et l'utiliser comme tel, et ne pas séparer la couleur de l'espace et l'espace de la matière.

C'est faire l'archéologie de nos connaissances en les répertoriant dans leurs effets, en les analysant dans leurs productions, en reconnaissant leurs interactions et les transformations que celles-ci produisent.

C'est nous considérer dans l'espace qui nous entoure, le vivre et l'agir en conscience en laissant derrière nous des traces qui ne sont que l'effet de leur devenir.

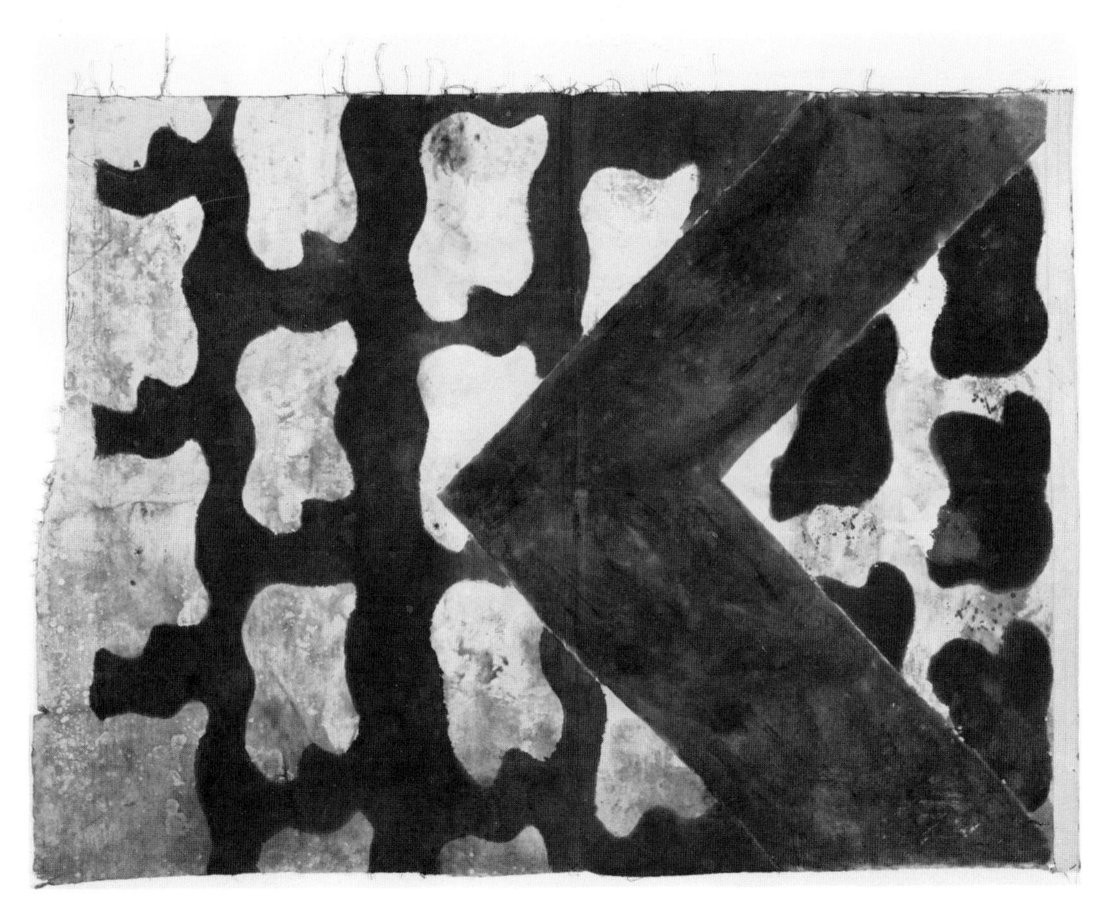

1966-1967, Bâche maculée, peinture recto-verso, gélatine.

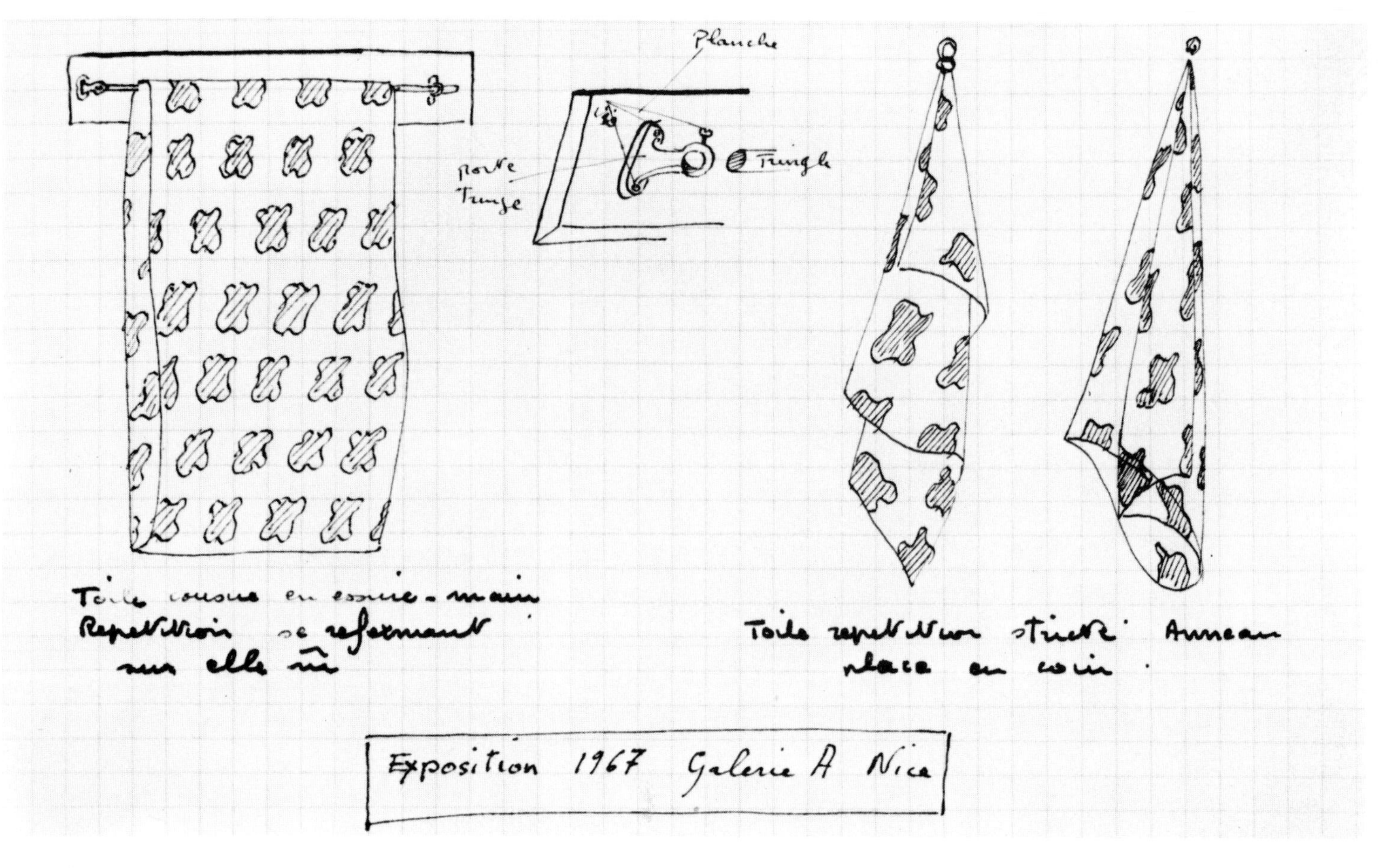

1967, Dessin.

1966, Toile suspendue par un coin.

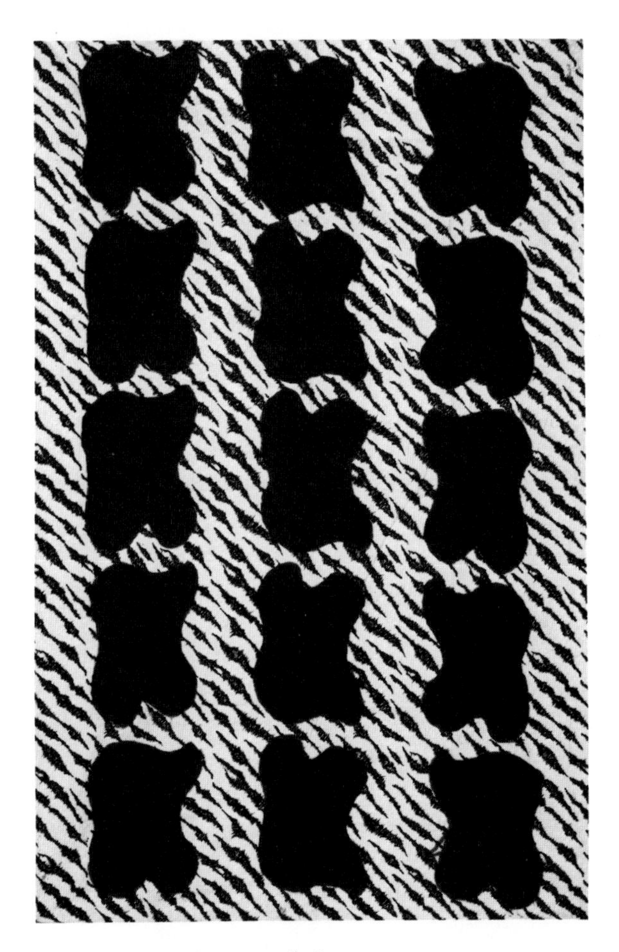

1967, Tissu peau de tigre, gélatine.

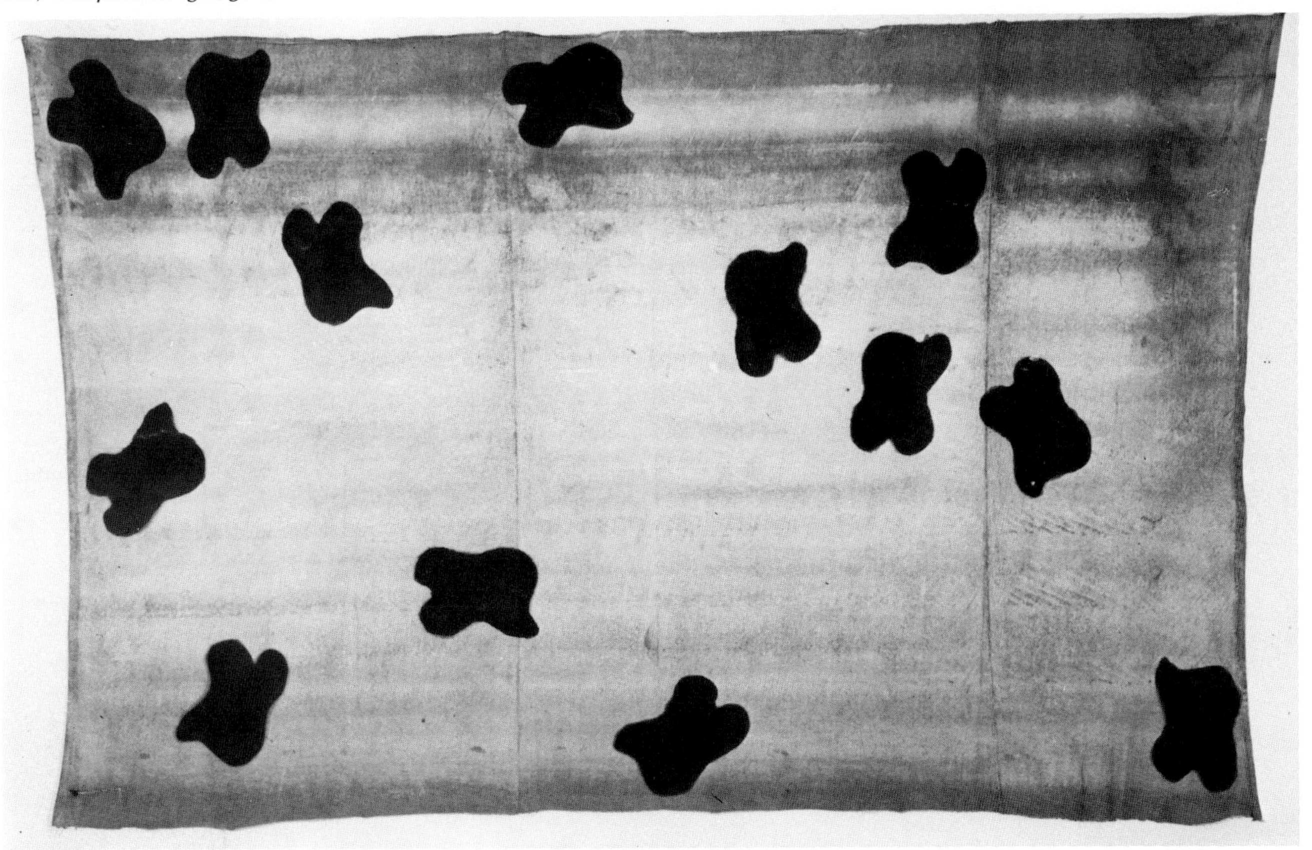

1966, Bâche usée, gélatine, 13 formes au hasard.

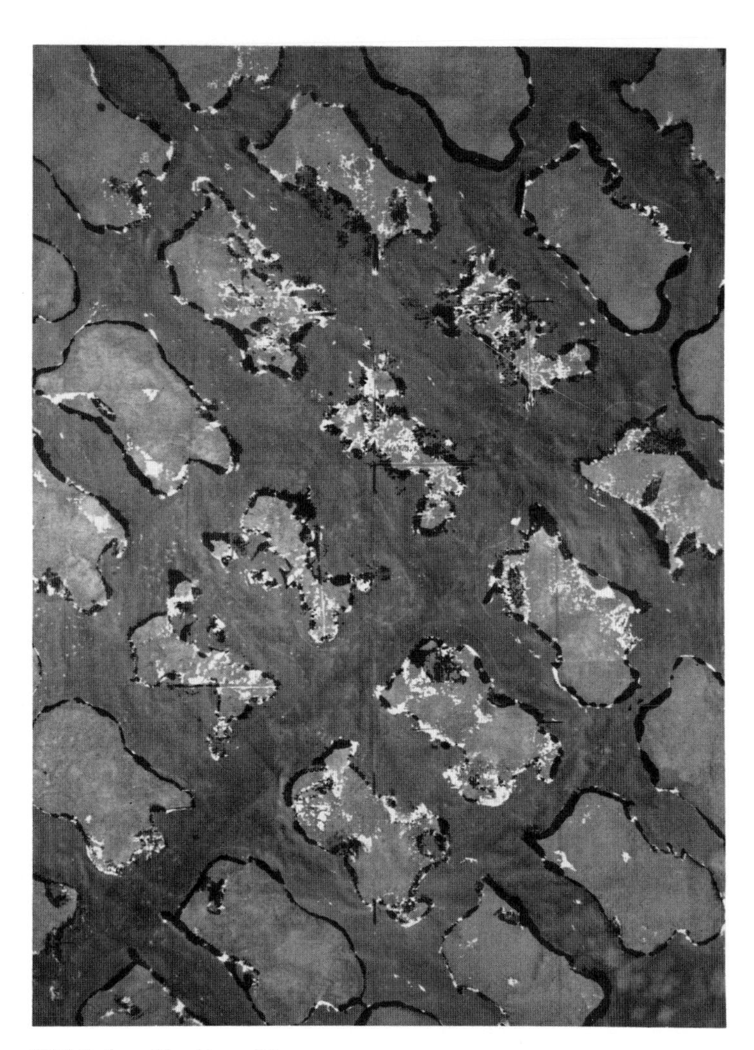

1967, Toile métis, déperdition.

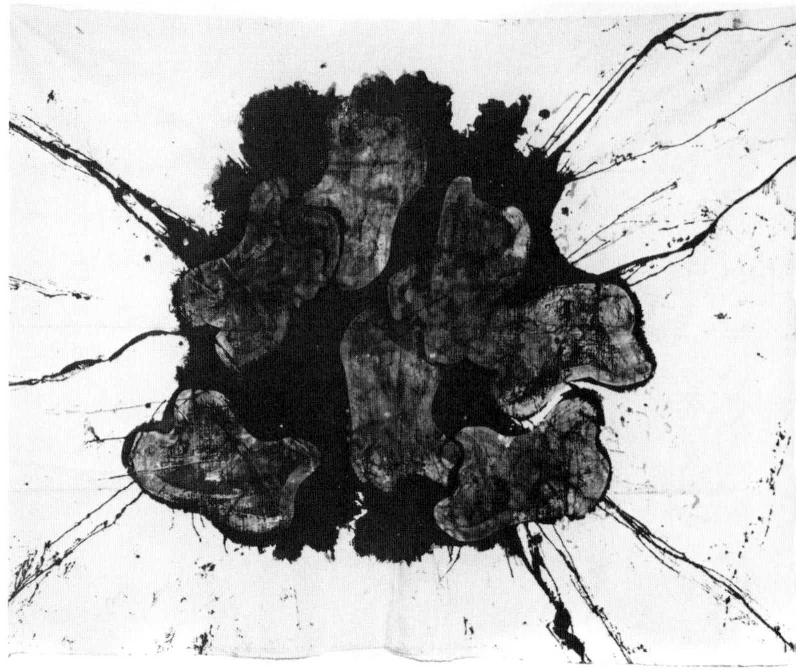

1967, Toile métis, batik à la cire et gélatine.

1967, Toile ancienne, acrylique, «Robe d'Henriette».

1967-1968, Toile pliée diagonale, acrylique sur toile, Musée national d'art moderne, Paris.

Exposer n'est plus s'exposer, c'est mettre un problème particulier en évidence, en question, en déséquilibre. Le peintre n'est que l'organisateur de cette mise en évidence. Le sujet est le travail, le résultat, l'image du travail. Le peintre n'est ni concepteur, ni créateur, mais un individu entre autres traversé par une époque.

Faire le travail en public n'est pas exposer un travail, mais exposer quelqu'un faisant un travail — le travail n'étant que l'acte concret qui provoque un résultat physique.

Exposer le travail, exposer l'image de son travail, s'exposer, c'est de toute manière donner une image autre d'un acte — celle qui reste, en trace de cet acte, en mémoire ou en document ou en effet, donc déformée, faussée par rapport aux impulsions qui l'ont provoquée.

Donner une raison (explication) de son travail, de ses actes, c'est les fausser encore, les amputer, les éclairer en partie, les truquer, car les déterminations sont multiples et complexes et ne peuvent se définir en nombre (celles qui se donnent sont celles qui ne sont pas refoulées) mais toutes motivent et déterminent également.

Dire, c'est aussi vouloir cacher d'abord.

Dans l'analyse du tableau et des possibilités de ce tableau, il est difficile d'ignorer, en dehors du double Support-composant, le châssis et la toile, le mécanisme qui fixe cette toile sur le châssis, le cloutage ou l'agrafage de la toile, matériau souple, sur le châssis, matériau dur, mécanisme duquel va dépendre la tension, l'élasticité et la forme même de la combinaison, et qui fait apparaître un troisième composant, l'élément de fixation et de montage.

Les clous ou agrafes permettent une mise en élasticité, en inter-échange de propriétés entre les deux matériaux supports.

Le fait de tendre la toile sur le châssis impose durant le montage une somme de possibilités plastiques variant suivant le nombre et la place des clous ou agrafes sur le châssis et la toile. Chacune des possibilités étant productrice de sens et analysable (codifiable) en soi et fonction aussi de la présentation ou mise en scène utilisée.

Cette mise en scène ou présentation introduit la notion de support du tableau (Mur, Sol, Plafond, Espace, etc.) ou «Sur-Support».

Toute peinture va agir en fonction de sa présentation qui la fige dans un aspect spectaculaire.

Sur-support + tableau = *mise en scène.*

La mise en évidence du tableau sur le mur-support nécessite la plupart du temps un artifice de fixation, crochet ou clou qui contribue à placer le tableau dans une vision privilégiée à la fois productrice et réductrice de sens.

Au cours des diverses époques la présentation des tableaux a évolué, rendant plus facile leur lisibilité.

Après avoir gagné un semblant d'autonomie par le support mobile, panneaux de bois, tables ou toiles montées, les tableaux restent, au XVIIIe et XIXe siècles, bordés par des cadres très importants en eux-mêmes, d'un travail considérable, qui avaient pour fonction d'isoler la peinture du mur qui la supportait (que les tableaux couvraient au bord à bord) pour l'enchâsser dans un espace conventionnel dit neutre.

Avec l'impressionnisme, la peinture devient «fenêtre», le cadre se transforme pour, au cours du XXe siècle, se supprimer progressivement, simple bande de toile gommée, en cache-clous, puis les bords de la toile sont peints eux aussi et la toile prend le mur, s'ouvre, compose avec le mur lui-même, devient élément d'un tableau qui est le mur, le sol, le plafond, l'espace de la pièce et l'espace extérieur.

La peinture est présentée la plupart du temps comme un spectacle en soi, résultant d'un travail mystifiant et créant une somme de profondeurs qui laissaient à l'esprit du spectateur un libre vagabondage.

Pour le peintre elle est le travail en soi ; celui-ci la constitue hors de son spectacle final qui est, en définitive, secondaire et lui échappe. D'où la grande ambiguïté dans le passage au sens et à la compréhension, qui sont assujettis aux conditions mêmes d'expositions, lieux, contextes, etc., et de circulation.

Mais cette compréhension et ce sens ne peuvent s'établir et se transformer sans la prise de conscience complète de tout ce qui les produit et travaille à leur existence en luttant contre une société qui les détourne et les édulcore continuellement pour mieux se les assujettir.

1969, Filet élastique rouge avec nœuds bleus.

1969, Corde nouée, nœuds trempés dans le bleu.

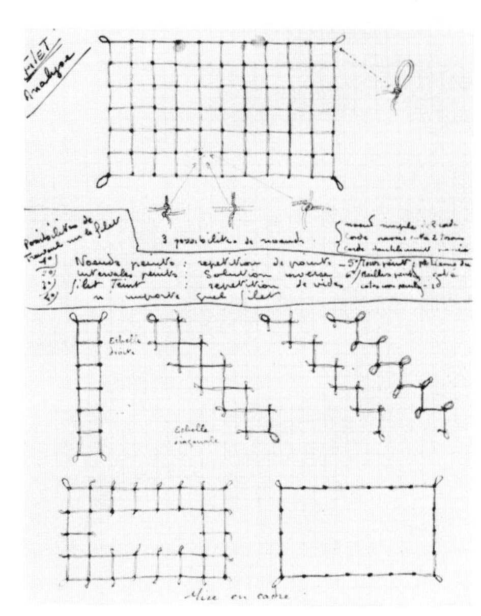

1969, Dessin.

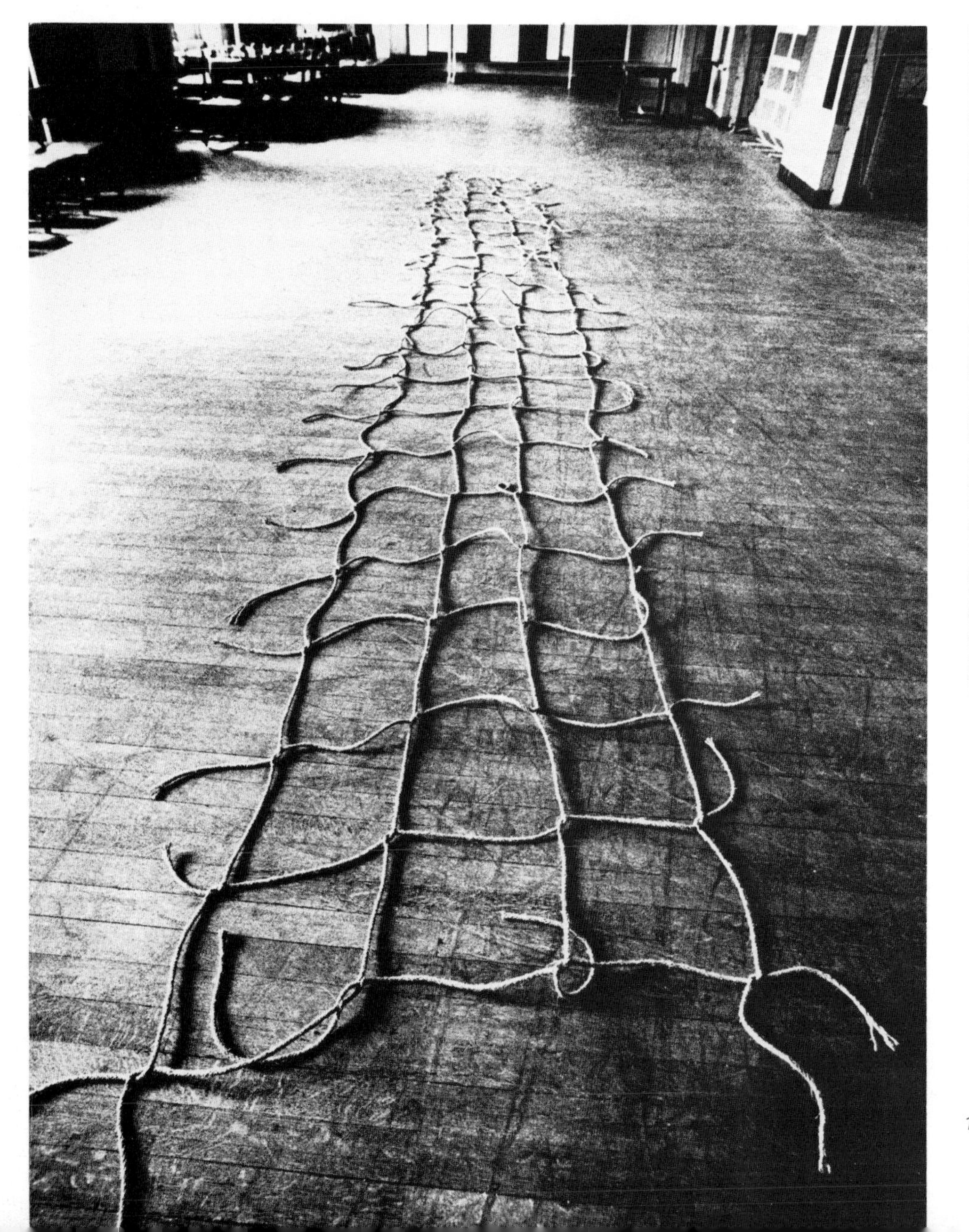

1969, Filet coco.

Tourner d'un pied sur l'autre et tourner encore, perdre le fil de ses pensées.
Se laisser surprendre par ce vertige on ne sait pourquoi venu mais certainement là dans la réalité qui se fait image, à la fois brouillée et nette, conçue et impensable, tellement chargée de devenir que l'idée ne s'en peut écarter.
Il n'y aurait que cette certitude qu'elle vaudrait d'être réalisée.

1971, Aubais, corde nouée.

Eté 1970, Maguelonne, filet élastique.

Août 1971, Filet élastique, lieu-dit La Montagne, près du lac des Castors, Montréal.

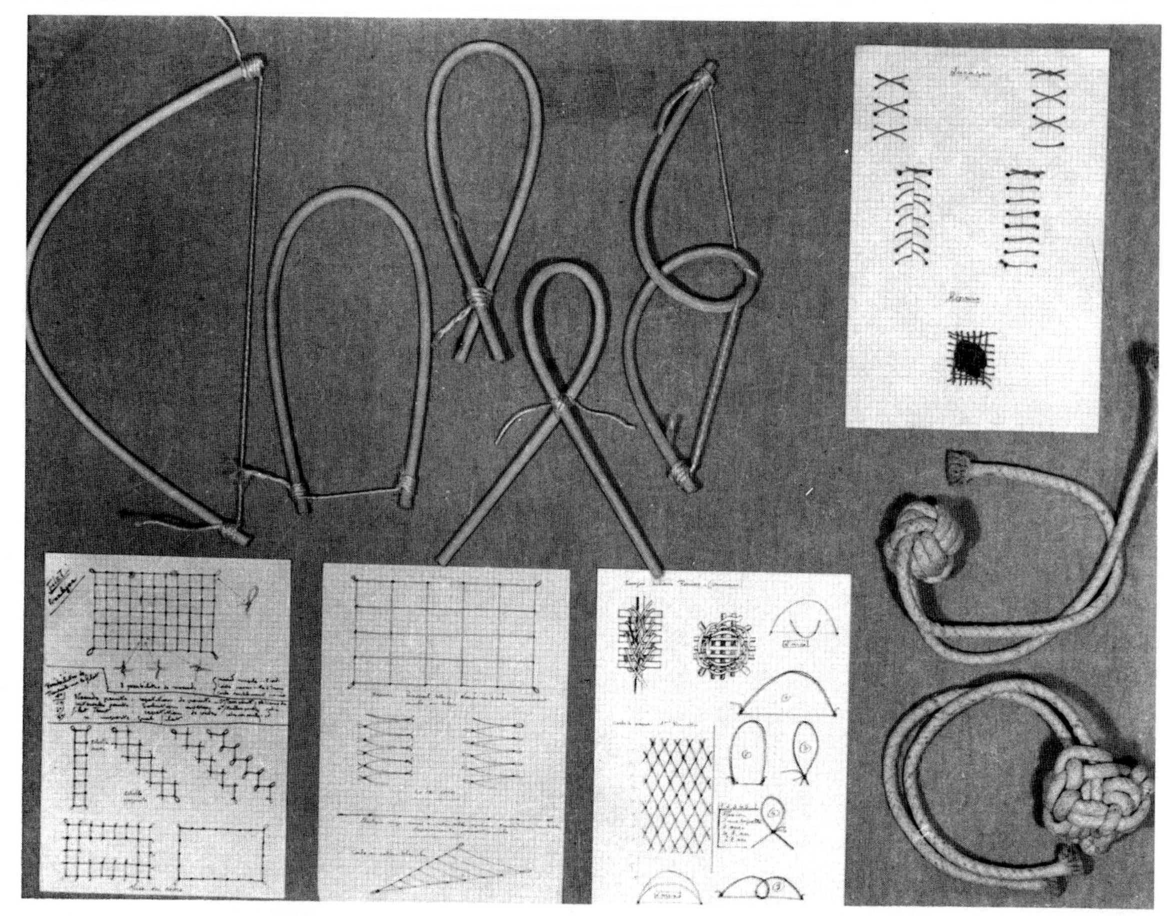

1969, Travaux, nœuds et épissures.

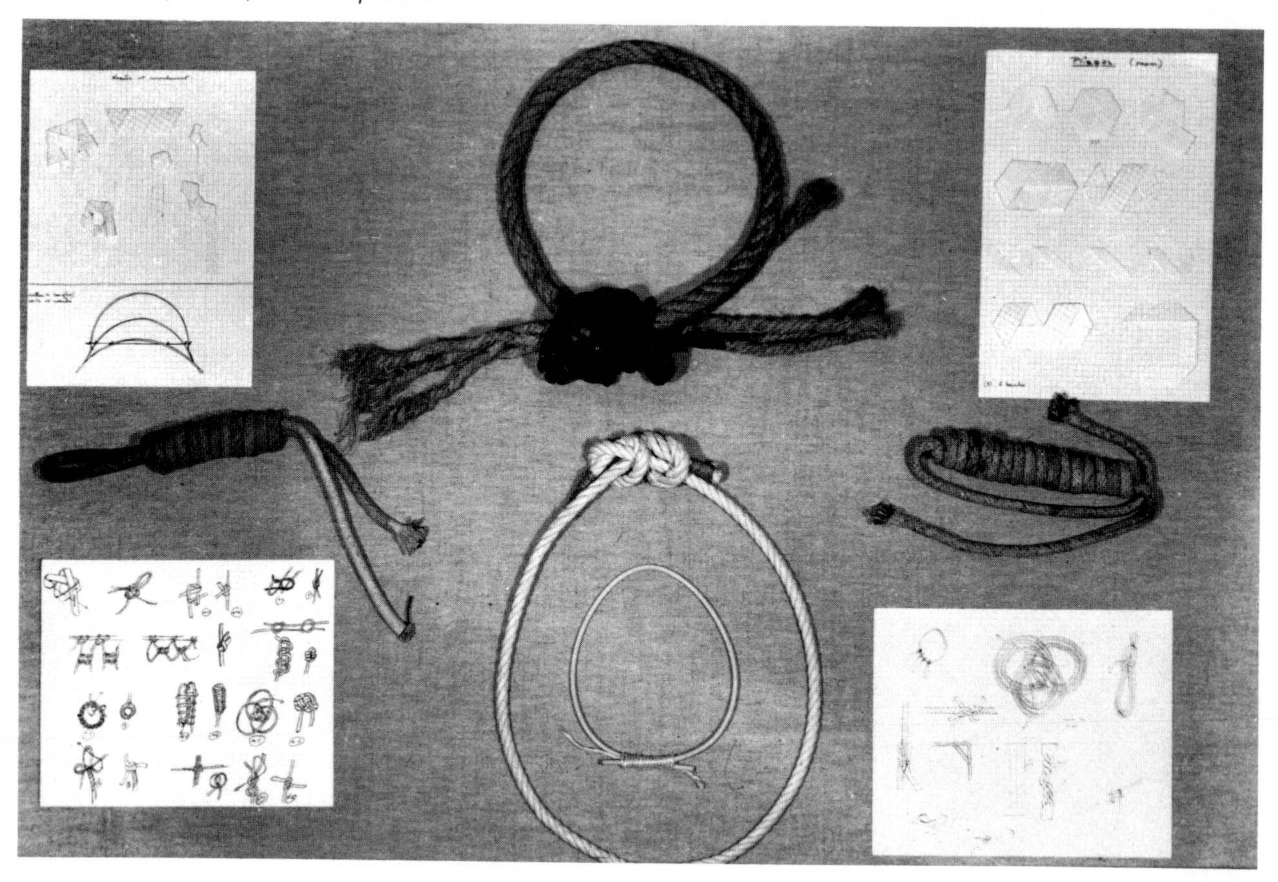

1969-1970, Travaux, nœuds et épissures.

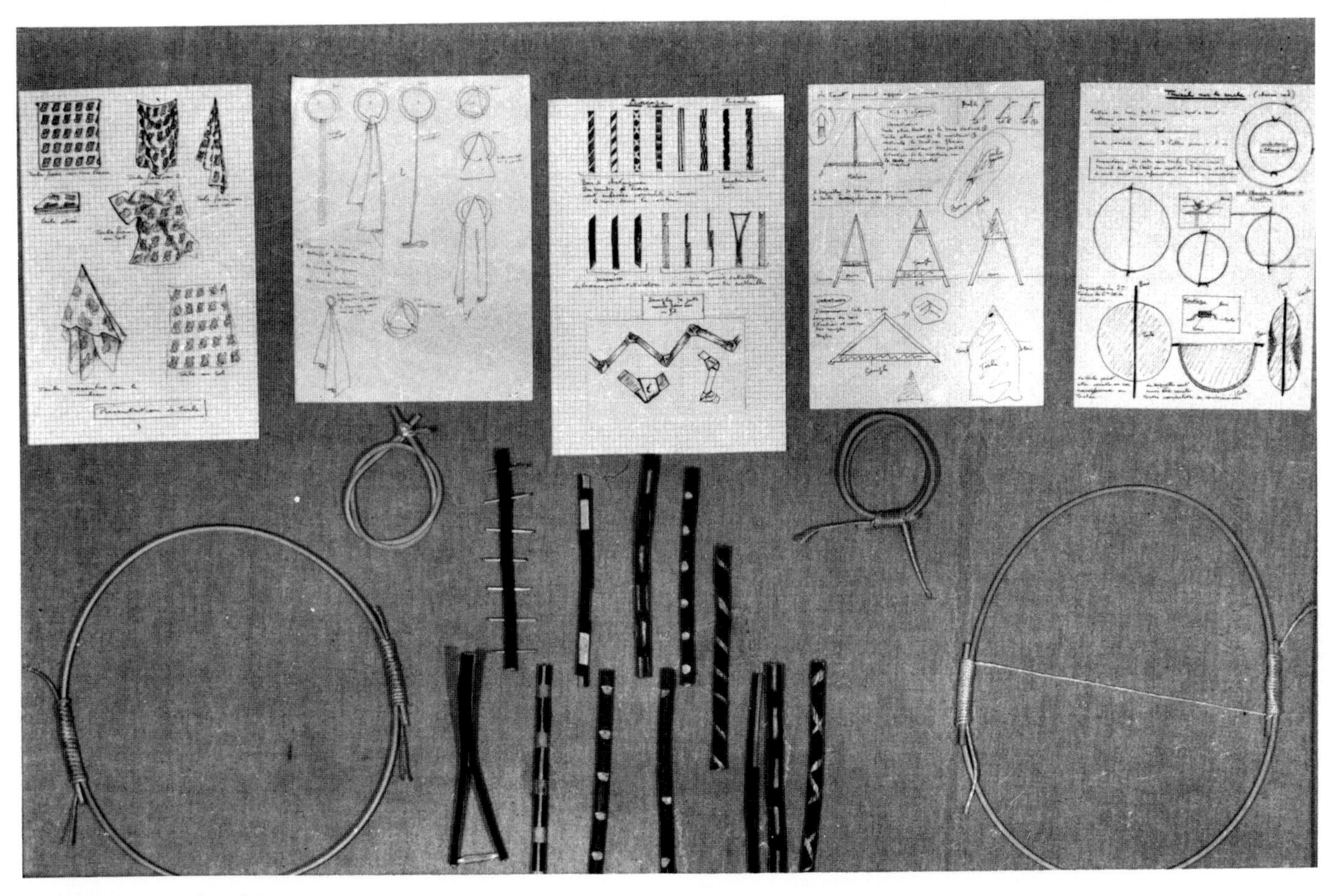

1971, Travaux, nœuds et épissures.

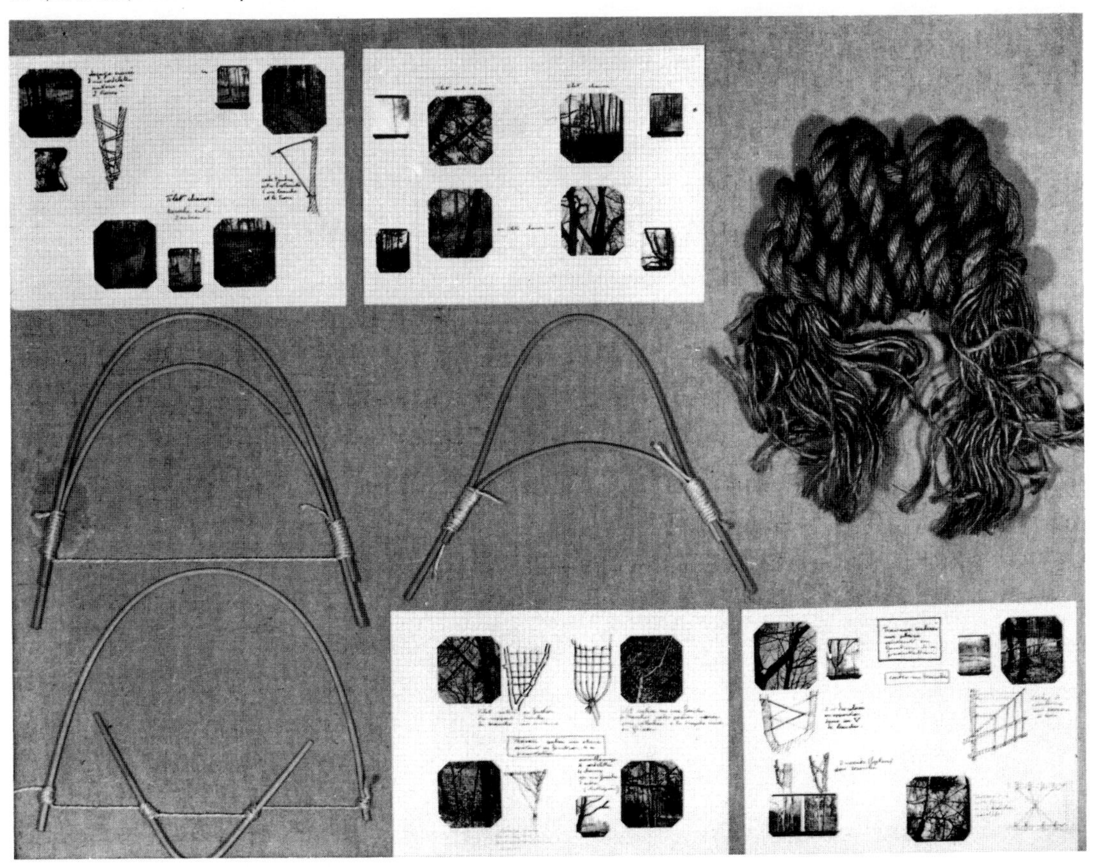

Mai-juin 1971, Travaux, nœuds et épissures.

1969, Coaraze, premier plan à droite, Dezeuze ; au centre Pagès ; au fond à gauche Viallat, Saytour.

1969, Toile métis, bleu de méthylène.

Août 1968, Anfo (Italie), avant et après l'orage.

Eté 1970, Aubais, autocollants sur pierre.

Eté 1970, Aubais.

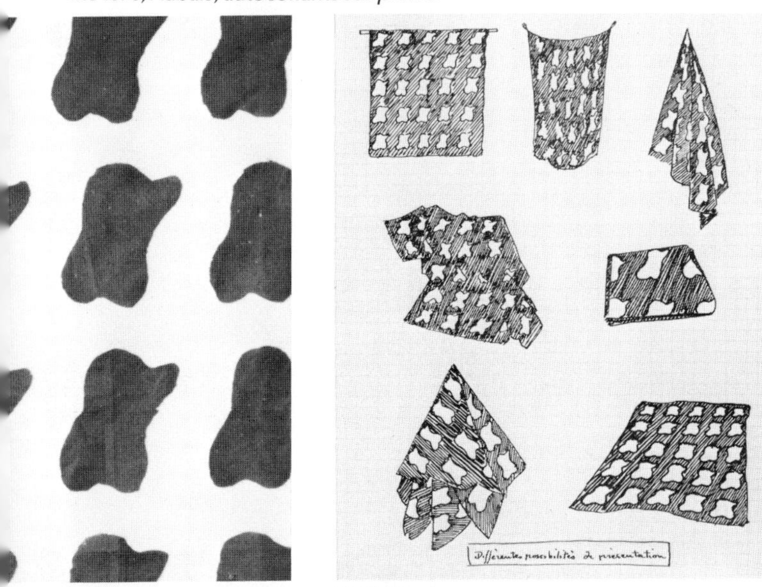

1968, Dessin.

1968, Corsage, contrefaçon d'après l'invitation à la première exposition Claude Viallat à la galerie Jean Fournier, Paris.

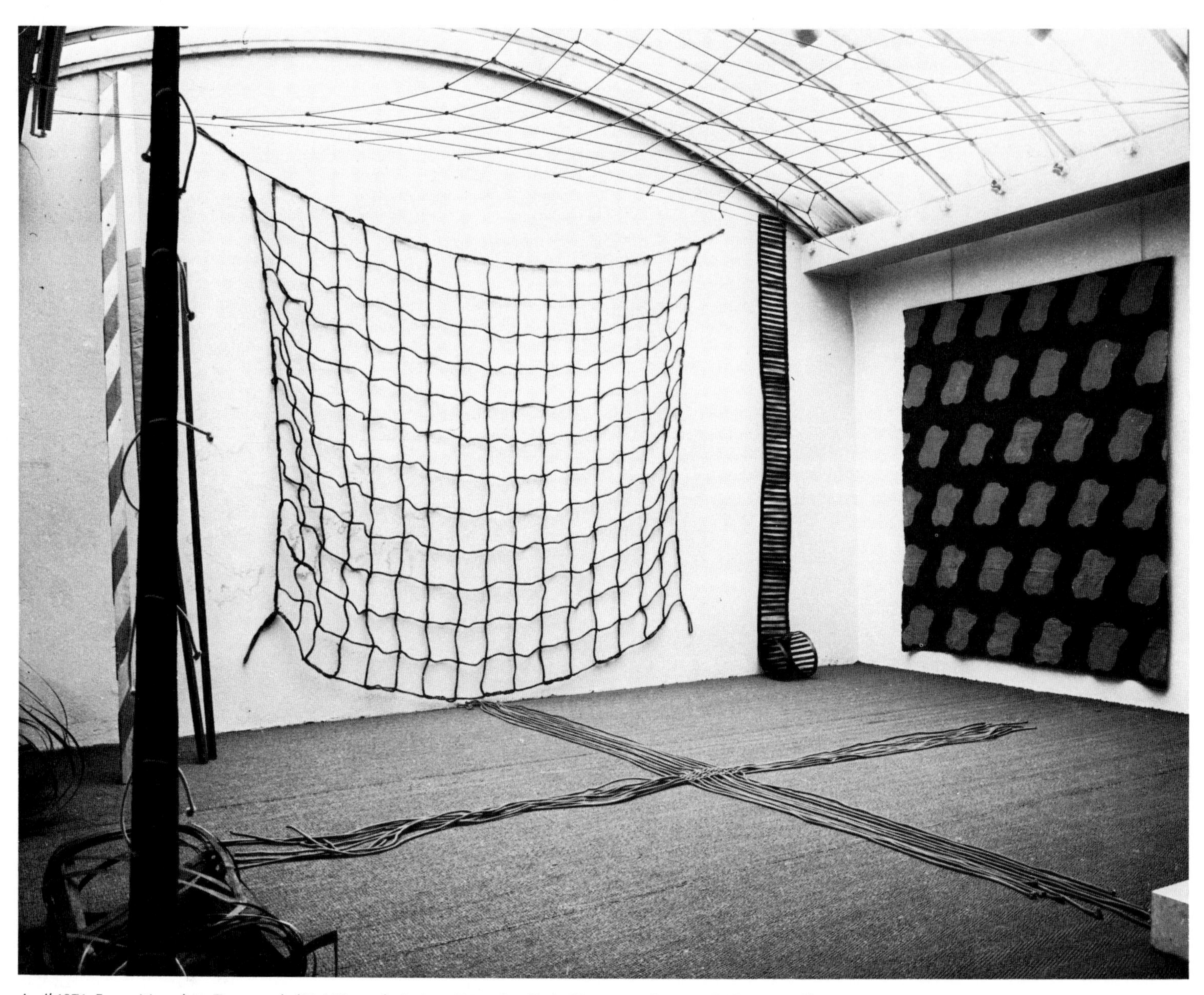

Avril 1971, Exposition des «Travaux de l'été 70», galerie Jean Fournier, Paris (Dezeuze, Saytour, Valensi, Viallat).

Eplucher les couches successives qui se sont superposées depuis la Renaissance pour faire ressortir les «supports» qui ont produit, porté, conditionné et mis en scène la peinture (couleurs, bois, toiles), et les problèmes qui traditionnellement les liaient, nous a progressivement conduit à déplacer les conditions d'exposition.

1972, Filet.

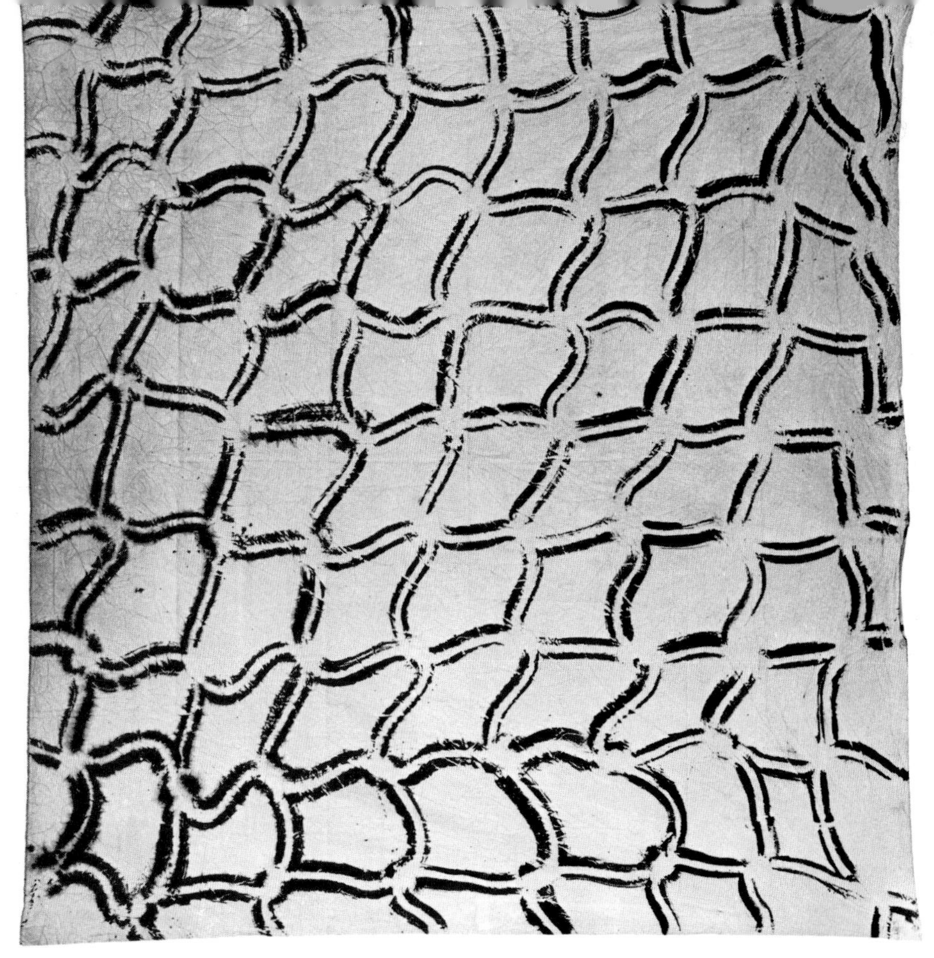

1972, Toile métis teintée, éosine, pochoir de filet.

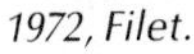

La peinture du fait même de sa matérialité ne s'assujettit plus ni aux murs qui la supportaient, ni aux espaces privilégiés qui l'avaient jusque-là présentée, mais elle peut se lire dans toutes les conditions d'exposition, et dans n'importe quel lieu, inversant le processus et privilégiant par sa présentation le lieu qui la recevait. D'où la possibilité de sortir la peinture des musées et des galeries, de gagner les lieux publics moins culturellement connotés, espaces urbains ou campagnards, rues, places, plages, déserts ou montagnes, etc.

La lecture des objets dans la nature, contrairement à l'exposition dans les galeries, ne peut se faire indépendamment de l'espace qui l'enferme, mais devient élément de cet espace qu'elle conditionne et distribue. Tous les éléments de l'espace travaillent avec la peinture et s'incluent d'eux-mêmes dans le schéma pictural.

Ces premières constatations nous amènent à considérer la possibilité de travailler la peinture sur le lieu même où elle va se voir, travail en fonction des données de ce lieu, travail du lieu lui-même, support, soit par adjonction d'un ou plusieurs éléments, soit par modification. Ainsi le «terrain» qui porte et tous les éléments de ce terrain peuvent être modifiés ou marqués.

La notion de temps et d'intempéries qui découle de la mise en extérieur du travail, en transformant le marquage préalable, le double de détériorations ou de modifications qui sont reçues comme marquage réel du temps.

Les traces produites par les éléments, pluie, soleil, etc., n'étant pas des aléas imprévisibles mais signifiant leurs propres effets.

De plus en extérieur les composants du «tableau» deviennent mise en scène de l'espace naturel ou mise en scène du «vide» que le «spectateur» seul peut habiter et construire, et où il joue sa propre image et son propre spectacle supprimant toute illusion ou semblant.

La peinture n'est plus alors «mise en scène» par le «tableau» mais devient cet espace où la scène se vit avec toute la fragilité et la rapidité du temps qui passe, non figée dans un spectaculaire définitif...

.1970, Plastique découpé.

Eté 1970, Le Boulou, contretype de quadrillage, goudron sur sol.

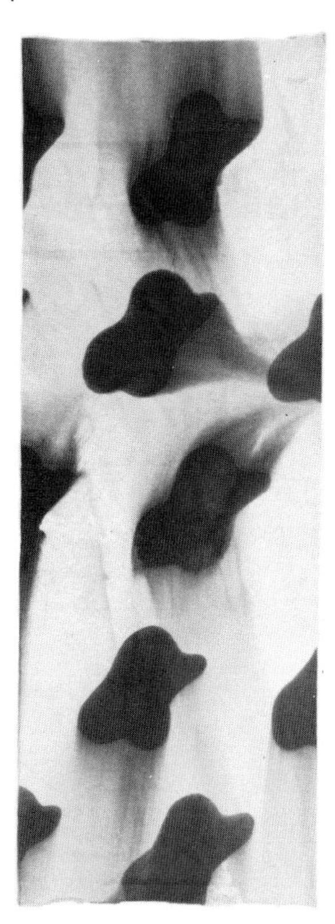

1971, Toile modifiée par la pluie, bleu de méthylène.

1971, Exposition Supports/Surfaces, Théâtre de Nice ; au premier plan Lepage, Saytour, Viallat, Passera, Dolla ;

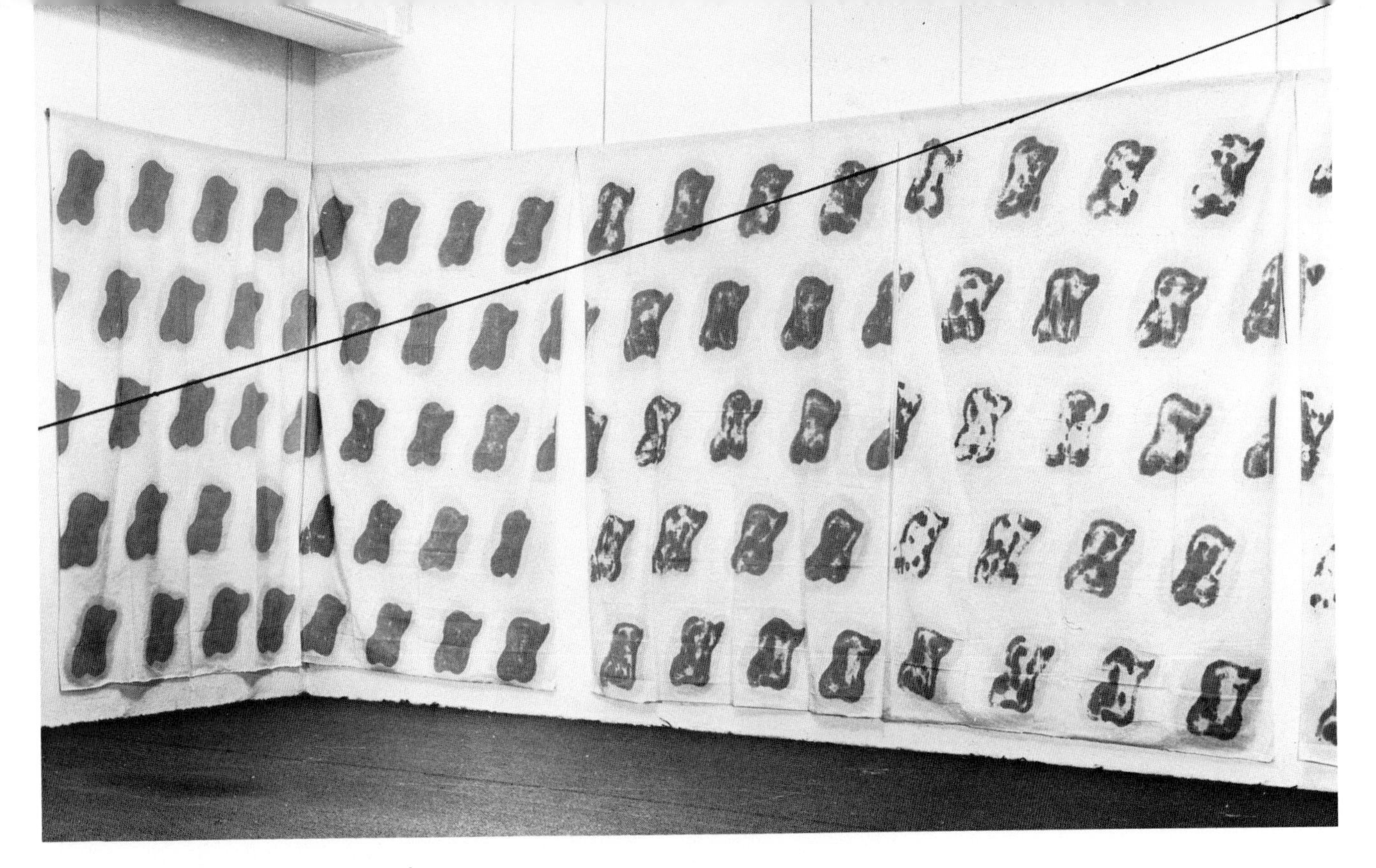

1971, 5 toiles superposées, essence et rubson.

second plan à droite Cane, Devade.

1971, Dessin.

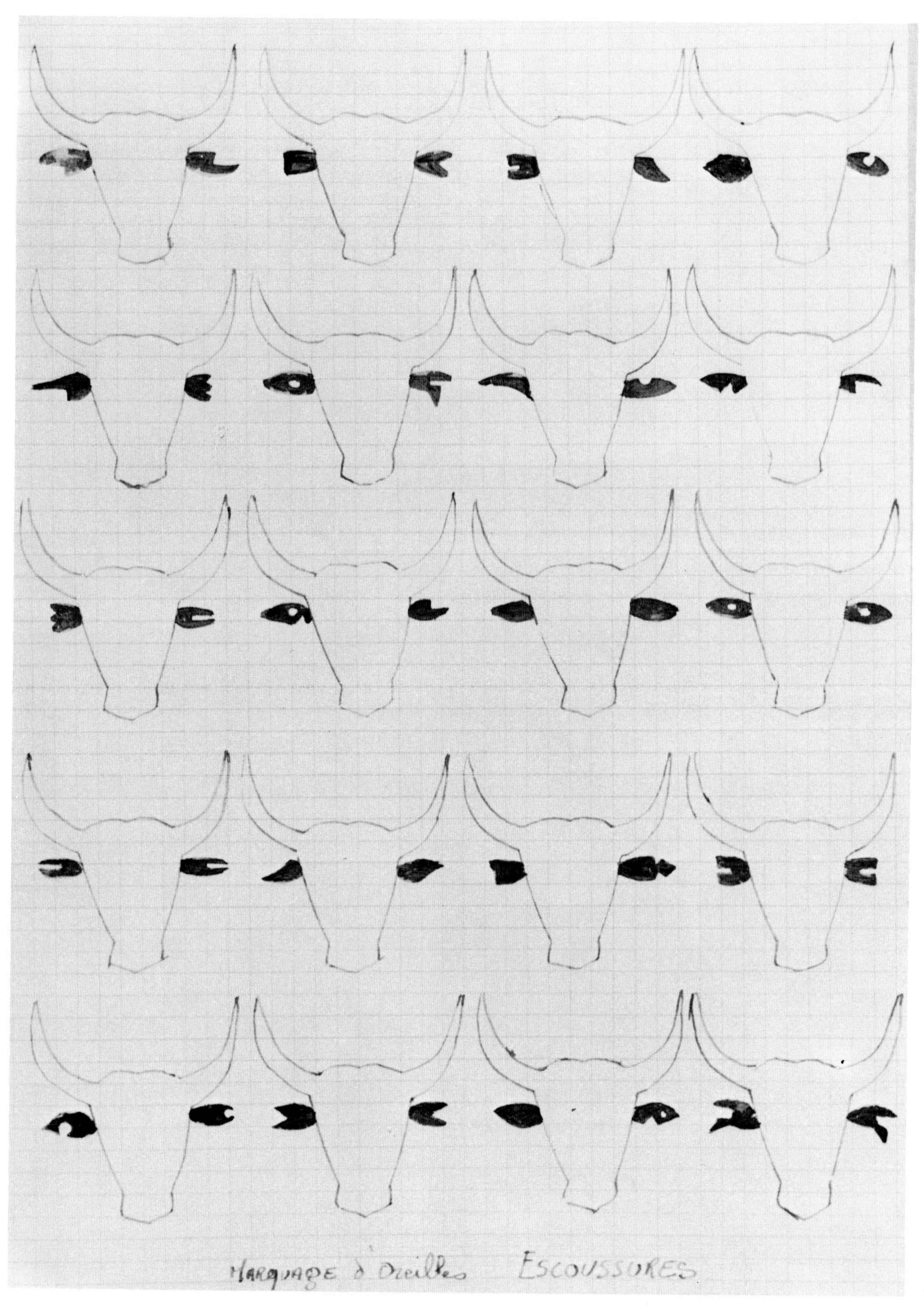

1972, Dessin.

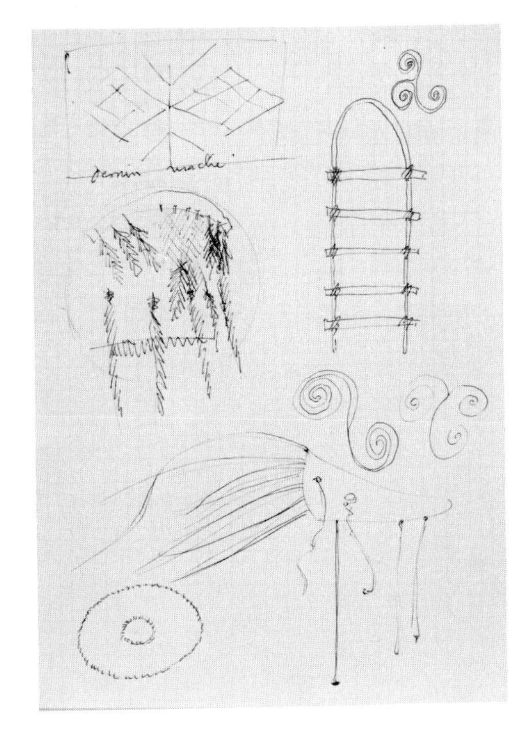

1972, Dessin.

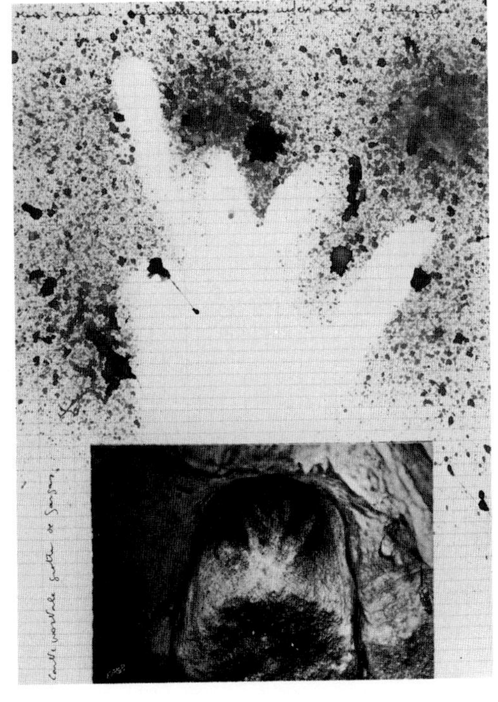

1972, Bristol, éosine et carte postale.

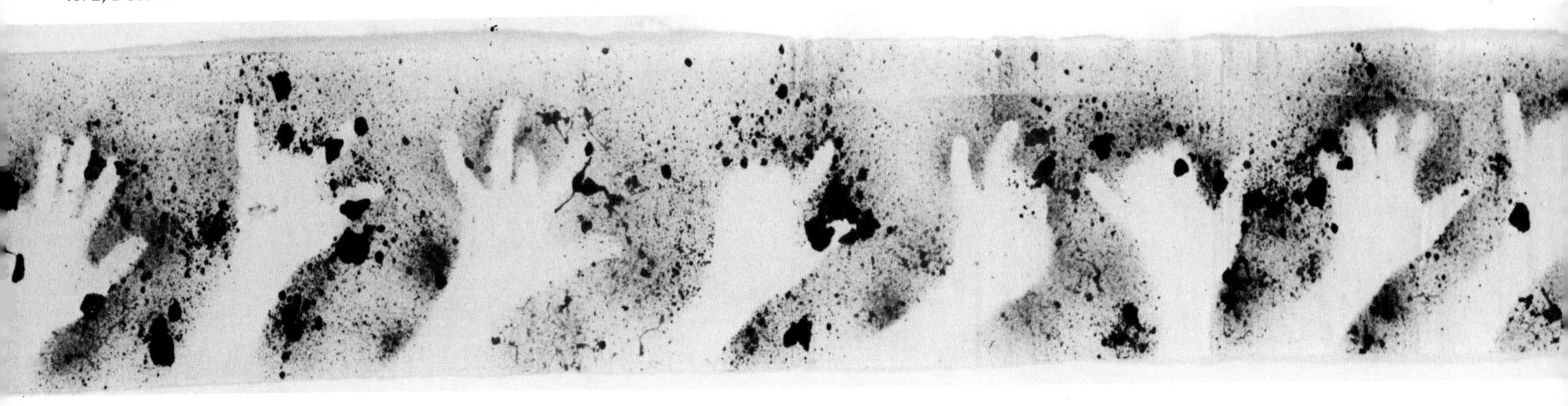

1972, Toile, éosine, mains soufflées à la bouche.

Travailler avec une forme c'est «faire des murs en superposant des briques», c'est combler un vide ou en créer un — c'est faire une suite de gestes, jamais identiques, jamais simples, qui peuvent être empreinte ou dessin, trace ou étalement de couleurs.

Dire une forme, c'est les dire toutes et en dire une pour remplir un vide aussitôt créé, c'est dire la même chose d'une manière toujours différente ou toujours semblable, celle-là ou une autre.

C'est aussi lui dénier un sens précis en lui donnant un sens précis et tous les autres, c'est aussi ne pas reconnaître à l'ensemble la vertu d'exister «différemment», mais d'exister avec tout ce que cette existence propose de complexité de sens.

Bien sûr, c'est aussi dire la couleur et la forme de la couleur, c'est dire sa trame, sa matière et tout le travail que cette couleur met en évidence dans sa rencontre avec un support, c'est en définitive dire le support, dire l'espace que devient ce support et ce qu'il propose dans son existence, dans ses possibilités matérielles et l'espace qu'il conditionne, c'est dire aussi que nous existons par rapport à lui parce qu'il existe par rapport à nous.

1972-1973, Bois, empreintes.

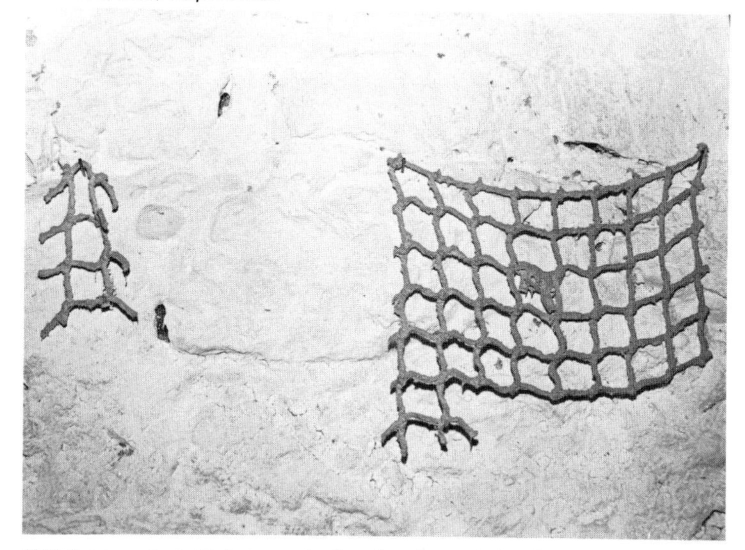

1973, Fragments de filets trempés dans le rubson et durcis.

1973, Boules d'algues trempées dans le rubson jaune et noir.

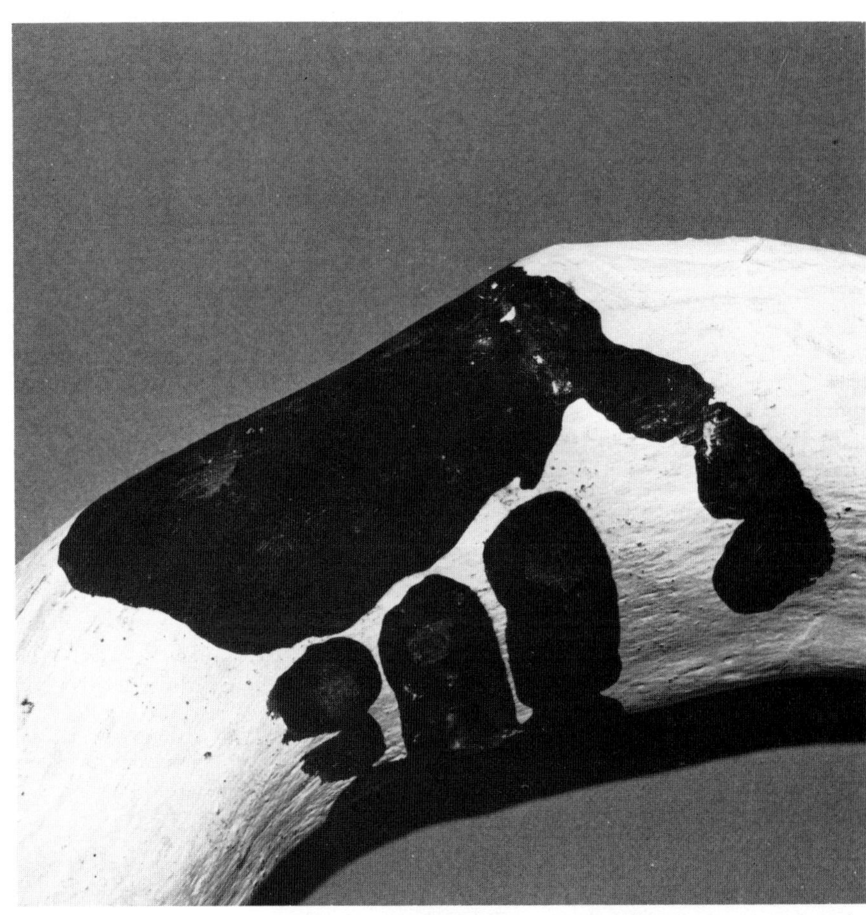

1972, Bois flotté, empreinte de main.

1972, Galets, empreintes ; à gauche, pochoir, 1973.

Si nous considérons l'élaboration d'une œuvre à partir de ses éléments constitutifs, le ou les matériaux et le travail (acte physique et concept) qui place le résultat de ce travail en communication en tant qu'image de l'acte qui la produit, on ne peut lui accorder d'autres critères qualitatifs que le mérite qu'il a d'exister, image du travail qui l'a produit, image d'un travail et partant image de tout travail.

Toutes les analyses seront alors des évidences d'«éclairage» ou de «lecture» suivant le code ou les systèmes culturels ou sociaux mettant en jeu les signifiants. C'est donc un jeu purement culturel, intellectuel et subjectif qui va signifier chaque présentation fragmentaire d'objets, l'ensemble des sens ne pouvant se spéculer que dans l'ensemble du travail produit.

L'objet artistique n'a donc que la place qui lui est donnée dans la hiérarchie sociale, il n'a d'artistique que le ou les regards qu'il suscite, que les inquiétudes interrogatives qu'il impose.

Revenant sur la nécessité de l'œuvre d'art, celle-ci ne saura exister qu'en tant que fantasme provoqué produisant une avidité de raisonnement et dépendra du contexte dans lequel elle se développe et qui la privilégie en tant que telle.

Lier l'existence de l'œuvre d'art à sa consommation c'est ne pas tenir compte du décalage que son existence impose, somme de questionnements théorisés en lutte avec la réduction idéologique et politique constante. De là la nécessité d'une mise en théorie et en analyse constante du travail produit et de la production modificatrice, toujours ouverte sur elle-même.

Le travail théorique ne peut que tenir compte de ces constantes modifications, articulant le travail dans le temps avec le travail du temps, de la mémoire, du savoir, des implications physiques et mentales, à la fois pour celui qui le produit et pour celui qui le reçoit dans un contexte social et politique précis.

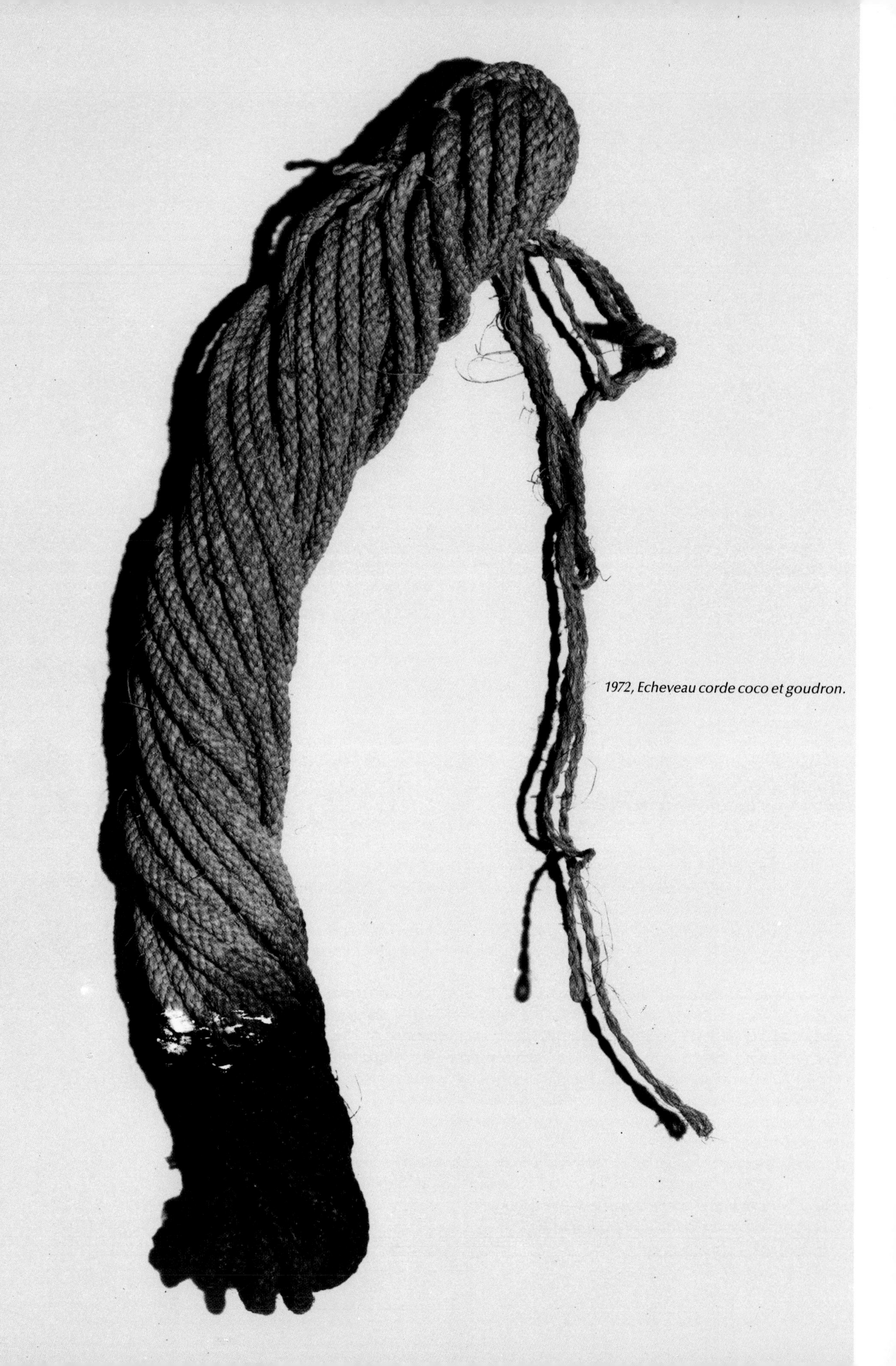

1972, Echeveau corde coco et goudron.

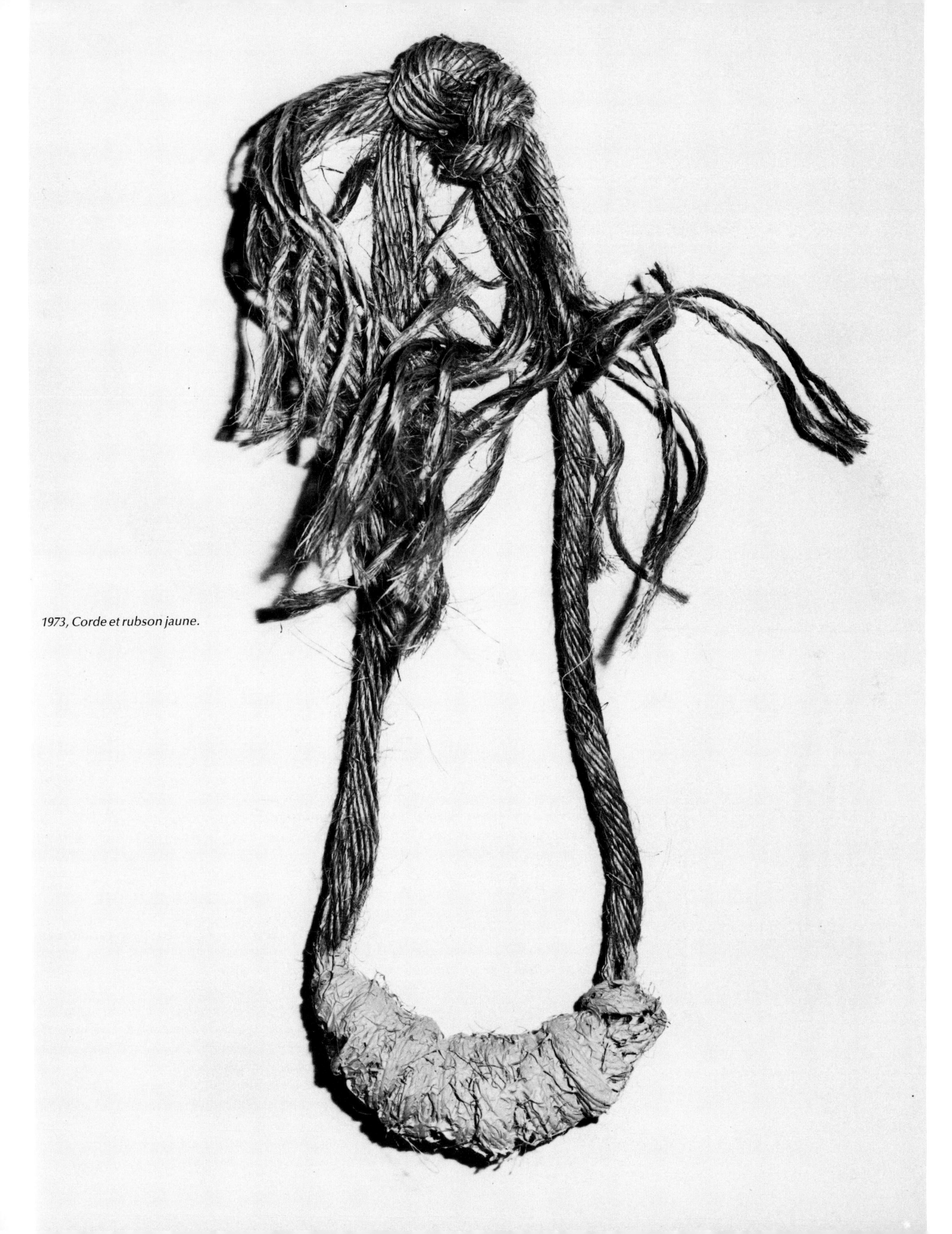

1973, Corde et rubson jaune.

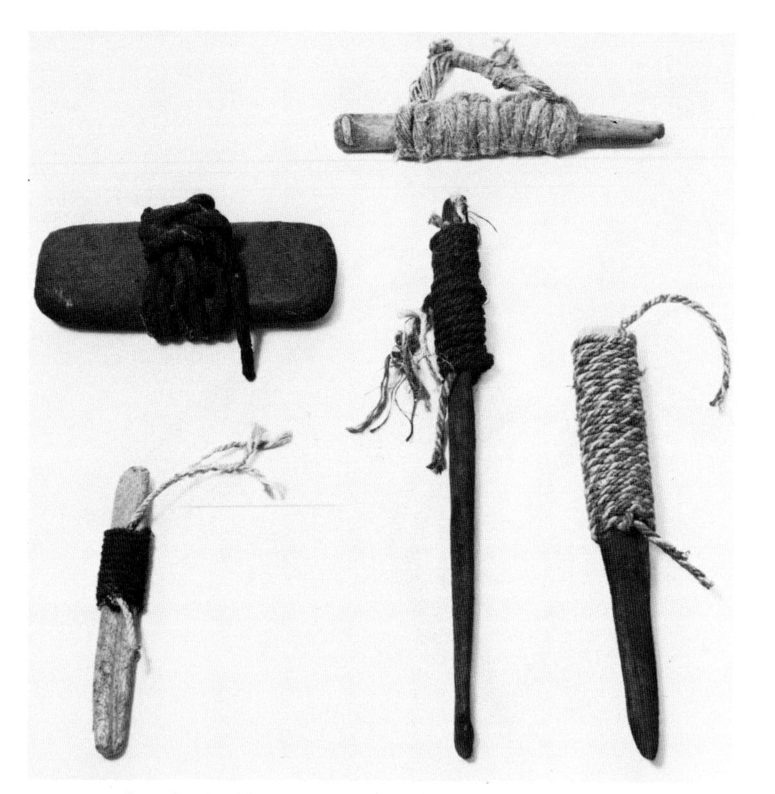

1973, Bois flotté brûlé, fibre naturelle, goudron.

1973, Corde nouée trempée dans du goudron.

1972-1973, A gauche passepoil, nœud de singe ; à droite, coco, nœud trempé dans le goudron.

Penser la peinture à notre époque, l'envisager et la mettre en œuvre, ne peut se faire qu'en fonction de son historicité globale et universelle, non en s'appuyant sur tel ou tel travail pour en faire un «savant» cocktail, mais par les moyens qui ont mis en œuvre son historicité et que celle-ci a mis peu à peu en évidence, donc en fragilité.

La penser dans les moyens qui l'ont produite, qui l'ont motivée, qui en ont fait une chose en perpétuelle transformation et surenchère, à partir de connaissances élémentaires, ou des postulats simples qui ont jalonné ses développements.

Penser la peinture à notre époque impose de penser la peinture dans *l'époque et l'époque dans la peinture qu'elle produit et motive.*

Penser le «peintre», sujet «produisant» dans l'époque et la peinture-production-consommée par cette époque, et la transformation qu'opère l'un sur l'autre, le peintre dans sa peinture, la peinture sur le peintre et dans l'époque, peinture enjeu — peinture en jeu, rôle de la production dans la circulation du travail produit.

Penser la peinture à notre époque impose de la penser dans la matérialité que son histoire met en évidence, hors des fonctions religieuses, mystifiantes et mythifiantes de l'Art dans la société, dans les moyens même de sa circulation, de ses transformations dans les diverses sociétés et dans les divers schémas de connaissance.

Penser les moyens qui ont mis la peinture en œuvre, les mettre en évidence, les analyser séparément et en souligner l'universalité et la non-dépendance à un individu privilégié et reconnu tel.

Penser la peinture dans ses moyens, c'est la restituer dans la masse qui la produit et la transforme, résultat d'un travail qui participe à la transformation idéologique globale.

c. 1973, Drap, empreintes et pochoir de cordes en spirales.

1973, Cerceaux de châtaigners avec des cordes.

1973-1974, Piquet de vigne, corde de manille, rubson.

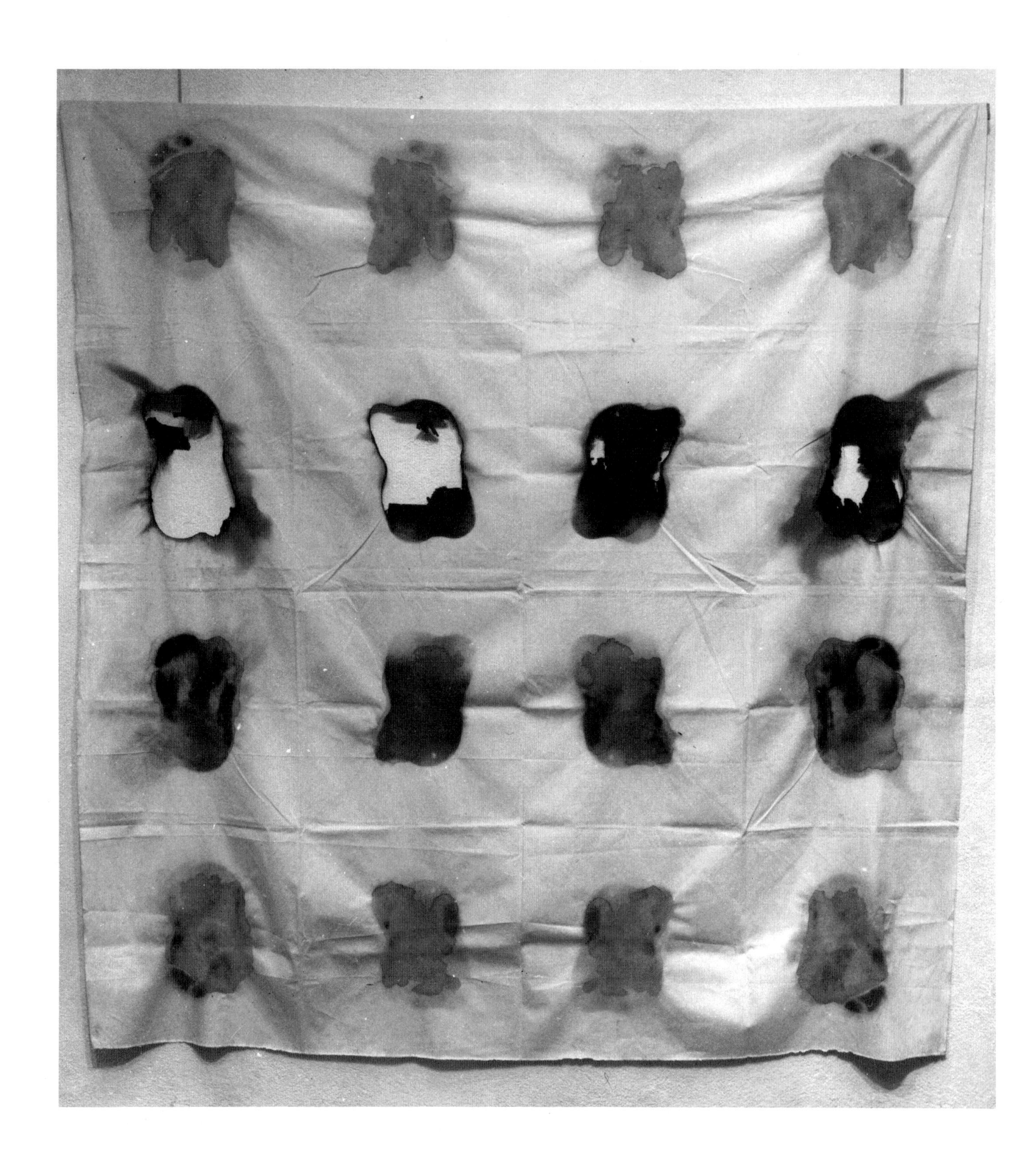

1972, Toile pliée, empreintes au feu.

1973, Bois flotté, corde synthétique, filtre vinicole trempé dans le rubson jaune.

1974, Vues de l'exposition Claude Viallat, Musée d'Art et d'Industrie, Saint-Etienne.

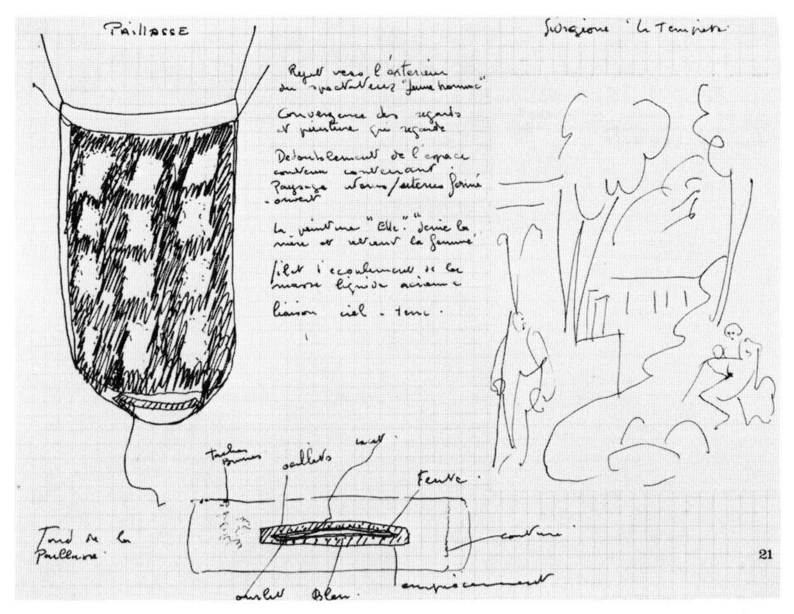

1973-1974, Dessin.

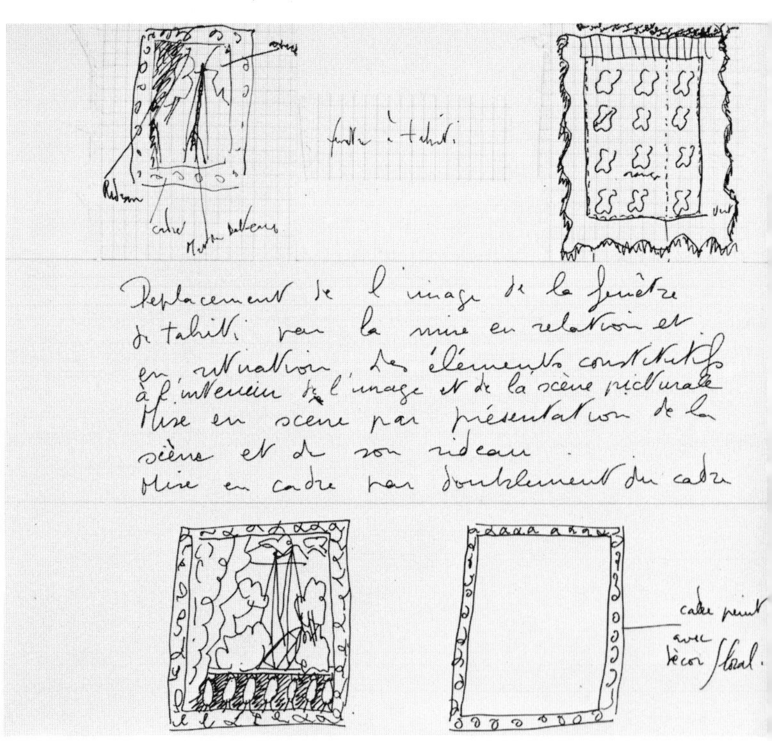

1976, «Fenêtre à Tahiti».

La peinture traditionnelle essentiellement frontale a toujours eu sa face cachée, envers du tableau sans être envers du travail (sauf dans la tradition iconographique des peintures sur verre), considéré comme non signifiant bien que portant toute la fonction sociale du tableau, mentions marchandes, administratives, soigneusement refoulées sur le dos du châssis ou de la toile en tampons, étiquettes, sceaux, mentions de propriétés ou d'origines.

Cette partie sacrifiée de la machinerie scénique, surface non «travaillée» sujette à l'empoussiérement, faisait que le peintre se peignant ne pouvait que se peindre sur la face noble, celle du Christ ou du Roi, croûte superficielle, privilégiée par le regard, et protégée par les colles, enduits, sous-couches, qui isolaient la peinture de la toile tendue sur châssis, machinerie accessoire qui pouvait même sans inconvénients se changer au cours d'un rentoilage.

La peinture travaillée en maigre par imprégnation dans la fibre sur toiles non tendues, n'a plus ni envers ni endroit, ou plutôt l'envers vaut l'endroit, image du travail du matériau et dos du travail, accentuant son importance.

Elle présente alors le travail qui produit la peinture et le travail que produit le travail de la peinture en inter-échange et enseignement.

De plus le peintre est absent du travail, présent mais de l'autre côté, d'une peinture-paravent qui constamment le cache pour ne montrer que la trace de gestes, produit d'un travail de camouflage, placé devant son producteur.

N'ayant pas de face cachée, la toile peinte ne peut être privilégiée dans une de ses faces en ignorance de l'autre, elle se montre dans l'espace ou dans toutes les possibilités de présentation que sa matérialité supporte sans que l'une ou l'autre ne la modifie autrement que dans un spectaculaire passager.

Chaque possibilité de présentation présente un double aspect du travail :

1) Travail qui produit la peinture. 2) Mise en scène de ce travail.

Tous deux se dialectisant en signifiance.

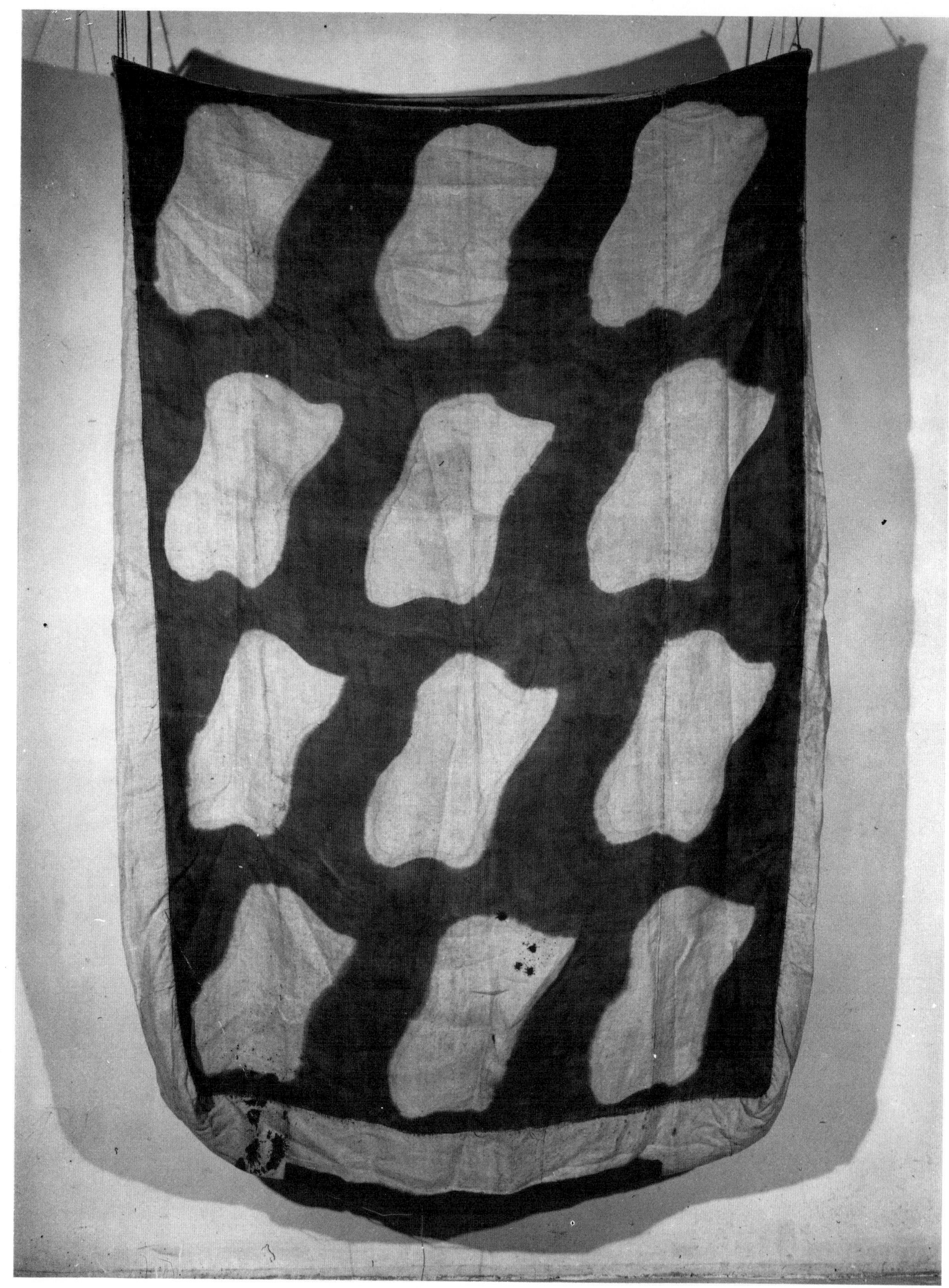

1974, Toile à matelas, «La paillasse».

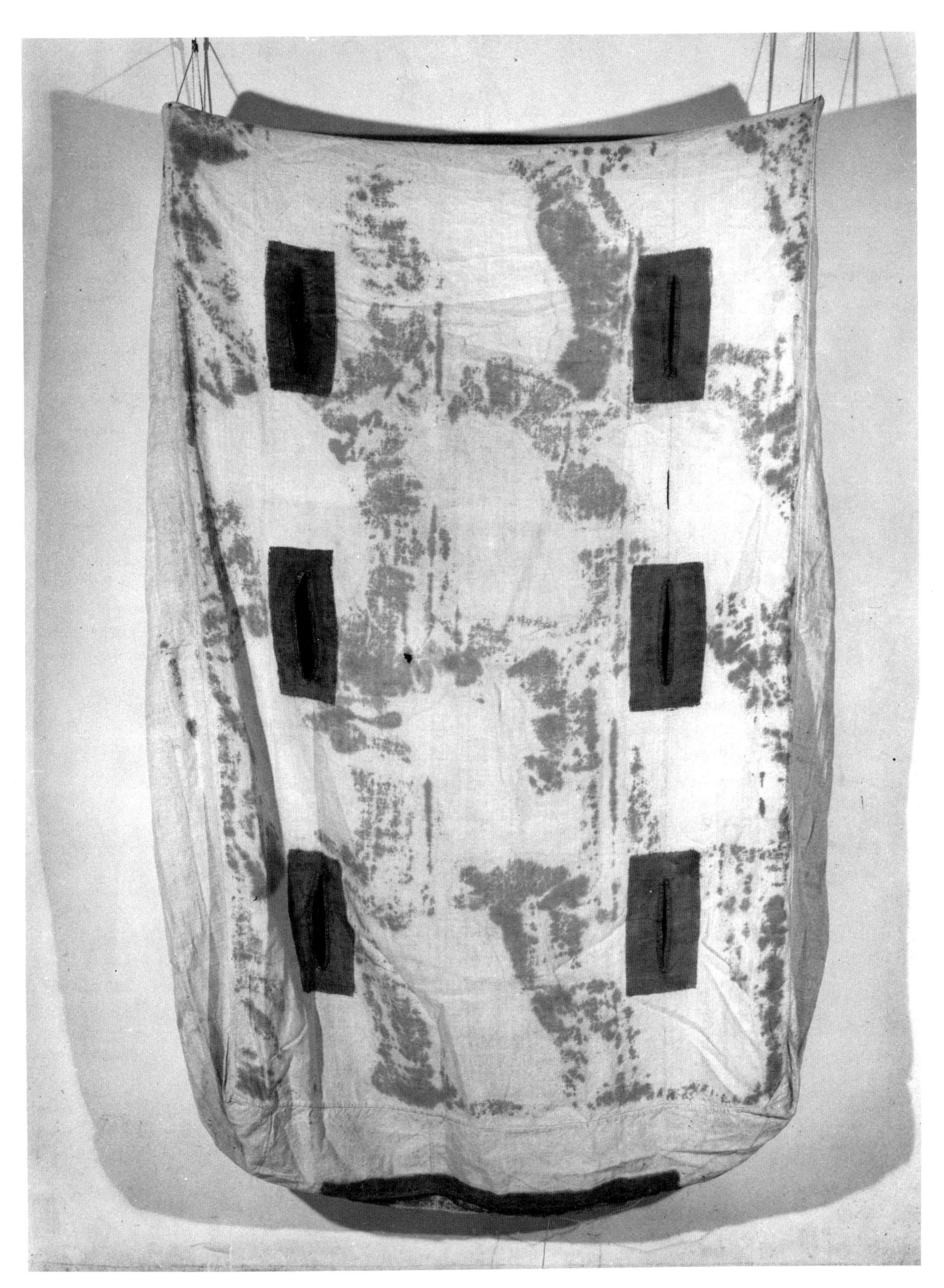

Idem (verso).

LE VOYAGE DE LA PEINTURE

Paul Rodgers

Aujourd'hui, l'œuvre de Claude Viallat nous met face à une grande efficacité picturale. Qu'elles soient montrées sur la scène de leur conception originale et de leur élaboration, dans un petit village du Midi, qu'elles «montent» à Paris ou qu'elles traversent l'Atlantique pour s'exposer à New York, ou encore plus loin, en Californie, les peintures de Viallat ne semblent nullement gênées. A travers le passage de la province au centre cosmopolitain, aux côtés d'une culture déplacée et renouvelée, ces peintures atteignent le spectateur par leur richesse et leur gaieté de formes, de couleurs et de matières. Ce bonheur de l'œuvre vient, sans doute, dans un premier temps, d'une grande maîtrise de moyens que l'artiste cache sous l'apparence rudimentaire et réductive du travail; mais, en fait, si l'œuvre de Viallat fonctionne à son aise à toute échelle spatiale, facilement montable, démontable, toujours exposable, c'est parce qu'il s'est attaché, d'une manière toute particulière, à la question des fondements de l'espace lui-même.

L'espace et son échelle est l'une des questions clés de la réflexion sur l'art en général. On peut même reconnaître une certaine justesse à la tentative d'une très forte tendance de la critique moderne quand elle tente de définir le passage de la tradition classique à l'art dit «moderne» par l'abandon d'une vision en profondeur au profit d'une recherche de surface. Une telle analyse ne saisit peut-être pas le véritable enjeu de l'art moderne, et oublie notamment que le propre de l'art reste toujours dans une expérience des fonds, mais, au niveau de la stricte description formelle, elle souligne l'une des caractéristiques de l'art du XXᵉ siècle. L'art moderne du début du siècle avait déjà entamé une exploration de l'espace en surface, mais cette recherche, que marque la volonté moderniste, a trouvé brusquement une nouvelle dimension au moment de la Seconde Guerre mondiale, quand le centre de l'activité artistique s'est déplacé à New York. Ce qui arrive quand une culture rencontre l'immensité d'un nouveau continent est sans doute très mystérieux. L'art moderne fut accueilli chaleureusement à New York par une communauté d'artistes qui avaient admiré depuis très longtemps les maîtres européens, et par un public à la fois sensibilisé par de nombreuses expositions et par le souci de maintenir le lien de son identité culturelle. En outre, les artistes européens qui arrivaient à New York jouissaient d'un prestige et d'une estime très hauts, non seulement parce qu'ils représentaient la culture européenne, mais aussi parce qu'ils avaient été chassés de leurs pays par la tyrannie fasciste que les Etats-Unis allaient bientôt combattre. Cependant, une fois l'art moderne établi dans sa nouvelle demeure, sa référence à l'espace n'était plus la même et ne pouvait plus fonctionner comme avant. Il y a eu à cet égard beaucoup de malentendus. Quand nous parlons des échanges culturels d'après-guerre, nous ne devrions pas nous en tenir à l'idée d'une rivalité entre deux grands centres, l'ancien et le nouveau, ou à la domination politique ou économique d'un lieu sur un autre. Je ne veux pas forcément nier l'existence de tels phénomènes, mais seulement souligner que, pour ce qui concerne la vie culturelle et artistique, un raisonnement de cet ordre ne peut qu'être insuffisant. Nous comprendrons mieux la situation de l'art moderne de ces trente dernières années, et même celle d'aujourd'hui, en tenant compte du fait que l'art moderne, une fois en présence du nouveau continent, a obligatoirement élargi son champ culturel. Le système de rapports, sur lequel il se fondait, s'est trouvé rudement malmené, au point qu'il ne pouvait plus répondre aux exigences de la contemporanéité. Désormais l'artiste contemporain, s'il voulait être à la mesure de sa nouvelle situation, était obligé de repenser son rapport à l'espace et de le confronter à l'échelle d'une étendue.

L'art moderne depuis la Seconde Guerre mondiale essaie de retrouver son équilibre, après l'expérience déroutante de son déplacement à New York et sa découverte d'un espace tout autre que celui qu'il avait connu en Europe. Quand on parle d'un espace, il faut bien sûr entendre un espace culturel, mais la particularité, même l'excentricité, de la

suite p. 80

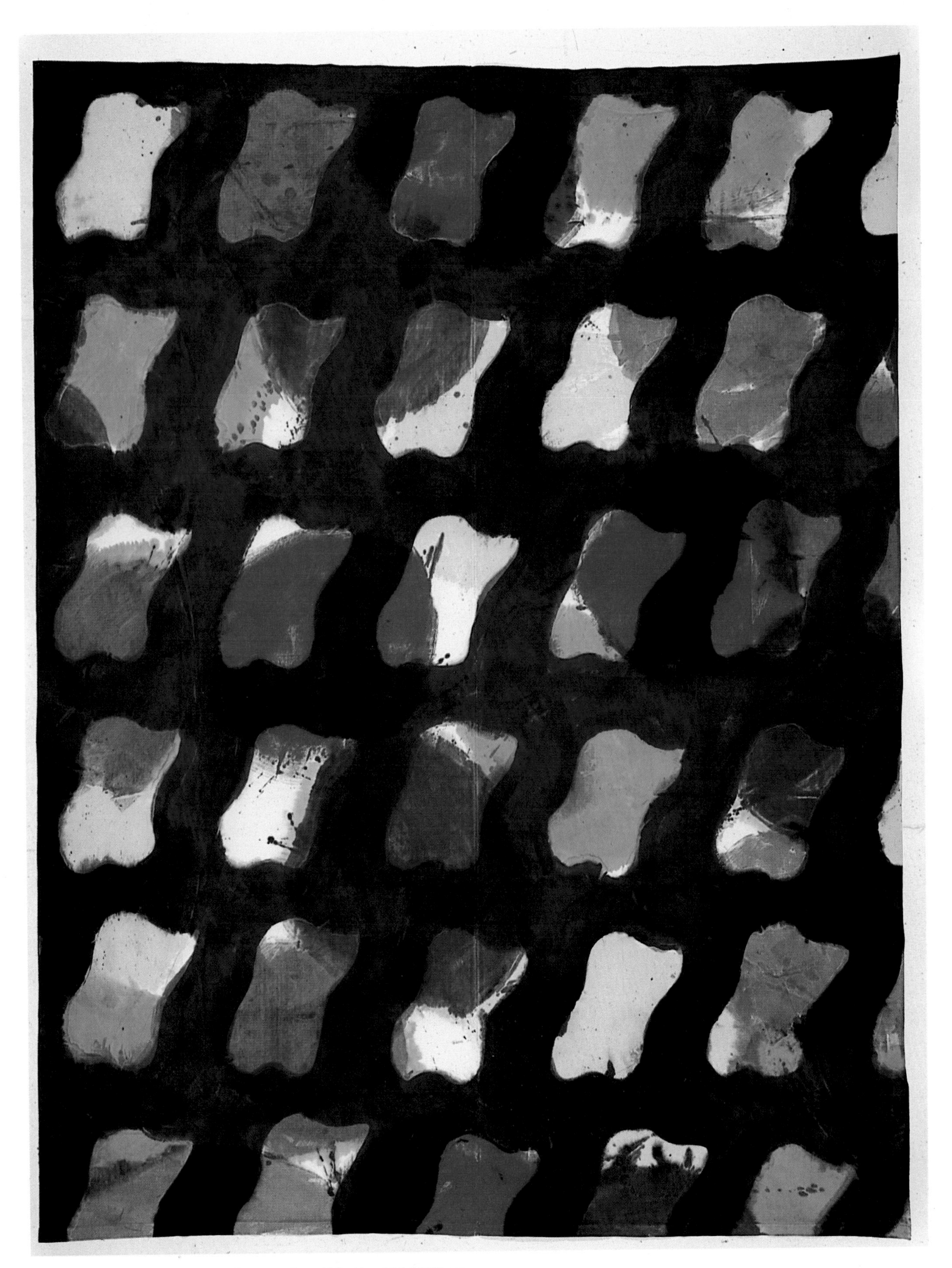

1975, Drap de lin, colorants mordants et alcool à brûler, 263 × 201 cm.

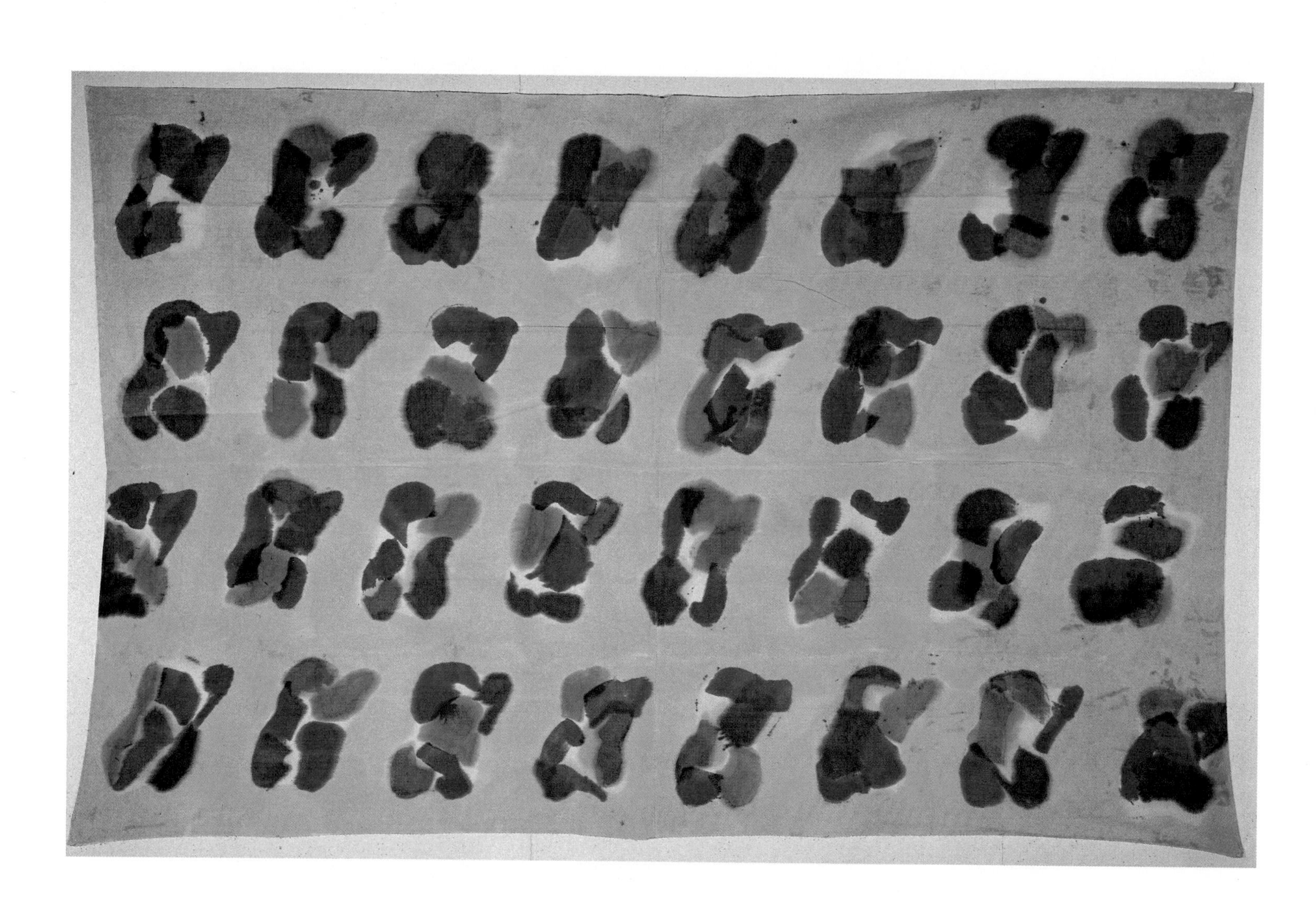

1974, Toile métis, colorants mordants et acrylique, 185 × 205 cm.

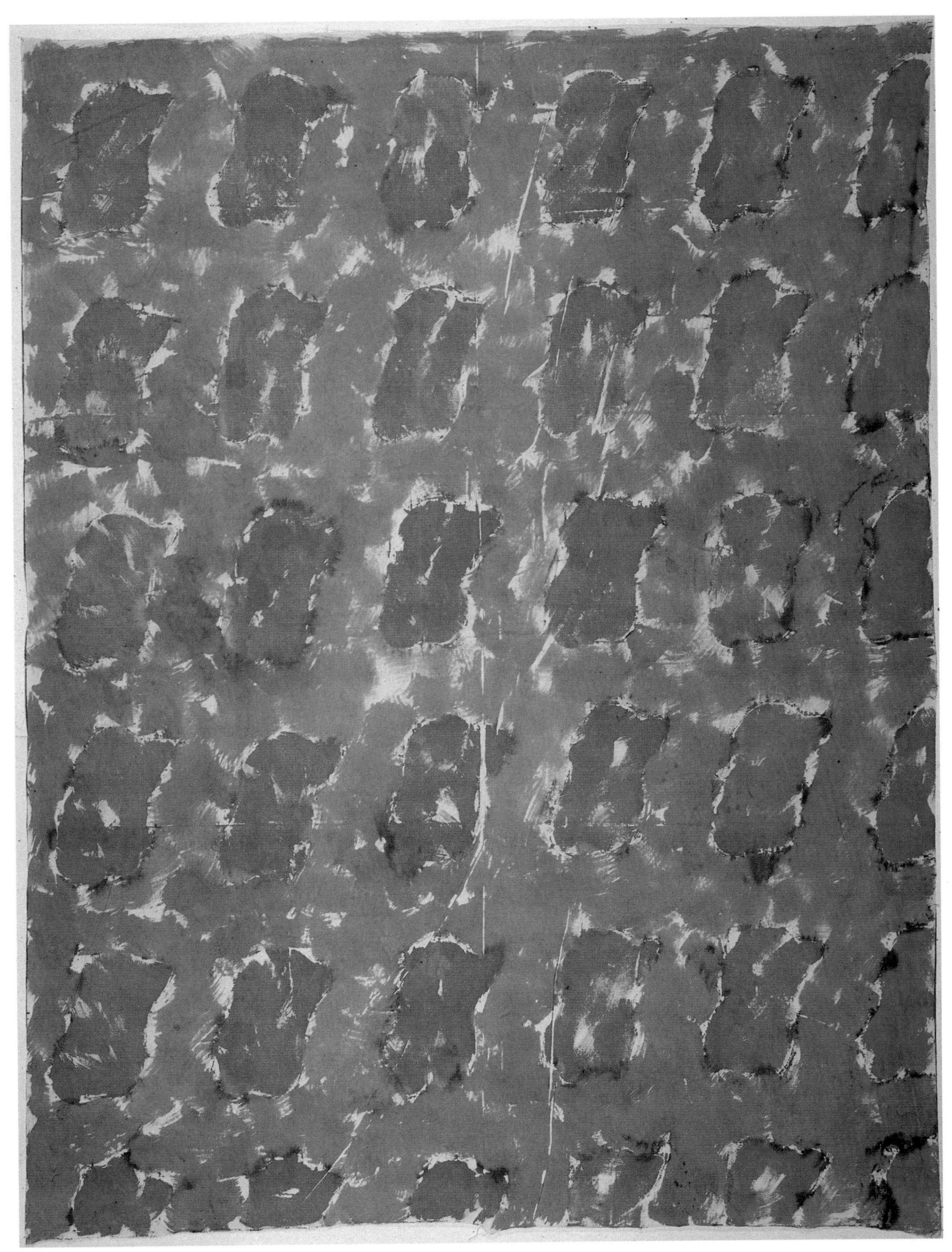

1975, Drap de lin, colorants mordants et acrylique, 280 × 200 cm. Museum Boymans van Beuningen, Rotterdam.

1975, Store, colorants mordants et acrylique, 177 × 220 cm.

1976, Store à franges, colorants mordants et acrylique, 207 × 170 cm, «Fenêtre à Tahiti».

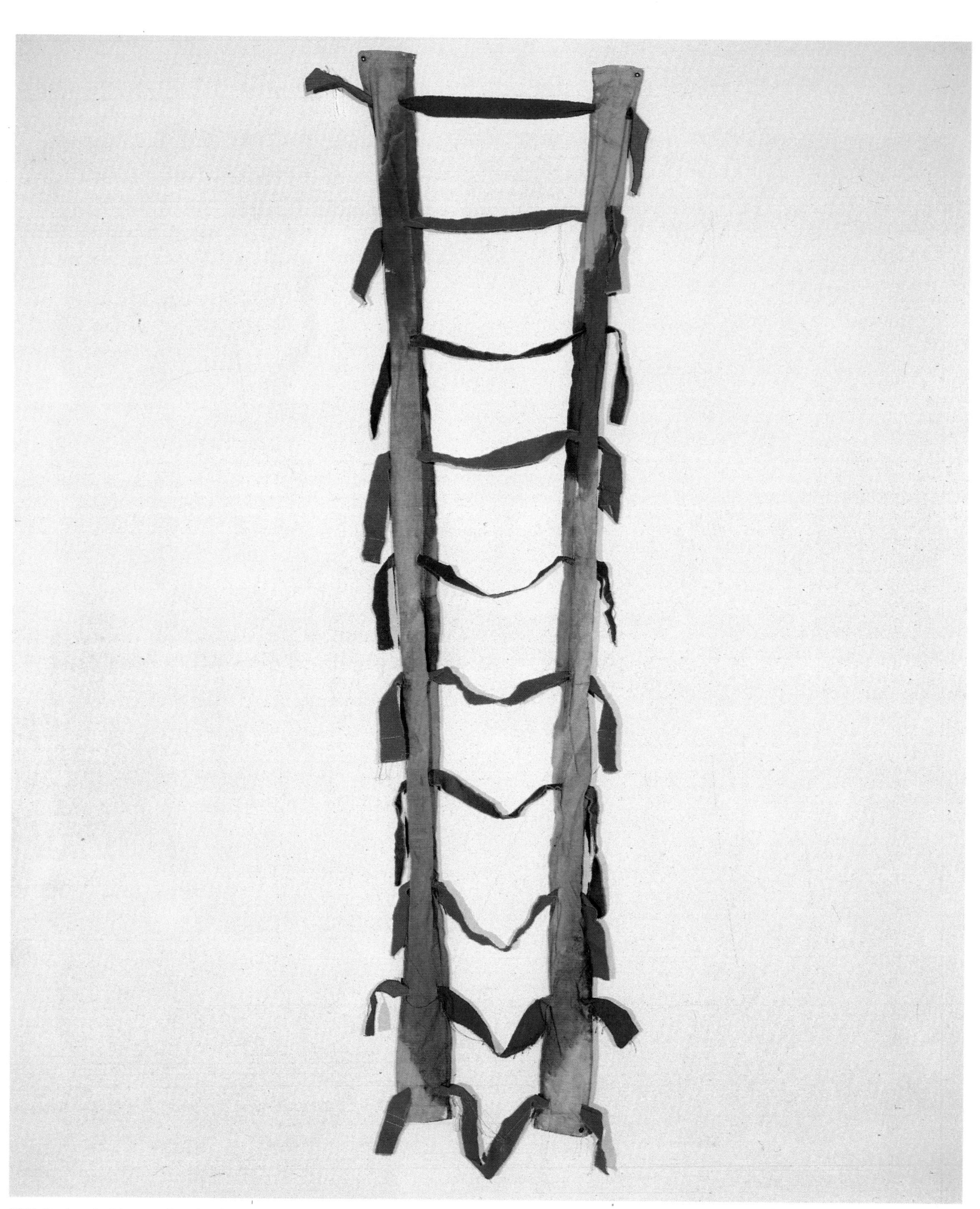

1976, Ourlets de rideaux et bandes de toile, colorants mordants, 220 × 50 cm.

1976, Ourlets de rideaux, colorants mordants et alcool, 220 × 200 cm.

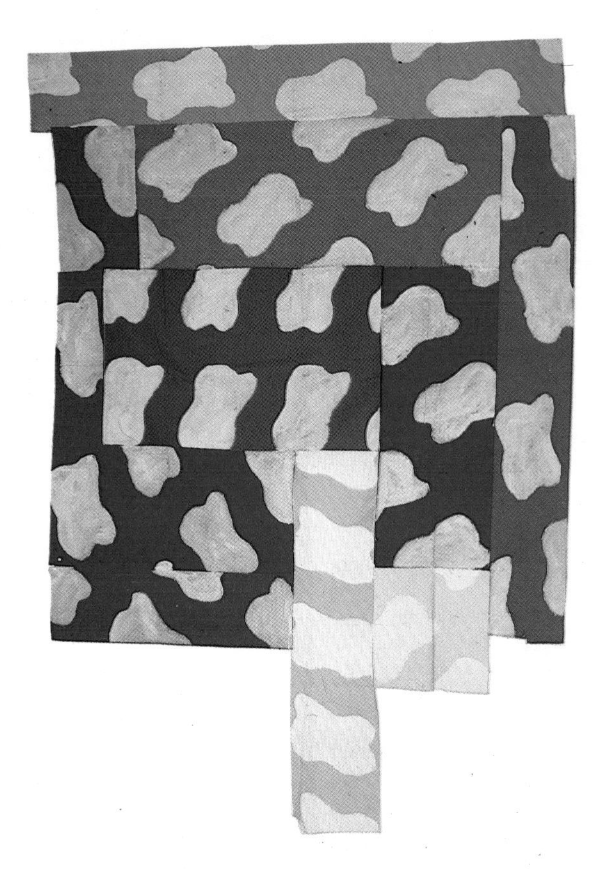

1977, Tissus de couleur, acrylique blanc, 285 × 196 cm.

1978, Parasol de marché, acrylique, 380 × 295 cm. Musée d'Art et d'Industrie, Saint-Etienne.

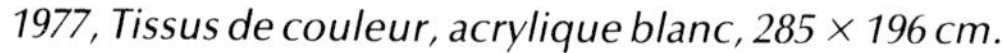

situation de l'art moderne en Amérique était que l'espace dont il disposait n'était pas tout à fait un espace culturel, mais plutôt un espace du réel qui restait encore «non-cultivé». A partir du moment où l'art moderne débarquait sur les côtes de l'Amérique, la réflexion culturelle et artistique de l'espace se versait dans le réel. Tous les mouvements de l'art depuis la guerre ont dû s'accommoder de ce choc qui menaçait leur existence même. Les expressionnistes abstraits ont été les derniers à tenter encore de contenir l'expérience moderne dans les limites d'un espace symbolique et culturel, avec les résultats à la fois monumentaux et désespérants que l'on connaît. Par la suite, nous voyons les artistes faire l'effort d'incorporer le réel en tant que tel dans leurs œuvres. C'est-à-dire que nous assistons à un phénomène où l'art cède au réel. Cela peut être montré dans l'œuvre de Johns et dans celle de Rauschenberg qui essaient d'intégrer l'objet à l'espace pictural; c'est aussi le cas du Pop'art qui tente d'insérer une référence explicite à la vie quotidienne américaine dans une vision académique d'image; de même dans le Minimalisme qui approprie l'objet, ou plutôt se fait approprier lui-même par l'objet, dans l'espoir de faire de l'art en jouant des rapports d'espace tri-dimensionnel. En Europe ont existé des mouvements comparables. Pour parler spécifiquement de la France, on peut relever le Nouveau Réalisme des années 60 et Supports-Surfaces au début des années 70 auquel Viallat a pleinement participé. Chacun de ces mouvements avait sans doute conscience qu'il n'y avait plus aucun sens de s'en tenir aux rapports d'espace qu'avait mis sur pied la grande tradition de l'art, et qu'il fallait retrouver un moyen pour redémarrer à zéro dans le réel même.

Evidemment toutes ces tentatives d'appropriation du réel étaient vouées à un échec à long

1976, Corde torsadée, colorants mordants, ∅ 70 cm.

1978, Toile de bâche, acrylique, 235 × 280 cm. Neue Galerie Sammlung Ludwig, Aix-la-Chapelle.

terme, car si l'art doit prendre en charge le réel il ne peut s'y intégrer qu'au risque de perdre sa valeur d'art. Toutefois, la pression du réel était telle avec l'élargissement de l'espace de la culture moderne que la tentative était peut-être inévitable. Ce n'est pas ici le lieu d'examiner l'histoire de ces mouvements très divers ou de faire l'archéologie des quinze dernières années de la peinture en France où l'œuvre et la biographie de Claude Viallat ont occupé une place exemplaire; d'autres l'ont fait ailleurs. Je préfère mettre l'accent sur quelques questions qui touchent plus directement l'actualité de l'art aujourd'hui et la place de Viallat dans cette actualité. D'abord, est-il possible de définir, même provisoirement, même comme une évocation à défaut d'une définition, le nouvel espace qui s'étend devant nos yeux à partir de l'intervention dans le jeu artistique et culturel du continent américain, puisqu'aux Etats-Unis il est impossible d'ignorer le Mexique et l'Amérique du Sud? Deuxièmement, comment expliquer cette impression qui nous frappe aujourd'hui quand nous regardons la peinture de Viallat, qu'il a trouvé une clé ouvrant sur cet espace nouveau et qu'il est désormais libre d'y circuler à son aise?
Peut-être pourrait-on avancer la proposition que l'art et la culture se font à partir d'une synthèse des différents sens. A cet égard, Mondrian nous offre un cas remarquable et exemplaire. Parmi le petit nombre de peintres qui sont passés maîtres de l'art moderne en Europe pendant la grande période de l'avant-garde des premières décennies du siècle, Mondrian était le seul dans sa maturité à s'installer définitivement aux Etats-Unis et à y achever son œuvre. Mondrian était fasciné par l'ambiance de New York. Il était surtout attiré par l'énergie de la ville, par l'énorme réseau géométrique des rues et des lumières. Il était aussi séduit par le jazz, la musique d'origine noire qui incarne mieux que tout le

suite p. 85

1978, Vue de l'exposition à l'abbaye de Sénanque, à droite : bâche, acrylique, 275 × 600 cm. Musée national d'art moderne, Paris.

1978, Parasol, acrylique, Ø 185 cm.

génie de la métropole moderne. A New York, Mondrian a cru voir l'évidence d'un système technologique et d'un ordre rationnel qui, pour lui, devaient structurer la vie moderne de l'avenir. Dans la mesure où il s'est prêté à la scène new-yorkaise, il a été le seul à faire la synthèse de cette immense circulation, et par conséquent à pouvoir attacher, exemple unique, une invention formelle issue de l'avant-garde européenne à la dynamique d'une expérience vécue. Mais ce qui frappe également dans les derniers tableaux de Mondrian, c'est qu'il n'a pu prendre en charge toute la diversité de la vie new-yorkaise. Mondrian a été obligé d'exclure les éléments qui refusaient de s'intégrer dans le schéma de sa vision, avec pour résultat que la synthèse dans son travail reste partielle devant la force, la dépense et le renouvellement de son sujet. Ce que nous voyons chez Mondrian à New York, c'est une sensibilité hautement européenne qui est malgré tout sensible à la modernité américaine et qui en fait finalement la synthèse de sa propre expérience. Nous ne pouvons pas manquer, en même temps, d'apercevoir une richesse et une diversité qui échappent à tout effort de synthèse parce qu'elles tombent en dehors des limites de la culture telle qu'elle s'est constituée en Europe. Le visiteur de New York aujourd'hui, comme Mondrian il y a trente-cinq ans, reste impressionné par la scène devant ses yeux, les grands buildings étincelants de lumière, la secousse au passage du métro, le fleuve des voitures, parmi lesquelles une flotte de taxis jaunes, qui montent et descendent les grandes avenues au rythme des feux qui clignotent à perte de vue, le néon de Broadway vingt-quatre heures sur vingt-quatre. Sous cette orchestration, on sent la pulsion du mouvement et des bruits de la vie humaine qui y bouillonnent. En fait, on peut relever deux grandes forces en confrontation aux Etats-Unis, et surtout dans la ville de New York. Il y a bien sûr la technologie omniprésente, mais aussi l'élément ethnique. Les Etats-Unis subissent la pression d'un flux d'immigration du Mexique, des Caraïbes, des pays de l'Est et de l'Amérique du Sud. Tous se maintiennent ou disparaissent dans les conditions qu'ils trouvent, avec le peu qu'ils ont pu apporter de leurs mains. Ils vivent dans le provisoire, dans le déséquilibre de cultures et de langues, mélangées et mal adaptées. A l'opposé, ils sont reçus par une société dynamisée par un système de production puissant et par un réseau électronique d'information et de communication qui organise la vie selon la logique de l'argent et la recherche du plaisir instantané. Les diverses cultures ethniques luttent contre les exigences de cette puissance technologique dans un contexte polarisé par des extrêmes de climat et de niveau social, au point qu'on ressent l'expérience, la fortune, l'espoir, se détruire et se reconstruire quotidiennement. Une telle situation ne manque pas de rejaillir sur la production artistique. Les gens sont obligés de vivre plongés dans le moment même de l'événement et de faire appel à l'évidence de chaque sens indépendamment des autres ; ceci crée une inadéquation entre l'art, tel qu'il a été conçu traditionnellement, et l'expérience. Autrement dit, l'art contemporain doit se rendre compte qu'aujourd'hui, si la culture consiste à faire synthèse des sens, le nouvel espace qui s'impose depuis la dernière guerre et l'entrée en scène de New York comme grand centre de la culture moderne, se présente plutôt dans une immédiateté des sens qui ne connaît pas de synthèse.

Une telle tendance de la vie moderne à s'enfoncer dans l'immédiat des sens et à vivre une confrontation avec le réel exige malgré tout une réponse de l'art, et c'est l'habileté de Claude Viallat de s'être installé au carrefour qui pourrait éventuellement en fournir une. Pour citer un peu arbitrairement deux noms, on peut poser, face à la grande étendue du nouvel espace de la culture moderne, l'étendue de la vision dans les œuvres de Simon Hantaï et de Sam Francis. Ce choix est bien sûr arbitraire dans la mesure où il exclut d'autres noms qui devraient être cités en considérant l'art contemporain. Mais il offre en fait une assez bonne illustration dans le cadre d'une étude sur Claude Viallat, car il a certainement su tirer avantage des œuvres de ces deux aînés, proches de lui car partageant la même galerie parisienne. Ces deux artistes, venant l'un d'Europe de l'Est, l'autre de Californie, représentent la gamme de cet espace ouvert à la culture moderne en comprenant tous deux que, pour être à la mesure d'un réel qui échappe à la culture, il fallait reprendre ce réel au niveau de sa dimension picturale, c'est-à-dire au niveau de la lumière et de la couleur. La réussite de Viallat tient en grande partie au fait qu'il a mieux compris que les autres artistes de sa génération l'importance de cette approche. Son œuvre recherche une adéquation entre le nouvel espace de la modernité et sa dimension picturale : lumière et couleur. Depuis longtemps l'artiste a établi sa manière de peindre à partir de matériaux divers et de la répétition mécanique d'une seule forme s'accompagnant d'une méthode d'application de la peinture, rapide et peu soucieuse de facture. Cette attitude envers la technique, et l'écart qu'elle installe entre l'artiste et son œuvre, prend justement la mesure d'un espace réel. Mais, à partir de ces premières expériences picturales, Viallat a compris que la lumière, dotée du pouvoir de libérer les effets colorés, était l'élément qui sous la peinture prenait en charge le réel. C'est vraiment la lumière colorée et colorante qui soude dans un ensemble la peinture et l'expérience vécue pour faire culture. Cette découverte a en même temps permis à Viallat de retrouver la dimension de culture et de la situer partout dans l'espace. On peut ici évoquer un très beau texte de Dominique Fourcade qui développe de manière efficace l'approche de l'artiste en insistant sur une peinture intitulée *Fenêtre à Tahiti - Hommage à Matisse* (1). Dans ce texte qui offre d'ailleurs une très belle analyse de la culture de Cézanne et de Matisse, Fourcade remarque avec justesse que l'espace que voit Viallat à travers le cadre de sa fenêtre, peint à partir du tableau de Matisse de 1935, est l'espace de la matière de la peinture elle-même, c'est-à-dire la lumière et la couleur qui lient ainsi l'extérieur à l'intérieur, la dimension de culture à la dimension du réel dans un espace étendu.

Doté de cette belle découverte, l'œuvre de Claude Viallat, loin d'être intimidée par l'espace de la modernité, est libre de l'occuper à volonté. C'est pour cette raison qu'elle peut aussi bien être exposée aux Etats-Unis qu'en Europe. Viallat remplit la matière et la comble de couleurs et de formes qui chantent les valeurs de la culture. Pour cela, et en conscience d'une certaine ironie, je reprendrai les termes du critique new-yorkais John Perreault qui, à partir d'un jugement de l'œil, déclare les couleurs de Viallat «sales et anti-matissiennes». Elles ne sont bien sûr ni l'une ni l'autre. Comme tous les critiques qui se basent sur l'œil, John Perreault ne voit rien du tout. Mais cette appellation de sale me plaît dans la mesure où elle touche quelque chose d'essentiel au projet de Viallat. Les couleurs de Viallat ne sont pas anti-matissiennes, mais l'artiste a également compris qu'il n'a pas non plus pour tâche de refaire l'œuvre du maître. Il s'agit plutôt de prendre la scène de l'espace telle qu'elle se présente à nous aujourd'hui, dans des circonstances très différentes de celles auxquelles Matisse a été confronté, et de laisser ressortir les qualités de la matière en la couvrant de couleur. Ces dernières années, nous avons vu l'œuvre de Viallat s'étaler et s'intensifier au niveau de cet échange de matière et de couleur et elle en jouit aujourd'hui avec toute une gamme de variations, allant de rapports très délicats jusqu'aux contrastes les plus vifs, qui saisissent toute la diversité de l'immédiat. Ainsi l'œuvre de Viallat voyage et nous enseigne que la lumière fait ensemble, qu'elle soit du Midi, de Paris, de New York, ou de Californie ; pour cela l'espace de la culture se trouve toujours et partout en nous.

1. Dominique Fourcade, «Store à franges», in Claude Viallat. Traces, *catalogue des Musées de Chambéry, 1978.*

1975, Bois flotté, bande plâtre, corde manille, colorants mordants.

1975, Corde naturelle, trempage, bois et goudron, rubson jaune, exposition galerie Athanor, Marseille.

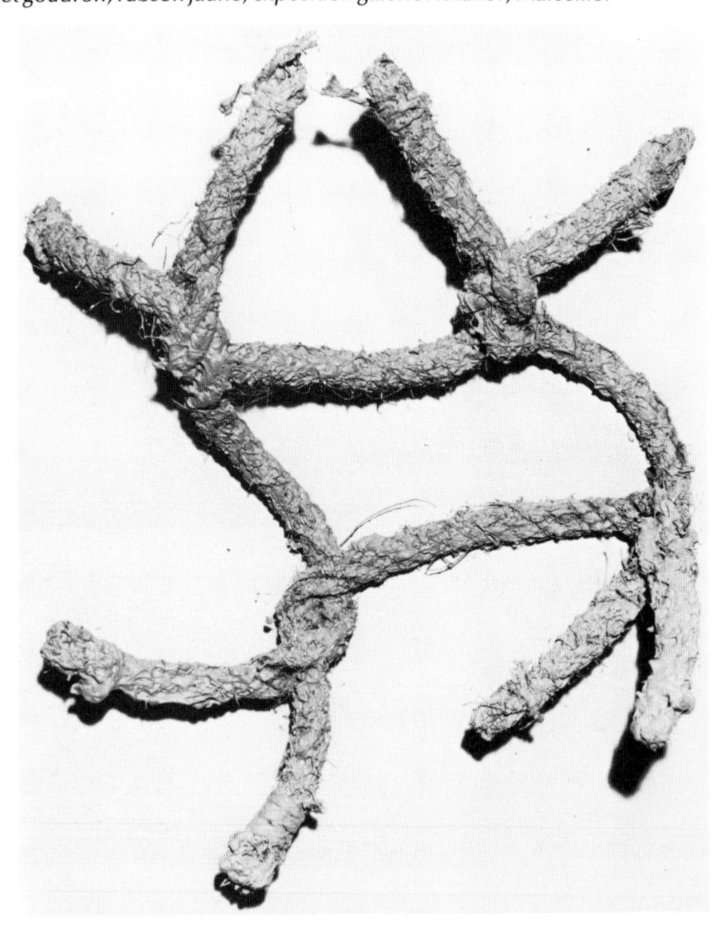

1974, Maille de corde trempée dans le rubson jaune.

1978, Bois flotté, corde manille, pierre ponce, «le piège».

1975, Vue de l'exposition, galerie Jean Fournier, Paris (trempages).

Certaines couleurs réagissent à la lumière, perdent de leur intensité et fanent. Les pigments se décolorant progressivement jusqu'à ne plus avoir d'action visible. Utiliser ces couleurs impose d'accepter le temporaire, c'est-à-dire la notion de temps (durée) dans le travail, et de considérer comme productif le fait même de la modification.

Si la peinture est l'image du geste qui la traduit (geste = travail → image de ce travail) le véhicule marquant le geste du travail a une importance secondaire, différenciation du marquage, et devient équivalent. Et si le marquant change la perception des choses, il n'en change pas la signification profonde, image du travail. La modification de la couleur devient alors un aléa normal et accepté. Toutefois la modification de la couleur produit un sens en soi, sens temporaire de la modification. Au premier travail produisant la peinture s'ajoute le second travail produisant sa modification, travail de la matière dans le temps. De là la nécessité de connaître les phénomènes de vieillissement de la couleur et du matériau support (détérioration parallèle du matériau support) et de les penser dans leur productivité.

Ces phénomènes posent une ambiguïté supplémentaire dans l'exposition des objets produits. Une toile «fragile» ne pourra pas être exposée trop longtemps si elle veut être conservée telle, ou bien devra s'accepter dans sa mutation.

Dans toute l'Histoire de l'Art, cette notion de modification par le temps a une importance considérable. Les peintures que nous recevons n'ont pas leur apparence originale, les couleurs ont été brunies par les vernis, les blancs ont jauni par la remontée de l'huile, certaines couleurs se sont totalement modifiées par le fait du vieillissement. On sait que les statues grecques étaient violemment polychromées et de nombreuses œuvres s'acceptent fragmentaires, mais dans un laps de temps très court, la modification de la couleur peut se recevoir comme une falsification ou un manque de qualité alors que, délibérée, elle devient un terrain d'investigation productif.

La qualité fragile et éphémère des œuvres prend une signification considérable, riche de conséquences.

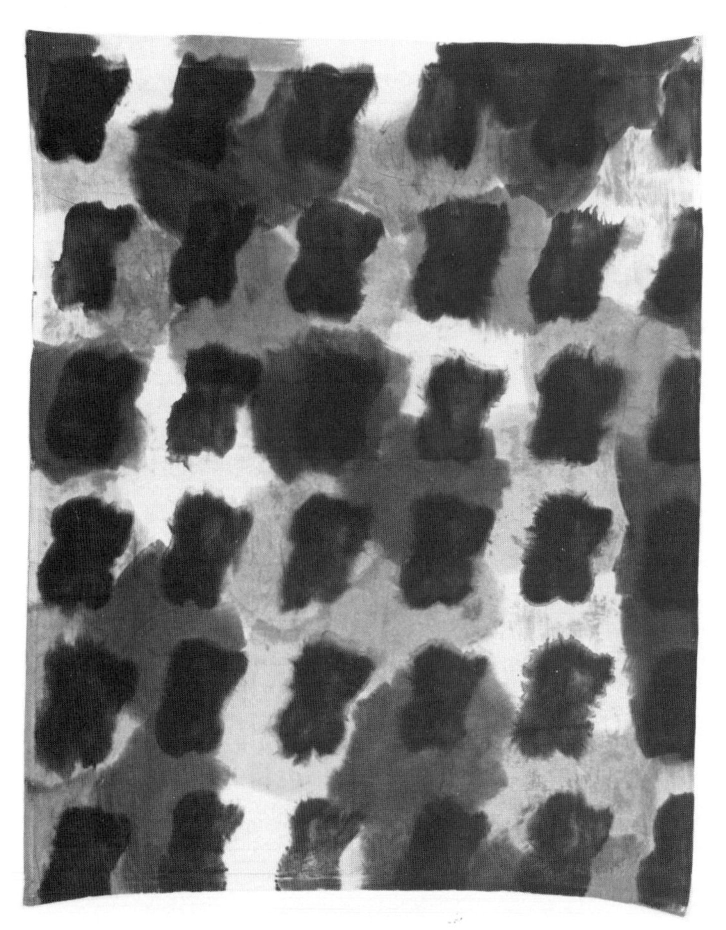

1975, Drap, diffusion polychrome, colorants mordants.

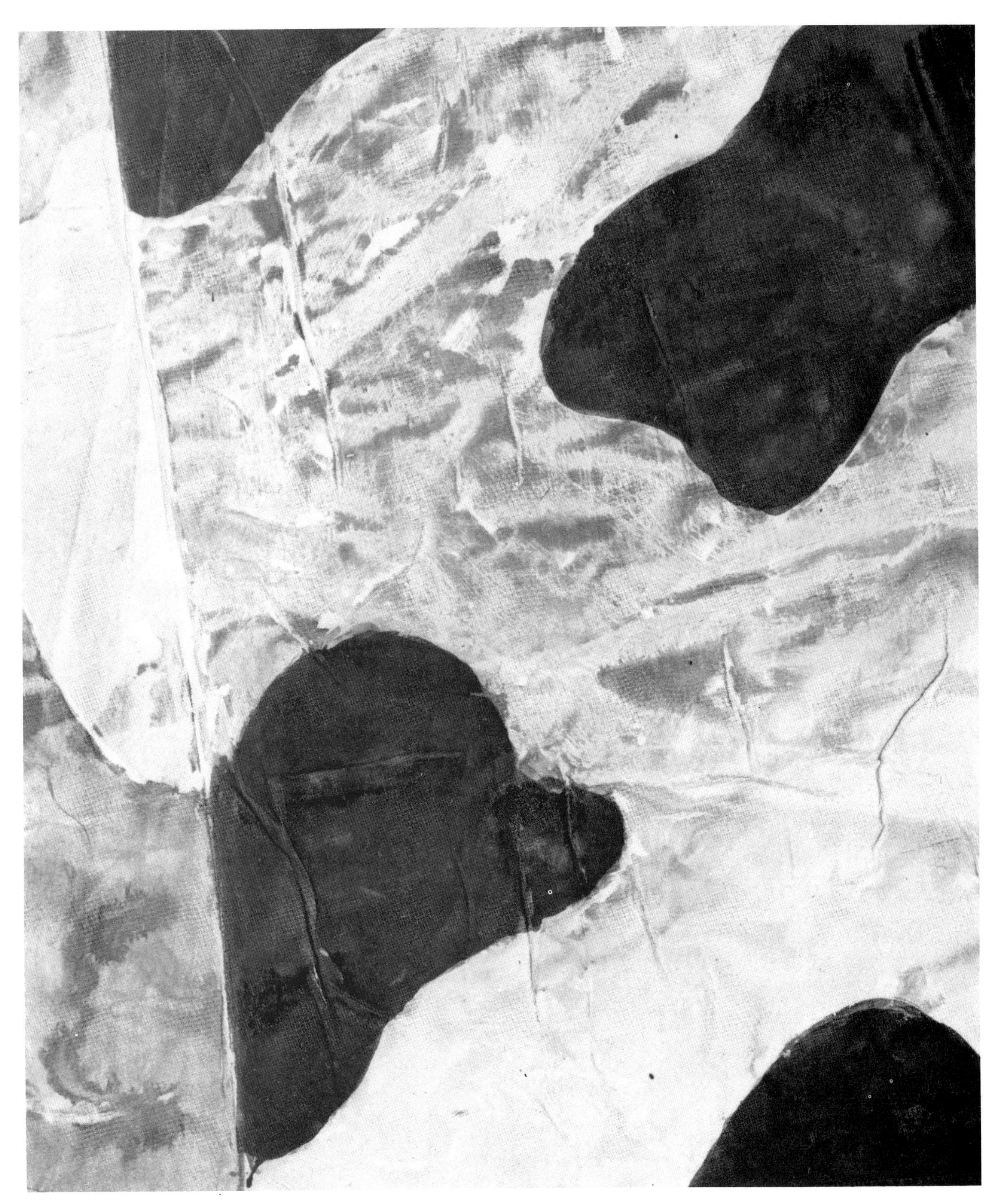

1977, «Peille» (détail).

Juin 1977, Exposition à la galerie Jean Fournier, Paris : les «peilles».

Dans un premier temps il était important de se situer en tant que peintre *dans une histoire politique et dans une pratique signifiante appelée socialement* peinture, *ouvrant son propre champ dans le champ général des connaissances.*

Cette peinture *du fait de son historicité récente (peinture européenne et américaine) avait été décentrée sur l'analyse des espaces (espace spirituel, formel, matériel et coloré, espace contenu à l'intérieur de la peinture ou espace la contenant et de leur mise en scène).*

Il convenait donc d'analyser très précisément cette scène et ses composants, de manière à établir le lieu de la mise en scène avec les conséquences qui découlaient de cette analyse.

Dans le cas de notre historicité (peinture occidentale) il s'agissait surtout de l'analyse du tableau, *support matériel de la* peinture *et de tous les éléments qu'il avait historiquement impliqués.*

Cette scène mise à nu, il était nécessaire de la déconstruire, d'en relire les éléments séparés ou couplés, de les «mettre en question» hors de tout mysticisme, illusionnisme, idéalisme, et de laisser ouvertes toutes possibilités de lecture quel que soit le code utilisé.

A priori le travail se présentant «en soi» de manière à ne privilégier aucun sens particulier (image du travail et effets de la matière).

De fait les objets produits, supports de connaissances dans le champ de la peinture, *ne sont que repères d'un moment et objets de relecture dans l'ensemble de la démarche.*

De là s'établit l'évidence que le travail produit ne fait plus appel à la seule historicité de la peinture occidentale, mais à l'histoire de la peinture occidentale dans l'historicité de l'Art, elle-même dans l'Histoire des connaissances.

Travail sur les limites sociales, sur les limites socialement établies et les clivages qui en résultent, qui de l'intérieur d'une historicité précise et imitée font appel à une historicité autre, plus globale.

Le travail théorique ne peut que tenir compte de ces données, articulant le questionnement du travail avec la mémoire, le savoir, les implications physiques et mentales qu'il a déterminés ou imposés, pour celui qui le produit et pour le spectateur qui le reçoit, mais il devra éviter toute lecture réductrice ou tronquée pour laisser ouvertes les marges, les différences et les intervalles que le texte contient et que la peinture propose en tant que langage autonome irréductible au seul discours écrit.

L'histoire des civilisations a utilisé les découvertes les plus élémentaires suivant un certain nombre de possibles, en occultant de nombreuses possibilités, peut-être en réinterrogeant celles-ci arriverons-nous à les découvrir et à les utiliser autrement.

Au début était l'Homme et sa locomotion, sa main préhensile, sa bouche nourricière, grognante puis parlante.

Le pied, la main étaient trace de passage, marquage de poids, de force, de cassure.

Puis la trace est devenue image, reconnaissance d'elle-même, marquante, marquée, du lieu de son marquage, et tout le phénomène du matériau, de l'outil-main, pied ou corps, de l'outil-outil en a découlé ainsi que toute l'utilisation des matières au fur et à mesure de leur reconnaissance-connaissance, la différenciation de ces matières, outils, gestes, par les onomatopées d'abord puis par la parole, les mots, les codes qui les chargeaient de sens.

Nous nous retrouvons aujourd'hui en quête de nos balbutiements, de nos origines. Déconstruisant nos langages, nos techniques, nous les mettons en doute. Le monde se réapprend alors qu'il est appris, se réinterroge, se désinvente par retour sur lui-même.

Le travail est aussi dans tous les gestes premiers à donner son image, mais où est sa première image ?

1978, Toile de tente avec rhodoïd et fermeture éclair, acrylique.

1978, Fil à plomb, bois flotté et bois brûlé.

1978, Parade de bateau, bois flotté, trempé dans le rubson jaune, contrepoids.

1978, Toile circulaire, acrylique.

1972, Dessin.

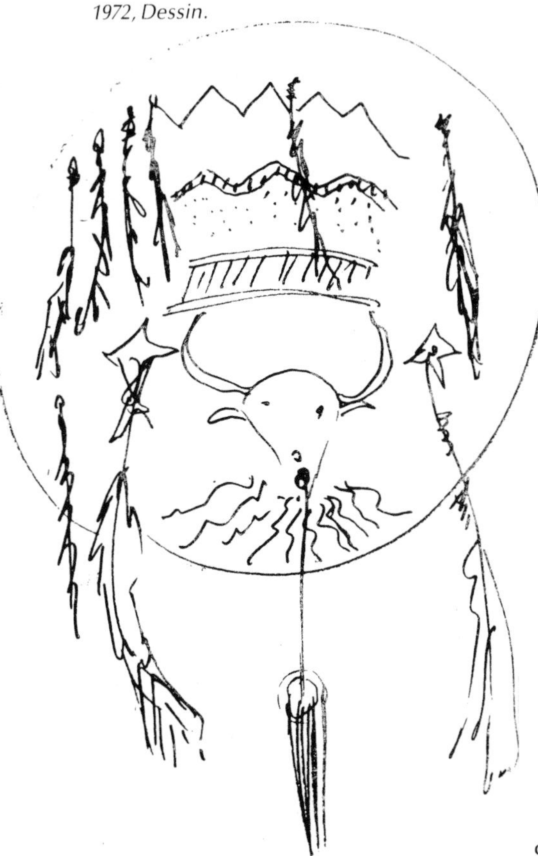

Le bouclier indien est constitué par une peau souple tendue sur une baguette de bois, courbée sur elle-même et ligaturée par épissure ou sur une plaque de cuir dure et ronde.

Support de peinture, de culture et d'histoire.

Il est l'objet de paraître et de protection, de domination et de représentation, image magique de l'homme qui le porte pour la parade et pour la guerre. Peinture nomade, qui s'accroche et se suspend à l'extérieur ou à l'intérieur de l'habitat, suivant l'usage, ou se porte avec soi comme pièce de vêtement, il est l'image interférente entre le guerrier et l'autre, mise en écran du double protecteur effrayant par la valeur symbolique qui le charge. Les éléments peints ou rajoutés, représentations animales ou signes colorés, perles, grelots, lanières, plumes, griffes d'animaux ou scalps contribuent à donner toutes les dimensions au portrait du guerrier en une représentation sociale forte des hauts faits, vertus magiques, et puissances protectrices rassemblées.

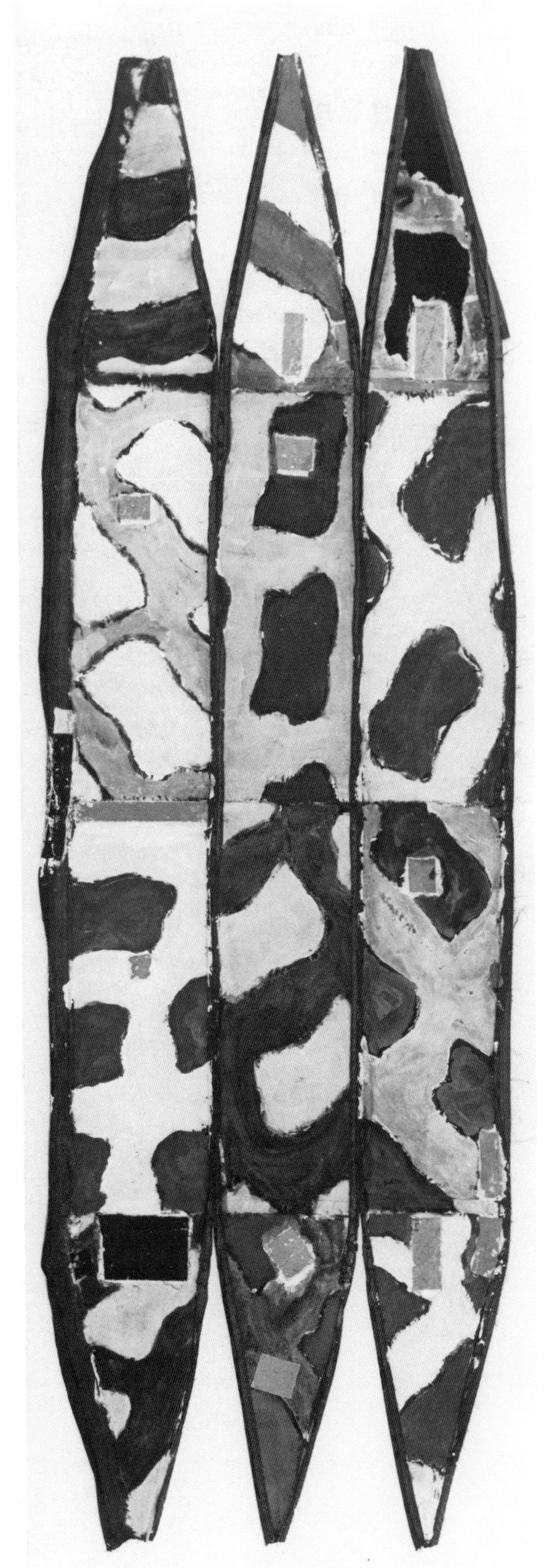

1979, Bâche de bateau, acrylique, Musée Cantini, Marseille.

1979, Bâche en corbeille, acrylique.

L'analyse des supports traditionnels de la peinture (tables, planches, voliges, liteaux) bois et toiles (tissus, canevas) doit se faire séparément et proposer en soi de multiples champs de réflexion et de questionnement.

Le terme «bois» recouvre aussi bien le matériau brut et vivant que celui ouvré ou polissé qu'il devient, mais on ne peut envisager de la même manière l'un et l'autre comme on ne peut les séparer artificiellement l'un de l'autre, chacun se restituant dans son essence et dans sa substance.

Le «bois» c'est d'abord l'arbre avec les branches, les feuilles et l'écorce, les points d'intersection des branches et des racines qui se prolongent en nœuds dans l'aubier, c'est aussi un ensemble de fibres, agglomérées en texture, qui prennent par celà consistance, souplesse et dureté. Le bois œuvré, le bois vivant — le liteau, le tronc et la branche.

Ce bois est amené par une série de traitements à devenir support de communication, par sa mise en évidence, par sa mise en réflexion, par la mise en évidence et en question du travail qu'il a subi, par les circonstances et les raisons motivant ce travail, et l'historicité dont ce travail le charge.

Il est lié par tenons et mortaises, par ligatures artificielles (sangles, cordes, fil de fer ou clous) ou naturelles (greffes) et chaque ligature, chaque entaille, chaque traitement est en soi une somme de sens profonds, de possibilités d'actes, lourds de conséquences.

Envisager le bois ouvré et le bois vivant, c'est les analyser chacun dans les conditions propres à sa matérialité, dans les espaces que la mise en travail en tant que matériau de connaissance nous propose.

Analyser le bois, c'est aussi interroger sa texture interne et externe, faisceau de fibres qui peut être dissocié, travail sur les fibres du bois (pâte à papier ou tapas, écrasement étalement des fibres, etc.), c'est aussi envisager l'écorçage ou l'écorce séparément, et les nœuds, les racines, lianes, etc.

Si le bois est un élément naturel, la toile (tissus, cordes, etc.) est un matériau composé industriellement, à partir de fibres soit naturelles transformées, soit industrielles. Le bois s'œuvre dans sa masse, dans sa texture, la toile, elle, se tisse ou se tresse et sa texture en résulte.

Dans le tissage fils de chaîne et fils de trame s'entrecroisent, s'écrivent avec les vides plus ou moins importants que la maille sous-tend.

Dans le tressage, la texture s'écrit par torsions mettant en jeu l'espace des mailles.

L'élément premier étant le nœud, nœud du fil sur lui-même ou nœud de ligature et de faisceau.

Le filet est schématiquement l'hypertrophie du tissage, cordes, cordelettes ou passepoils se substituant au fil.

Chaque élément a sa dépendance et son indépendance dans le système que le travail fait naître, il est élément et système complexe en soi et permet de développer une somme d'analyses, de raisonnements et de possibilités de travail autre.

1980, Bâche kaki, acrylique, 610 × 540 cm. CAPC, Bordeaux

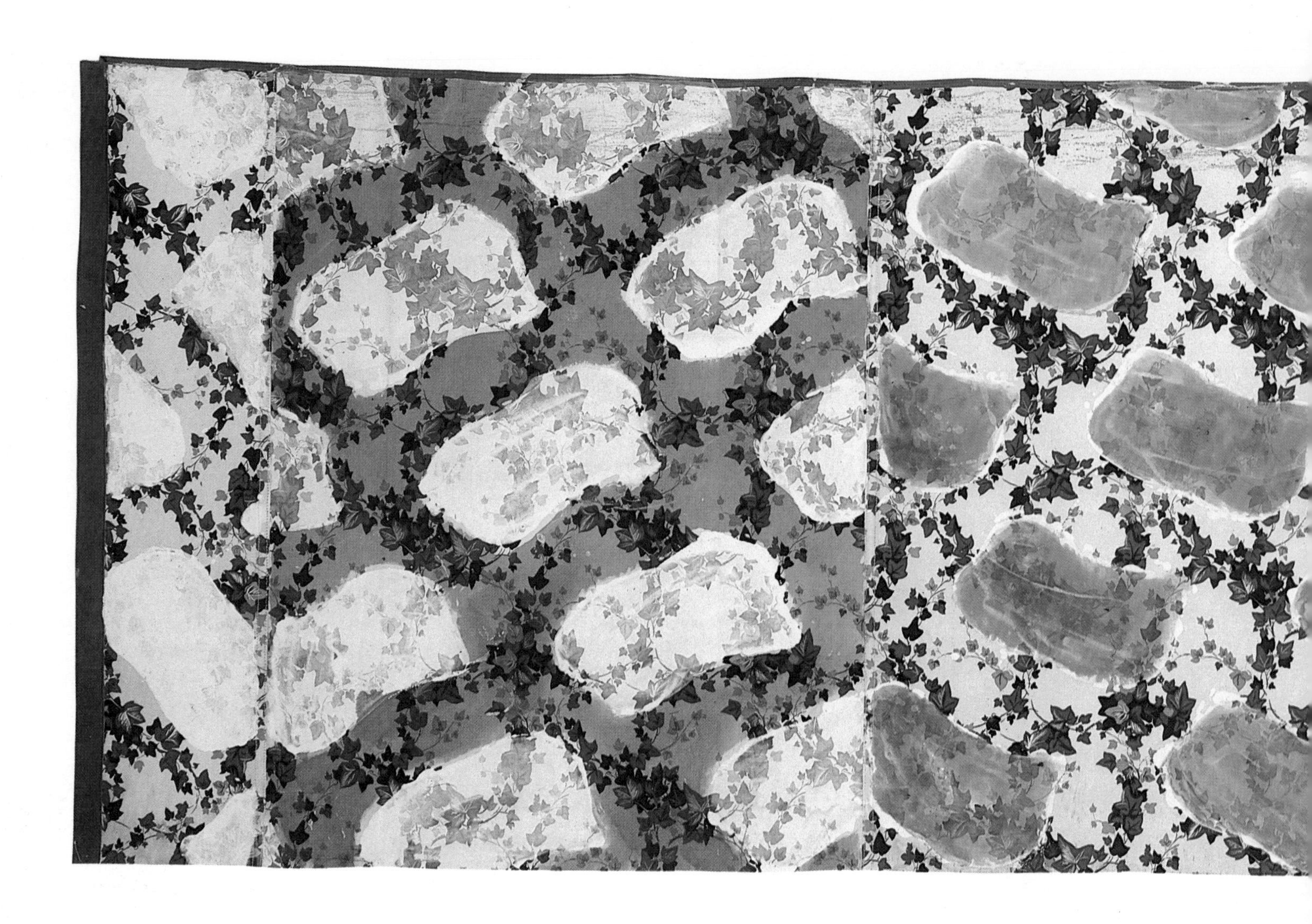

Ecrire les détours de la peinture, l'épaisseur du corps pictural et l'activité qui le constitue est faire un dérapage contrôlé d'une glissade inconsidérée.

L'équivalence est écart, et l'œil qui relie les signes ne peut en dégager une suffisante terminologie, sinon dans une apparente et désinvolte ressource.

Dire ces détours et cette activité ne peut que dérouler un approximatif et aléatoire écheveau, ne prenant surtout pas en compte la chose elle-même, mais tout ce qui l'entoure et la décentre, les phénomènes adjacents et la course désordonnée des modifications qui s'interfèrent pour impulser quelque part cette énergie qui se constitue.

Mais c'est dans cette stratigraphie d'approches accumulées que les mots peuvent petit à petit cerner au plus près ce que la peinture, d'elle-même essaie de raconter sans détours.

Morcellement et fragmentation, ici tout se relie et se superpose.

Quelque part peut-être se constitue...
les fragments d'un parcours.

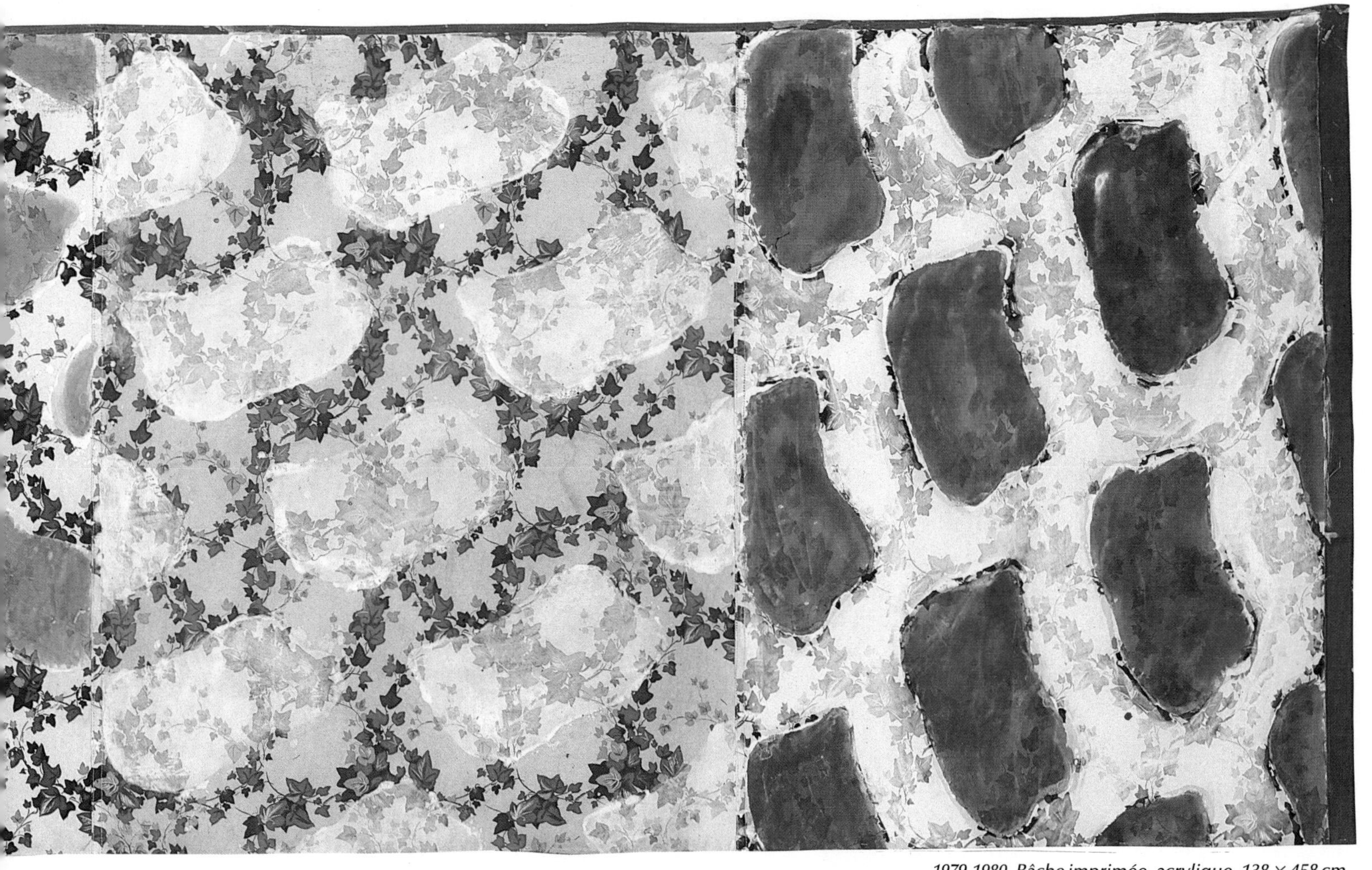

1979-1980, Bâche imprimée, acrylique, 138 × 458 cm.

1979-1980, Bâche imprimée, acrylique, 196 × 300 cm.

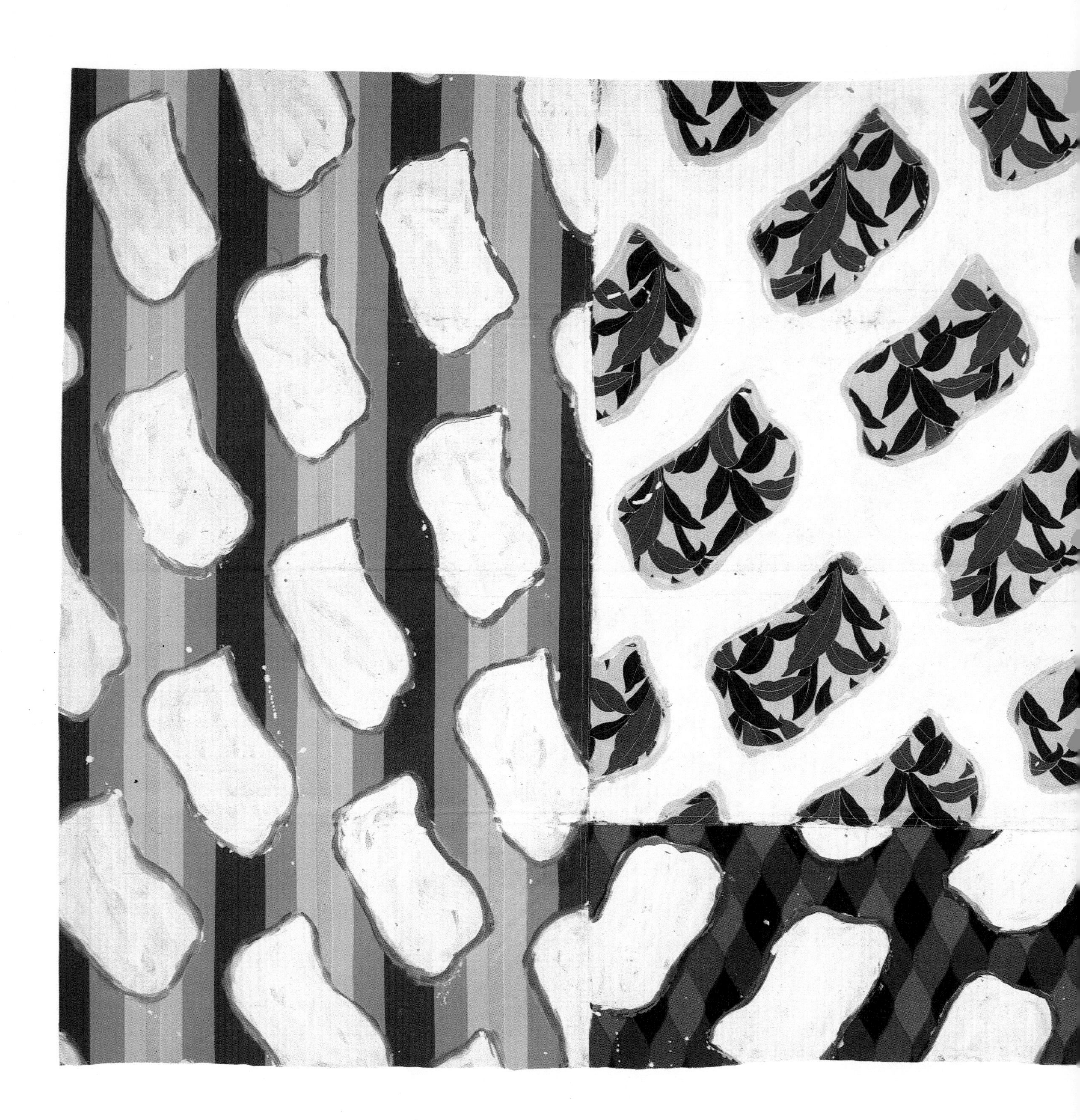

1980, Montage de bâches imprimées, acrylique, 198 × 327 cm. «Hommage à Picasso».

Pablo Picasso
Femmes à leur toilette, *1938*
papiers peints collés et huile sur toile,
299 × 448 cm,
Musée Picasso, Paris.

Le fait d'acheter au marché aux puces de Nîmes un petit carton peint, non signé mais daté, représentant une possible peinture de la série des Plages de Dinard *de 1928 (*Cabine de bain à la clef *de Picasso) m'a amené à regarder à nouveau la peinture de ce peintre qui avait si violemment impressionné ma jeunesse.*

Ayant à peindre une série de bâches imprimées de motifs soit floraux, soit agressivement décoratifs, le retour sur le carton de tapisserie Femmes à leur toilette *de 1938 avec son architecture verticale horizontale, son surcroît de papiers peints collés, a imposé une rencontre que je n'ai pu que constater.*

D'autres relations se sont établies avec la peinture et les différents aspects de l'œuvre de Picasso, moins immédiatement perceptibles et beaucoup plus souterrains, et leur surgissement est toujours consciemment reconnu et accepté, affaire de connivence, de mémoire, de regards.

Nîmes, le 4 mai 1982

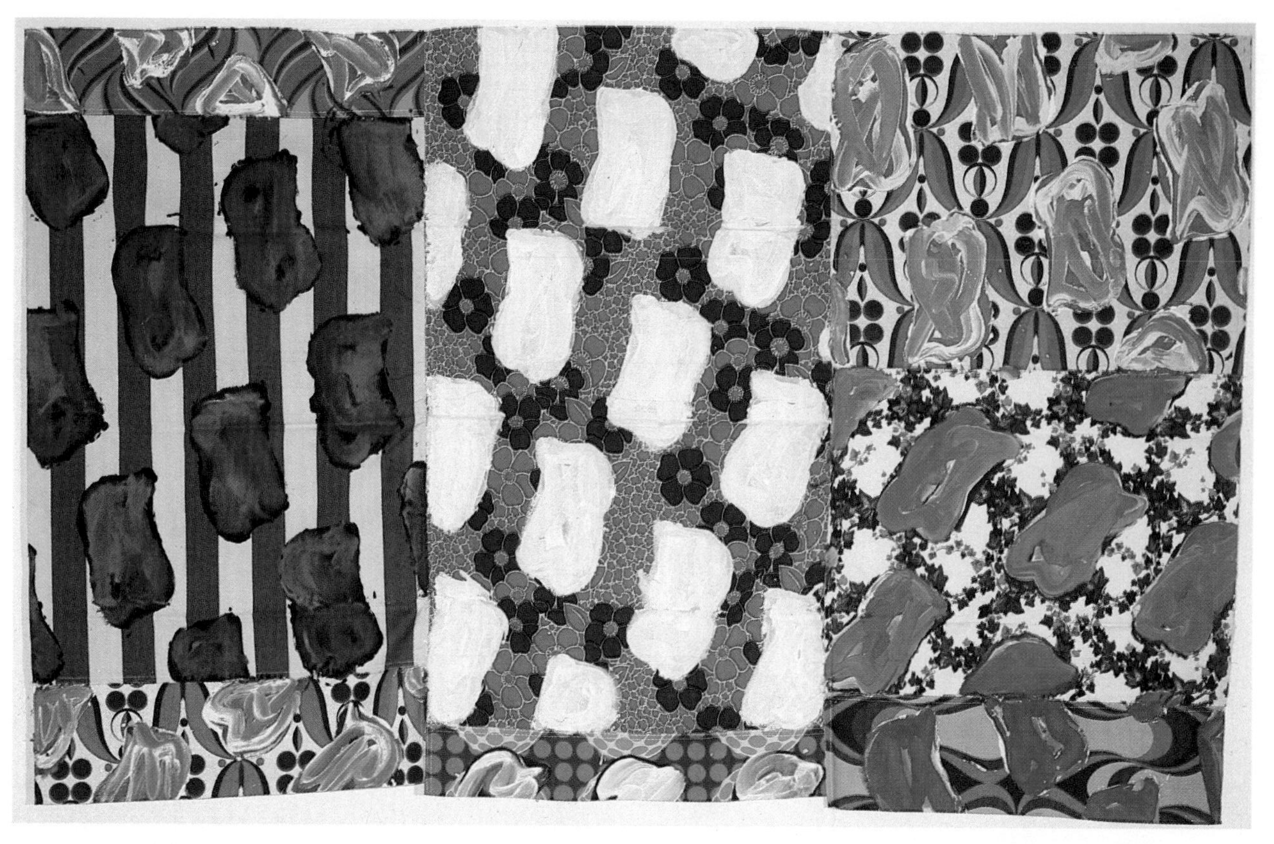

1980, Montage de bâches imprimées, acrylique, 205 × 325 cm.

1980, Montage de bâches imprimées, acrylique, 203 × 328 cm.

1980, Montage de bâches imprimées, acrylique, 204 × 324 cm.

1980, Montage de bâches imprimées, acrylique, 196 × 319 cm.

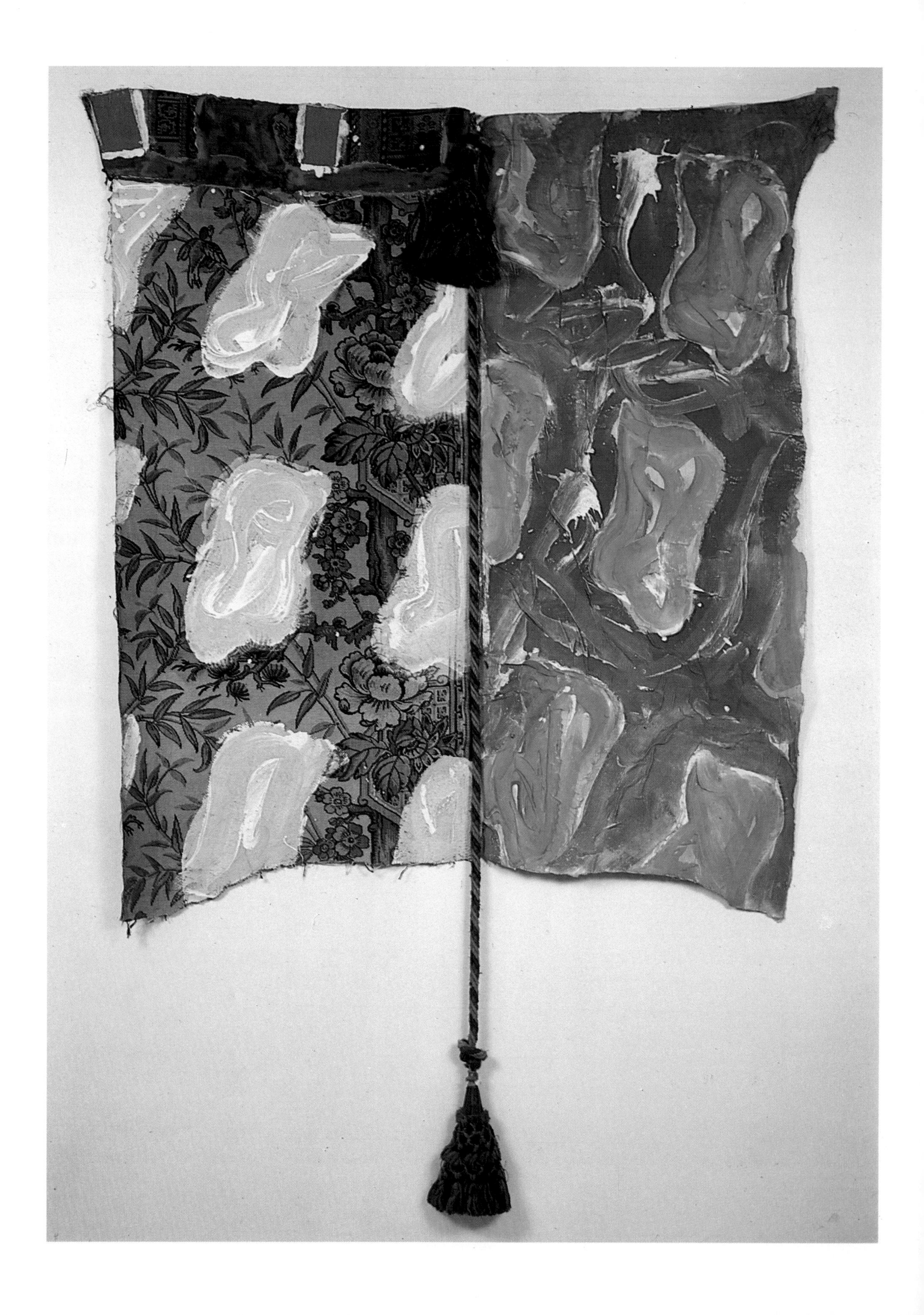

L'espace matériel de la toile (tissu) porteur de couleurs ou de maculatures en imprégnation imposait au spectateur soit la lecture de la toile elle-même, inscription plastique d'un espace mental, soit l'inscription matérielle de la toile dans l'espace porteur.

Marquer la toile à distances égales de formes similaires donnait à chaque fragment une importance égale, mettant en évidence ses limites, impliquant l'ensemble dans un système de répétition dans la toile, affirmation constante et banalisation du schéma formel constitutif et créant un autre schéma quantitativement répété de toile en toile.

Le jeu formes, contre-formes devenait aussi grille vides-formes et rejetait de l'effet principal, couleur matière, l'intérêt sur la périphérie des effets secondaires, mettant en évidence un certain nombre de refoulés traditionnels qui devenaient alors prétexte même de travail. L'analyse et la prise en compte des refoulés picturaux (maladresses techniques, défauts de métier, effets matériels de vieillissement ou de dégorgement des couleurs, instabilité des matériaux, etc.) se proposait au questionnement.

Parallèlement, le travail sur les différents supports devenait indispensable du fait de l'importance du support (qualité de la toile), de la nécessité de ne pas privilégier le seul support toile, et de mettre en évidence que le même système pouvait s'élargir à d'autres schémas de l'histoire des connaissances.

Les résultats plastiques étant acceptés comme effets de production et les aléas que les conditions de production imposaient étant inclus d'avance comme modification de nature ou de vie.

La peinture, comme la parole ou l'écriture, se dit dans ses détours, elle marque ses vides et les remplit de la condition même de son existence et ce sont eux qui la constituent en tant que renouvellement vital ; si l'on admet que rien de ce qui nous touche n'est innocent, que tout est source de sens et porteur de langages, il est indispensable d'interroger et de remettre en travail ce que les civilisations ont enseveli.

Il est important à propos d'espace dans la peinture de prendre en compte l'espace dans lequel elle se peint. La mise en situation et le positionnement de la toile ou objet au moment du travail, son format, vont déterminer tous les gestes de la fabrication, conditionner la couleur dans sa densité (fluide ou épaisse) et dans les effets secondaires qui en découlent (auréoles, capilarisation, coulures, etc.), les refus ou acceptations, autant de marques qui s'inscrivent dans la chair de la toile en appréhension corporelle, gesticulation et sens.

1980, Rideau ancien et doublure, acrylique, 150 × 130 cm. «L'oiseau»

ENTRETIEN AVEC CLAUDE VIALLAT

Xavier Girard

Xavier Girard. — Au moment où le Musée national d'art moderne vous consacre une rétrospective, je souhaiterais vous interroger sur les modalités mêmes de votre «travail». Vous dites de lui qu'il est à la fois «nombreux et spiralé». A l'instar de Picasso, peindre est pour vous synonyme d'abondance, mais aussi d'une singulière suite dans les idées. Par quoi cela commence-t-il, ou recommence-t-il toujours ?

Claude Viallat. — Mon travail commence dans un atelier qui est vide, avec un paquet de toiles. Tout le problème va être de remplir, d'accumuler, jusqu'à ce que la quantité de travail amassée m'inquiète, m'angoisse et que je vide mon atelier pour pouvoir recommencer à travailler. En même temps, c'est toujours la crainte d'avoir très peu à montrer. J'ai besoin d'être entouré de beaucoup de choses. Je travaille souvent plusieurs toiles à la fois dans une même journée, sans trop réfléchir à la relation qui s'établit de l'une à l'autre, mais simplement en essayant de les réaliser de manière à ce qu'elles fassent quantité. Chaque toile s'ajoute et met en cause le travail antérieur. Chaque toile qui vient en convoque d'autres que j'ai en mémoire.

X.G. — La maîtrise du système répétitif de vos toiles laisse voir indissolublement le caractère imprévisible des événements qui les travaillent. Quel est le temps de votre peinture ?

C.V. — Quand on est sur une peinture, c'est le travail lui-même qui produit sa propre fermentation. La manière dont la couleur se déplace, dont les tons se placent les uns par rapport aux autres, dont la couleur coule dans la couleur, les effets qu'elle fait, tout cela se fait très vite, dans l'oubli de tout savoir, dans le moment qui la fait. Ce moment est à la fois celui de l'euphorie et de la noyade, celui où l'on s'ensevelit dans la peinture et où la peinture est là. Elle coule, elle est fluide, les choses se font, ça se fait, tout une espèce de mécanisme se met en jeu. Il me semble que l'intention de la peinture ne vient qu'après. Il y a ce qui arrive et ce qu'on sait. Il y a tout ce que dans le moment on ne voit pas et que par la suite on perçoit. Chaque toile revue m'apprend sur elle-même et sur le travail que je fais actuellement. Ce qui importe, c'est d'être dans l'ignorance de ce qu'on va faire et de ce qu'on fait. Au moment où je travaille, aucune des solutions envisagées avant n'est là. Celle qu'on ne connaissait pas, c'est celle-là qui arrive. Entre les deux, peut-être j'ai su quelque chose. Mais ce quelque chose est encore caché, encore oblitéré, bien que sûrement il a été là.

X.G. — La peinture n'est donc rien d'autre que l'«image du travail» ?

C.V. — C'est le résumé de l'espace qui la porte et des gestes qu'elle a nécessités, de la gesticulation, de l'espace qui l'entoure, des toiles qui sont accrochées au mur, de la situation physique dans laquelle on se trouve. Tout ça, ce sont des choses qui sont très fortement brassées dans un moment qui, en fait, est très court et qui arrive à faire en sorte que le tableau existe. Toutes ces choses-là y sont le temps d'un regard, d'une réminiscence, le temps presque d'une réflexion, mais à peine. Et puis ça passe dans la peinture. La peinture les enveloppe, les empâte et elles se figent là. Mais comment après coup aller les discerner ? Effectivement elles sont là et elles sont là de toutes les manières. Une infinité de regards les produit dans le moment où elles se font.

X.G. — Ce que vous nommez «travail», et que Paul Klee appelait «genèse», peut-il être comparé à l'activité élaboratrice de l'inconscient ?

C.V. — Le travail est tout ce qui fabrique. C'est aussi bien l'espace dans lequel il se fait que les gestes inconscients qu'il convoque ; que les déplacements, les changements d'outil, les déplacements de la couleur au pot. C'est une infinité de petits moments, de petits regards, de petits gestes. Tout ça s'inscrit et c'est une chose énorme.

X.G. — Abandonnée à sa nécessité propre, votre peinture est-elle livrée au hasard ?

C.V. — C'est difficile de dire s'il y a hasard ou conséquence des gestes, conséquence des événements. Je crois qu'à partir du moment où on se met à peindre, on déclenche un processus où tout est conséquent. Le hasard en fait partie. Le hasard serait plutôt le matériau qui m'est donné. C'est cette rencontre avec un support et les trouvailles que ça provoque.

X.G. — L'hétérogénéité des supports est l'une des caractéristiques de plus en plus éclatante de votre peinture, elle va de pair avec la diversité des formats que vous employez. Quelles sont ses conséquences sur votre travail ?

C.V. — J'ai utilisé pendant longtemps des coupons et des draps, sauf en 1966 où j'ai travaillé sur des matériaux très différents, aussi bien des tissus imprimés que des fragments de bâche, des tissus de coton ou de lin. Les coupons pouvaient mesurer 15 mètres ou plus, les couper à 2 mètres plutôt qu'à 4 mètres m'a toujours paru très aléatoire et en même temps très vain. Etant donné que mon travail est essentiellement répétitif, essentiellement de couverture, de couvrement — le couvrement faisant disparaître l'arbitraire de la dimension — je ne calcule jamais le schéma en fonction de la superficie. Quand Marcelin Pleynet avait dit qu'il y avait inadéquation entre la forme et le format, je l'avais rencontré pour lui dire qu'il se trompait, car s'il y avait adéquation, il me faudrait chaque fois composer. Or, s'il y a une composition, elle n'est jamais préexistante au travail lui-même, elle se déduit simplement par le fait que je rapporte systématiquement mon pochoir in extenso.

Nîmes, le 3 mars 1982

X.G. — Quelles sont les règles générales qui veillent à l'écriture de la forme ?

C.V. — En général, je pars du coin gauche en haut et je travaille en fonction de ce coin, même quand une toile est morcelée. Actuellement, la forme est inclinée en diagonale par rapport à ce point de départ. A d'autres moments, sa situation était verticale. C'est une habitude d'écriture, une manière de remplir systématiquement la feuille.

X.G. — Vous arrive-t-il de changer complètement ces règles ?

C.V. — Je peux commencer par la droite. Il m'arrive aussi de jeter le pochoir et de commencer à travailler à partir de là. Cela m'est arrivé très souvent dans les toiles fragmentées qui sont des sortes de patchwork, des aboutages de toiles. Le sens dans lequel le pochoir était tombé me donnait la direction. C'était un peu une forme de hasard là aussi, bien que mon geste l'ait contrôlé.

X.G. — On identifie souvent votre travail à la forme que vous répétez, vous vous gardez cependant d'en faire un problème de forme. Comment l'envisagez-vous aujourd'hui ?

C.V. — Au départ il s'agissait en fait d'un problème de forme. Les premières toiles étaient des compositions avec des formes alignées dans un sens et dans l'autre. Puis il y a eu des toiles pliées avec des formes alignées et la déperdition de la peinture par le dépliement de la toile. Petit à petit, j'en suis arrivé à un alignement systématique qui me paraissait être la manière la plus neutre de travailler avec la même forme. Pendant longtemps, j'ai essayé de la faire se perdre, de la détruire. Entre 1973 et 1976, elle m'encombre beaucoup. Tout un travail d'empreinte, de feu, de solarisation, de détérioration, vise à m'en débarrasser. Pour sortir de cette image de marque qui m'est de plus en plus assimilée, je cherche à faire que la forme et le système se «pourrissent» d'eux-mêmes. C'est cette période que Bernard Ceysson nomme la «période pourrie». J'exploitais de façon un peu abusive les imprégnations, les superpositions, les diffusions de la couleur. J'utilisais des draps qui avaient des qualités de capillarisation très grandes. La couleur filait dans la trame et s'éparpillait très loin. Je peignais des toiles recto-verso et je les superposais mouillées.

Aujourd'hui, la multiplicité des formes me concerne beaucoup plus, c'est-à-dire à la fois la forme, l'interforme et les formes environnantes. La question de ce que je vais faire avec cette image portée sur la toile ne se pose plus. L'image n'est plus la forme mais cette espèce de grille qui en résulte. Ce sont les problèmes constitutifs de cette grille qui sont en cause.

X.G. — «Une forme qui ne serait ni géométrique ni organique serait une très grande découverte», dit Donald Judd. N'est-ce pas à cause de cette qualité proprement indéfinissable, ou «anti-form», que vous avez pu en faire la trame de toute votre œuvre ?

C.V. — Je crois que le fait que cette forme ait eu cette qualité là m'a permis de développer mon travail comme je l'ai fait. Pendant un certain temps, j'ai envisagé de travailler avec l'empreinte de la main, mais les empreintes de main me paraissaient trop relever de la «prise en main», de la mainmise. Ça me paraissait trop lié à l'artiste qui produit. J'ai effectivement travaillé avec des empreintes de main, mais toujours de la manière la plus simple et la plus neutre. La forme que j'utilise permet au contraire une espèce de distance par rapport au schéma à travailler. J'ai donc préféré considérer la main dans son activité en tant que prise, tenue, jeu de main et de son inversion, de son renversement ; mais aussi dans son histoire en tant que prémice de l'histoire de l'art et son résumé fabuleux. Tous les problèmes qui nous questionnent et que nous échantillonnons sont contenus dans la main préhistorique.

X.G. — Vous réalisez en 1968 une corde à nœuds en relation précise avec une toile. Celle-ci sera à l'origine d'une activité d'objets, partie intégrante de la «temporalité didactique» dont parle Marcelin Pleynet à propos de votre peinture. De ces objets vous dites vous-même qu'ils sont des «éprouvettes qui conditionnent et concrétisent (votre) raisonnement».

C.V. — Ces objets sont des constats, des passages obligés. Ils signifient que par là quelque chose s'est constitué, moins dans l'objet lui-même que dans son rapport à l'histoire qu'il représente et qui aujourd'hui encore est en question. Que ce soit le problème du fil à plomb, de la balance, du piège, du bouclier, des nœuds, des cordes à nœuds, ce sont des noyaux de situation.
La corde à nœuds est un exemple accidentel. Je me trouvais seul à Limoges. Je disposais d'une toile de 30 mètres sur 4. Mon atelier ne mesurant que 4 mètres sur 4, j'étais obligé pour peindre d'en dérouler une partie, d'attendre que ça sèche, de l'enrouler, de la dérouler encore et ainsi de suite. Pendant deux jours ma vie a été complètement assujettie à ce travail. La nuit était partagée en temps de travail et en temps de séchage. Je m'étais enfermé dans la maison, les volets clos. Je travaillais dans l'obscurité. J'ai vécu un fragment d'existence pendant ces deux jours tout à fait à part. Quand j'ai eu fini cette toile (que je n'ai jamais vu intégralement, puisqu'elle n'a été exposée qu'une fois à la Biennale de Paris, mais froncée sur un câble) j'ai eu l'impression d'avoir réalisé un grand œuvre, dans le sens où les Compagnons l'entendent. En réaction contre ce «chef-d'œuvre», j'ai voulu prendre le parti inverse. Puisqu'il y avait une superficie très grande, ce devait être quelque chose de dérisoire, tout en étant aussi répétitif et systématique. Je suis allé chez un marchand de cordes où j'ai trouvé du passepoil, qui est une corde tissée à l'imitation de la toile. J'en ai acheté une quarantaine de mètres que j'ai noué à intervalles réguliers en trempant chaque nœud dans de la couleur bleue. La toile et la corde devaient être exposées ensembles, la corde à nœuds alignée sous la toile.
Après cette corde à nœuds, il y a eu les fils noués. Je partais du principe que tous les éléments de la toile étaient de la peinture : fils, nœuds, fragment de toile, etc. Un jour Cézanne, en échange d'un certain prix que lui proposait un collectionneur, avait découpé

deux pommes de son tableau et les lui avait offert avec ces mots : «Ce ne sont pas des pommes que je vous vends, c'est de la peinture.»

X.G. — Poursuivant, avec les peintres de Supports/Surfaces, cette tâche de déconstruction, vous réalisez alors des filets.

C.V. — Les filets sont venus d'ailleurs. A l'exposition de Coaraze en 1969, j'avais exposé une succession de toiles dans une rue à intervalles réguliers. Une photographie prise d'en bas montrait la succession des toiles abolissant complètement le ciel. La peinture avait annexé le vide. Pour le faire intervenir dans la toile, il y avait effectivement la solution de découper la forme, mais ce n'était pas satisfaisant. Comme je venais de réaliser une série de cordes à nœuds et qu'il y avait d'une part les nœuds et d'autre part la toile, la relation entre les filets, la toile et le tissage de la toile s'est faite immédiatement.

X.G. — Dans la série de travaux que vous présentez en 1976, vous vous intéressez particulièrement aux nœuds. Au-delà des considérations de structure, vous leur prêtez, semble-t-il, une signification symbolique. Ne sont-ils pas des figures du vide ?

C.V. — Le fait est que les formes que j'emploie sont très proches d'une forme vide, comme celle du filet et en même temps, elles sont très proches de la forme du nœud. Suivant la manière dont vous projetez l'ombre portée d'un nœud, c'est tout à fait l'image de la forme.

Dans le même temps, le nœud, c'est ce qu'on fait de manière machinale et qu'on n'interroge plus. Or c'est une chose qui est éminemment complexe. Je ne parlerai pas de la complexité du nombre de nœuds et des différentes possibilités de ligature. Mais que ce soit le nœud de retour sur soi, le nœud de liaison, c'est toujours quelque chose qui assure, qui tient et qui fait d'un élément souple un élément dur. Symboliquement, on le retrouve dans toutes les civilisations, avec une somme de significations différentes mais résumées par le simple geste qui l'a produit. Le fil à plomb aussi, élément souple, il assure la verticalité la plus rigide.

X.G. — Quelle place donnez-vous à cette activité par rapport à votre peinture ?

C.V. — La peinture se déroule avec une rigoureuse planéarité. Les toiles s'ajoutent aux toiles comme les pages d'une éphéméride. Chaque jour enlève une feuille. L'objet, lui, est un point précis, absolument urgent, indispensable. C'est à la fois, une réflexion parallèle à la peinture et sa ponctuation. Après trois ans d'arrêt, il m'est devenu à nouveau nécessaire. Je ramasse des éléments, je les entasse dans l'atelier et puis un jour leur mise en relation s'impose. Très souvent, je les redessine, je les interpelle, je leur donne un nom. Si j'ai appelé un objet «piège» ou «fil à plomb», c'est que ce nom-là, son impératif, a une grosse importance.

Le nom leur donne leur plénitude de sens. Il laisse aussi toutes sortes d'interrogations et de mystère alors que c'est l'objet le moins mystérieux qui soit, le plus évident, le plus élémentaire et le plus à la portée de n'importe qui. Le titre évacue aussi tous les sens que je ne voudrais pas leur donner. L'objet porte en soi absolument tout son questionnement. C'est ce qui m'importe, cette question posée de cette manière-là, plutôt que la volonté de constituer un objet esthétique. L'esthétique n'est jamais que le résultat de ce questionnement. C'est la forme dont la question est posée.

X.G. — Vous réalisez en 1972 des «Prises», empreintes de main sur bois roulé et sur galets.

C.V. — Les galets correspondent au travail sur la main, sur les empreintes. Ils sont consécutifs à une visite à la grotte de Gargas en 1972-73.

X.G. — Quelle question vous posiez-vous alors ?

C.V. — Quelle était avant ces mains mutilées sur la paroi — qui impliquaient la verticalité

— la première empreinte ? La prise de l'objet, la prise en main, la main boueuse qui attrape un objet. Il s'agissait donc de marquer le fait de prendre comme tout premier geste pictural. Corollaire à ce geste, il y a eu le fait de prendre le galet dans la main et de tremper la main dans la couleur.
A cette époque, les entailles d'os, toutes ces marques extrêmement minces qu'on retrouve chez Dezeuze me questionnaient beaucoup. La question constante était : à partir de quel moment parlait-on de peinture, quel était le geste premier ? Comment avait-on envisagé de produire un signe qu'on puisse nommer ?

X.G. — Après trois ans d'interruption, vous produisez à nouveau des objets. Pourtant, ceux-ci n'ont pas manqué de s'agréger, de plus en plus nombreux et déroutants, à vos toiles. Ils participent de la complexité accrue de celles-ci et du baroquisme de leur conception picturale. Quelle est exactement leur fonction ?

C.V. — Détournement, clin d'œil, ironie, rajout, ornement, superflu, tout ce que vous pourrez imaginer de cet ordre.

X.G. — Le caractère didactique de vos premiers objets reviendrait là sous une forme excessive ou parodique, comme dans le cas du pompon ?

C.V. — Avant le pompon il y a eu toute une série de toiles avec des ficelles à nœuds et l'ébouriffement de la ficelle. Le pompon est venu comme dérision, élément artificiel, un peu incongru aussi.

Le pompon est un élément issu du confort bourgeois, petit-bourgeois, qui est le milieu dont je suis issu. Il est aussi l'image du pinceau. Il peut jouer comme dans cette toile en diamant le rôle du fil à plomb. Il est là pour plomber la peinture, lui donner un sens, une situation. Il se présente alors comme un aboutissement et un échevèlement des lignes de force de la toile. Et, en même temps, il est en redondance très forte de toutes les passementeries qui sont sur les bords, inhérentes au tissu. Il est donc également en relation avec le nœud, le noyau, l'échevelé. De toutes les manières, c'est quelque chose qui distrait, qui déplace, retourne ou renforce. L'objet s'impose quand déjà la structure de la toile le permet. Une des premières toiles à objet était constituée de trois objets pendus : un morceau de bois, une planche effilée, un peu comme une aiguille de boussole, vaguement horizontale et un morceau de corde. Ces trois éléments étaient pendus à des endroits où il y avait déjà des ficelles.

X.G. — Tapis de table, bâches de bateau, toiles de tente, parasols, me font penser à cette anecdote que vous rappelez à propos du «Cézanne qui servait à fermer l'entrée d'un poulailler, (et qui) restait un Cézanne, de la peinture...» Ces stores n'ont-ils pas un rapport semblable, entre intérieur et extérieur, à ce Cézanne qui ne servait pas pour rien de fermeture ?

C.V. — Il y a très souvent dans le fait du tissu lui-même cette notion de rideau, d'embrasse. Dans l'une des dernières toiles que j'ai faite, il y a une partie qui est le rideau et l'autre pratiquement la fenêtre. Un rideau avec un fond à fleurs, des formes cernées de rouge et à côté des formes rouges sur un fond bleu très aérien. La doublure, dans ce cas, joue le rôle de l'espace ouvert. Dans un autre cas, avec pompon, c'est un peu l'embrasse du rideau. C'est toujours de la peinture et ce n'est pas un tableau. Ce n'est pas quelque chose qui s'installe à demeure. Je voudrais qu'on dispose de mes toiles de manière plus facile. Je voudrais qu'elles n'aient pas toujours leur place au mur. Les boucliers indiens m'ont fasciné parce que ce sont des peintures qu'on porte, qu'on emporte avec soi, des peintures constamment en mouvement. Je voudrais que mes toiles aient un peu cette disponibilité, qu'elles n'aient pas le sérieux du tableau, son aspect pesant, encombrant, qu'elles appellent le mouvement, qu'elles soient petites ou grandes. Que ma peinture soit nomade.

X.G. — D'où la tente que vous venez de montrer à New York ?

C.V. — Cette tente est un peu la réponse que j'ai apportée à un vieux problème que m'avait posé l'abri de jardin de Pagès. Je ne crois pas du tout que ce soit une question qu'ait voulu soulever Pagès. Ceci dit, cet abri de jardin était l'image d'une maison terriblement étriquée, l'image d'un cabanon fermé avec un cadenas, interdit et caché. Ce que j'ai toujours refusé. Que ce soit le dos de la peinture, la partie cachée, j'ai toujours cherché à le faire transparaître. La tente est peinte de l'extérieur, mais c'est un objet dans lequel on peut rentrer. Quand on est à l'intérieur, c'est par le jeu de la lumière naturelle que le travail se perçoit. Il y a un jeu entre les parties peintes et le marquage de la toile constituée de bandes, qui modifie constamment la vision. Comme à la Baume Latrone, vous lisez des traces très pauvres qui se révèlent petit à petit.
Très souvent, je me rends compte que mes toiles appellent le geste de regarder ce qu'il y a derrière. Cette partie du dos qui se surcharge habituellement de tampons et de poussière est une partie que je ne voudrais pas sacraliser. Pour cette raison aussi, beaucoup de toiles ont été peintes recto-verso. En même temps, ça implique une circulation, une préhension globale de la peinture, une relance d'un côté à l'autre, une perception sans cesse différée à l'autre côté. Ça implique aussi l'absence, la mise en mémoire d'une peinture qui n'est jamais donnée tout entière.
Je pourrais comparer ça à un paravent, par opposition au miroir. La peinture n'est jamais là devant en entier, (dans la partie qu'il voit, le spectateur est obligé de supposer la partie qu'il ne voit pas), mais de part et d'autre ; c'est la chose et son double, à la fois le rideau et sa doublure, une chose et son contraire, une manière de voir et l'inverse. C'est toujours un fonctionnement en deux, une forme et une contre-forme. Je la considère comme un intermédiaire de travail placé entre celui qui l'a fait et celui qui la regarde.
D'une certaine manière, je retrouve là le bouclier indien où c'est moins le visage, l'apparence du guerrier qui s'impose, que ce qu'il est effectivement avec tout son fourbi. Peindre pose toujours la question de savoir où l'on se place. Je suis à la fois dans ma peinture — si tant est que j'y sois — et de l'autre côté. Je préfère au peintre, qui n'est pas intéressant, ce qu'il camoufle ; ce qui met en définitive sa peinture en lumière.
Je peins plus pour me cacher que pour me peindre.

X.G. — Les modes d'exposition sont un élément de la vie de votre travail. Chaque exposition détermine une réponse. Il en est de particulièrement souveraines, comme à Bordeaux ou Sénanque. Quelle est à chaque fois votre préoccupation ?

C.V. — En général, quand je vais faire une exposition, je me débrouille pour avoir plus de toiles qu'il n'est nécessaire. Ma stratégie est rarement définie à l'avance. La relation s'établit dans le moment de l'accrochage. Je cherche à établir d'une pièce à l'autre un réseau de correspondances, de redondances, de relances qui privilégient le passage du regard. A Bordeaux, l'exposition se percevait dans une circulation où l'on avait constamment dans le champ du regard deux ou trois toiles dans des espaces différents : soit une toile au sol soit une toile dans l'espace à plus ou moins grande distance. A New York, la tente se trouvait presque toujours dans le champ du regard. On voyait une toile et la tente, la tente et une autre toile derrière. Il y avait toujours quelque chose qui venait en relation. Chaque toile en soi n'a d'importance que dans ce jeu d'inter-échange. Tout se passe dans une déambulation. Je n'ai pas le désir d'imposer au spectateur un positionnement précis. Je pense que la toile, du fait qu'elle est all-over et qu'elle se présente dans une rythmique de surface, n'implique pas une lecture obligée. Elle peut difficilement admettre un regard monocentré. Je ne serais pas gêné qu'une toile soit placée sens dessus-dessous, ou sur la tranche, ou, quand les conditions me l'imposent, à disposer horizontalement une toile que je verrais plutôt verticale. Toutes les perceptions d'une toile ou des toiles sont bonnes. C'est pourquoi une exposition est toujours pour moi quelque chose d'extraordinairement touffu.

X.G. — Y a-t-il une hauteur de vue que vous prenez en compte de préférence ?

C.V. — Ce que je prends en compte, c'est la taille humaine. Je considère beaucoup plus la partie entre le nombril et le menton que les yeux. J'accroche donc très bas. Le milieu de la toile est toujours situé au-dessous ou au-dessus du niveau des yeux. Au Centre Pompidou, certaines toiles seront vues par le haut et de très loin, ou de très près. De toutes les manières la toile joue par sa matérialité, par tous les détails qui l'encombrent souvent, boucles, escarboucles, sangles, lacets, ficelles, pompons... Elle joue dans un rapport physique, à mesure du corps.

X.G. — Vous montrez vos toiles indifféremment au sol et au mur.

C.V. — Oh ! Le sol, c'est simplement un champ d'opération. Présentées, les toiles sont relevées. A Bordeaux, on avait fait un premier accrochage, si l'on peut dire, en mettant toutes les bâches par terre, bout à bout, de façon à recouvrir le sol en son entier. On a fait une chose similaire à Sénanque, de manière à réaliser une longue allée. Je me rendais compte que toute cette série de toiles qui avaient été peintes séparément, souvent avec des intentions très différentes étaient d'une planéarité totale. Quand on voyait les toiles au sol et celles qui étaient accrochées, on s'apercevait qu'on pouvait très bien changer les toiles. La déambulation autour de la toile au sol amenait un autre type de confrontation avec la toile placée verticalement. Vues du premier étage des Entrepôts Lainé, les toiles au sol étaient verticalisées, le sol à ce moment-là jouait comme mur. C'est le cas de la toile triangulaire dans le Forum qu'on peut voir du rez-de-chaussée et du premier étage. Tout ceci pour éviter de tirer la peinture d'un côté un tant soit peu illusionniste et souligner sa confrontation physique. Les expositions de plein air ont servi à supprimer un tas de suavités, de délicatesses, presque de bons sentiments, aux toiles pour aller au plus immédiat et au plus fort, à ce qui pouvait le plus tenir dans un espace souvent très vaste. C'est là qu'un certain nombre de choses se sont forgées.

X.G. — Déterminante en cela aussi l'idée que vous aviez de la peinture américaine ?

C.V. — Oui, j'avoue que j'ai été très surpris quand je suis allé à New York en 1972, parce que toute mon idée de la peinture américaine était une idée de démesure. On savait que les peintres américains peignaient très grand. C'était en fait une mythification du travail de Pollock et tout en même temps de l'Amérique. Je me suis aperçu à New York que la peinture américaine n'était pas très différente de la peinture européenne contemporaine. La démesure, je l'ai trouvée dans la ville elle-même, dans la proximité et l'écart des hauteurs des immeubles, dans la conception de la ville. Et puis il y a eu effectivement les peintures indiennes. Je disposais là aussi d'images totalement fantasmées, mais qui se sont avérées plus réelles que ce que j'avais imaginé de la peinture américaine. Celle-ci m'est apparue curieusement beaucoup plus sophistiquée que la peinture indienne.

X.G. — Des peintures : *La Tempête* de Giorgone, *La Fenêtre à Tahiti* et *L'Intérieur aux aubergines* de Matisse, *Les Ménines* et plus récemment un Picasso, en rapport avec des textes précis, ont «informé» et déclenché bien souvent votre activité. Dominique Fourcade met justement en rapport chez vous le phénomène de la «copie» et du «copieux», de l'abondant, du redoublement en abîme. Comment à chaque fois l'envisagez-vous ?

C.V. — Dans le cas de Giorgone, la «paillasse» n'est qu'un élément d'un système opératoire. Une autre pièce devrait être mise en relation avec la «paillasse» et le Giorgone. C'est une corde avec tout un système de cordelettes, de boucles, de dédoublements, de nœuds accrochés que j'aurais dû analyser avec le même système d'analogie et de décalage qu'avec le Giorgone, ce que je n'ai pas fait. Le texte de Pleynet sur *La Tempête* a été très révélateur. Il m'a paru être écrit pour moi d'une manière exclusive, comme le texte de Fourcade à propos des *Trois Aubergines.* Ces textes ont été des déclencheurs d'association, ils m'ont ouvert des fenêtres, comme la lecture de Fourcade m'a ouvert *La Fenêtre à Tahiti.* Tandis qu'avec Giorgone les choses jouaient sur les mots, avec Matisse, c'était une analogie presque immédiate. Le rabas devenait la rambarde ; l'écartement, les formes et les contre-formes ; l'énumération des touches, l'espace entre les piliers. Le découpage externe reprenait le découpage interne du cadre chez Matisse où le bord du rideau, les éléments répétitifs, qui chez Matisse se trouvent sur le cadre peint, se retrouvaient à l'intérieur et à l'extérieur de la toile. Il y avait chaque fois toute une série de déplacements d'ordre formel et pas du tout d'ordre littéraire. Entre la «paillasse» et le Giorgone, c'est beaucoup plus de l'ordre de la chimie des mots, de la chimie sensuelle des mots. Quand je l'ai réalisée, la relation avec les termes mêmes de la couture — et du fabuleux érotisme des termes de couture — a beaucoup compté.
Il y a au Centre Pompidou toute une série de toiles qui ont été faites en hommage à *Femmes à leur toilette* de Picasso qui est une maquette de tapisserie. Il y a une série de toiles qui sont peintes sur des tissus à fleurs, des bâches à fleurs du goût des plus populaires, stores de café à raies ou motifs optiques raboutés les uns aux autres. Les toiles sont peintes en jouant avec le baroquisme, l'incongruité, l'ornemental de ces tissus, en jouant de la manière la plus éclatée et en essayant de ramener chaque fois le décoratif du tissu au plan du pictural.

X.G. — Vous vivez aujourd'hui à Nîmes. Que signifie pour vous cette proximité avec vos racines ?

C.V. — Venir ici était pour moi une nécessité ; arriver à me rassembler ; me retrouver dans tout ce qui a nourri mon enfance, à la fois la tauromachie, la relation avec la garrigue et la vie de village. J'ai toujours pratiqué la tauromachie, j'y mesure l'usure de mon corps.

1979, Bâche, acrylique, Musée des Beaux-Arts, Montréal.

1980, Bâches imprimées, acrylique.

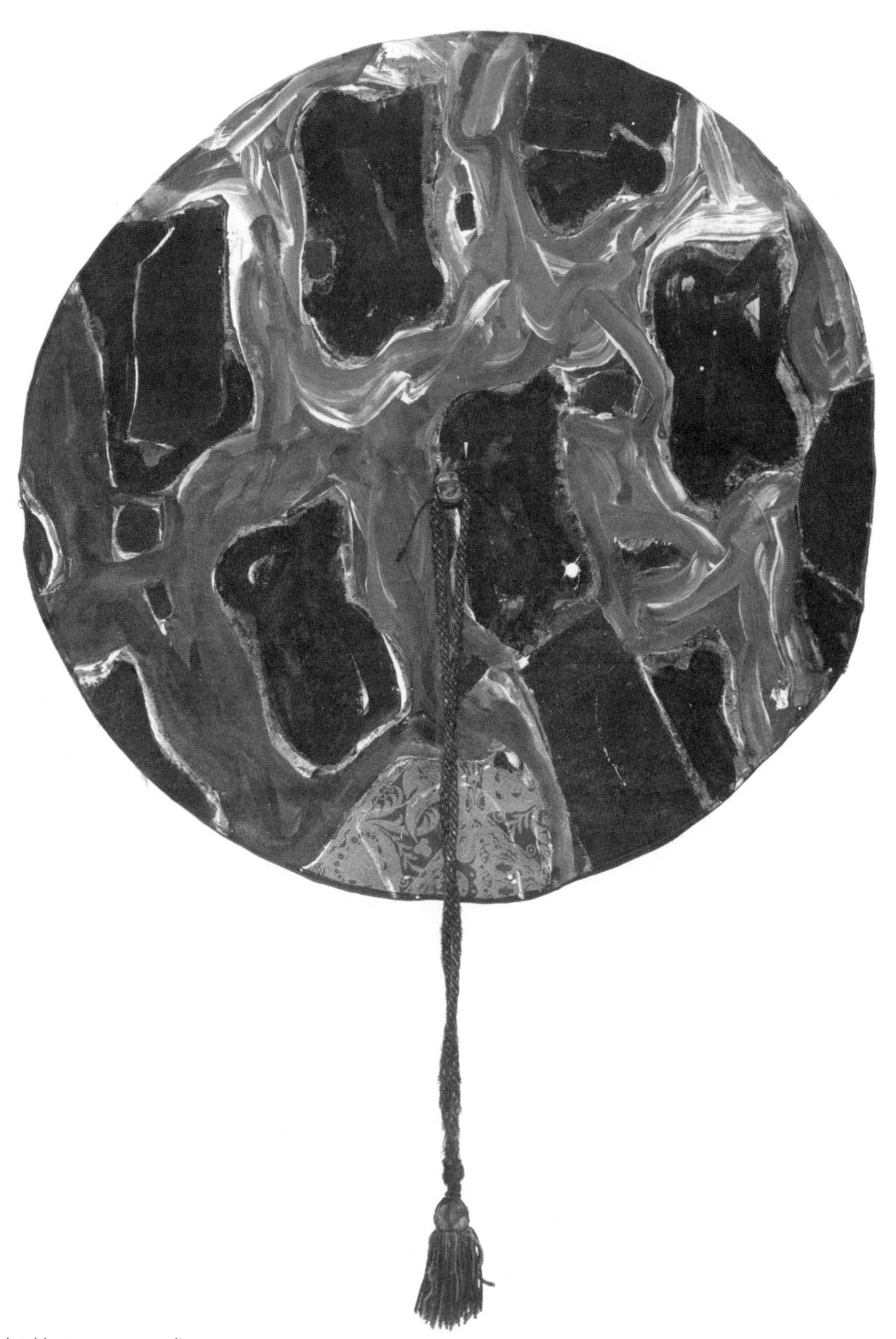

1980, Tapis de table et pompon, acrylique.

1980, Tapis de table et pompon, acrylique.

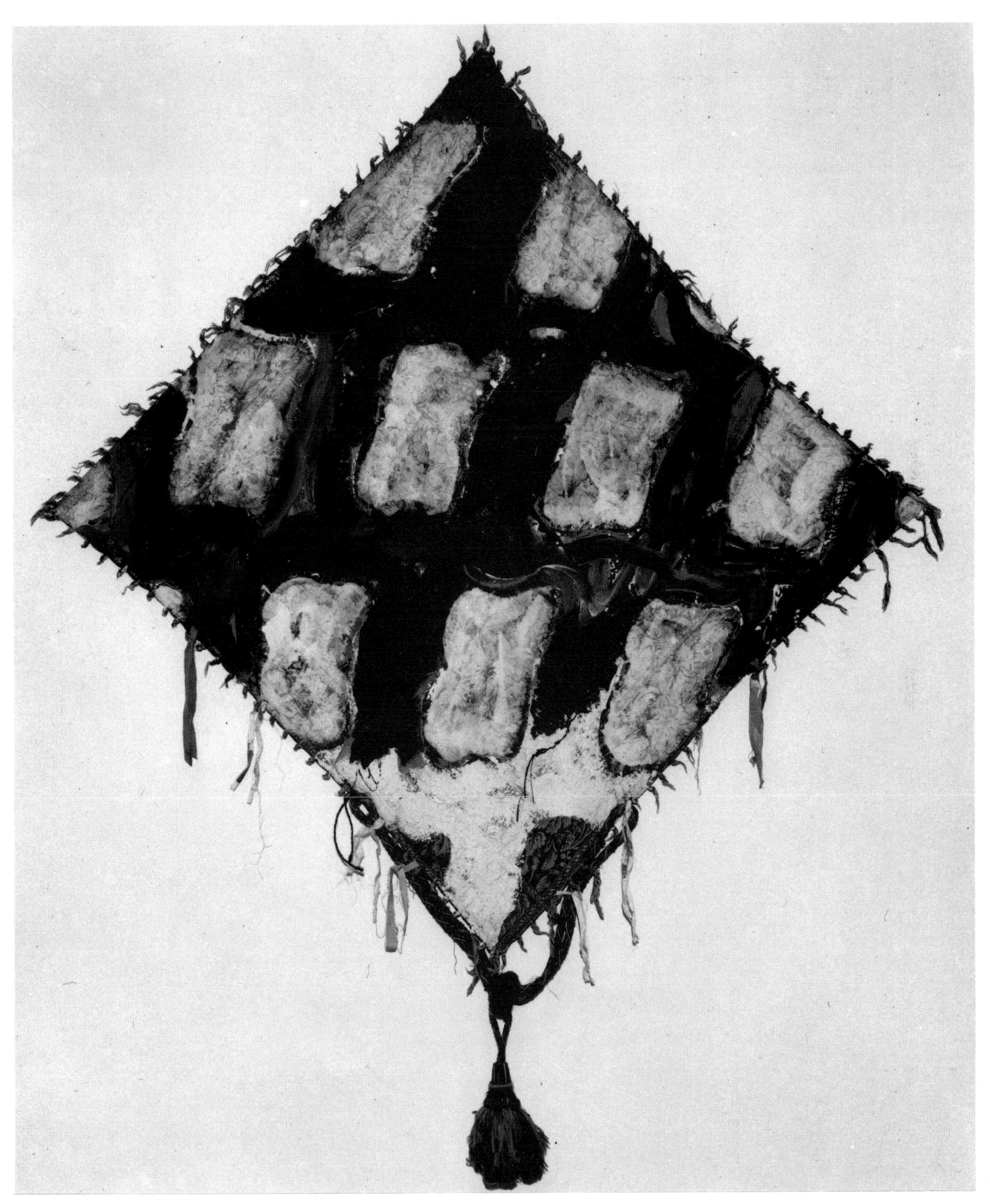

1981, Claude et Henriette Viallat, Forum du Centre Georges Pompidou, Paris.

Nous nous trouvons dans cette enceinte, cernés d'idées contradictoires et de lambeaux suspendus.

Partout la couleur nous cerne et nous transgresse, regards jetés au-delà du raisonnable dans un immense vertige toujours trop ordonné.

La main posée dans la boue laisse sa trace et le corps qui se déplie et se déplace, module une figure aléatoire et toujours différée.

Cette sinuosité dansée qui nous fascine ne serait-elle qu'un détour ?

Ce que la peinture développe s'affirme et s'affine. Quelque part une énergie organise sa spirale fusionnelle. Quelque part se profile une substitution et une fluidité colorée s'imprègne de jouissance.

1981, Bâche, acrylique, 1 300 × 1 100 cm.

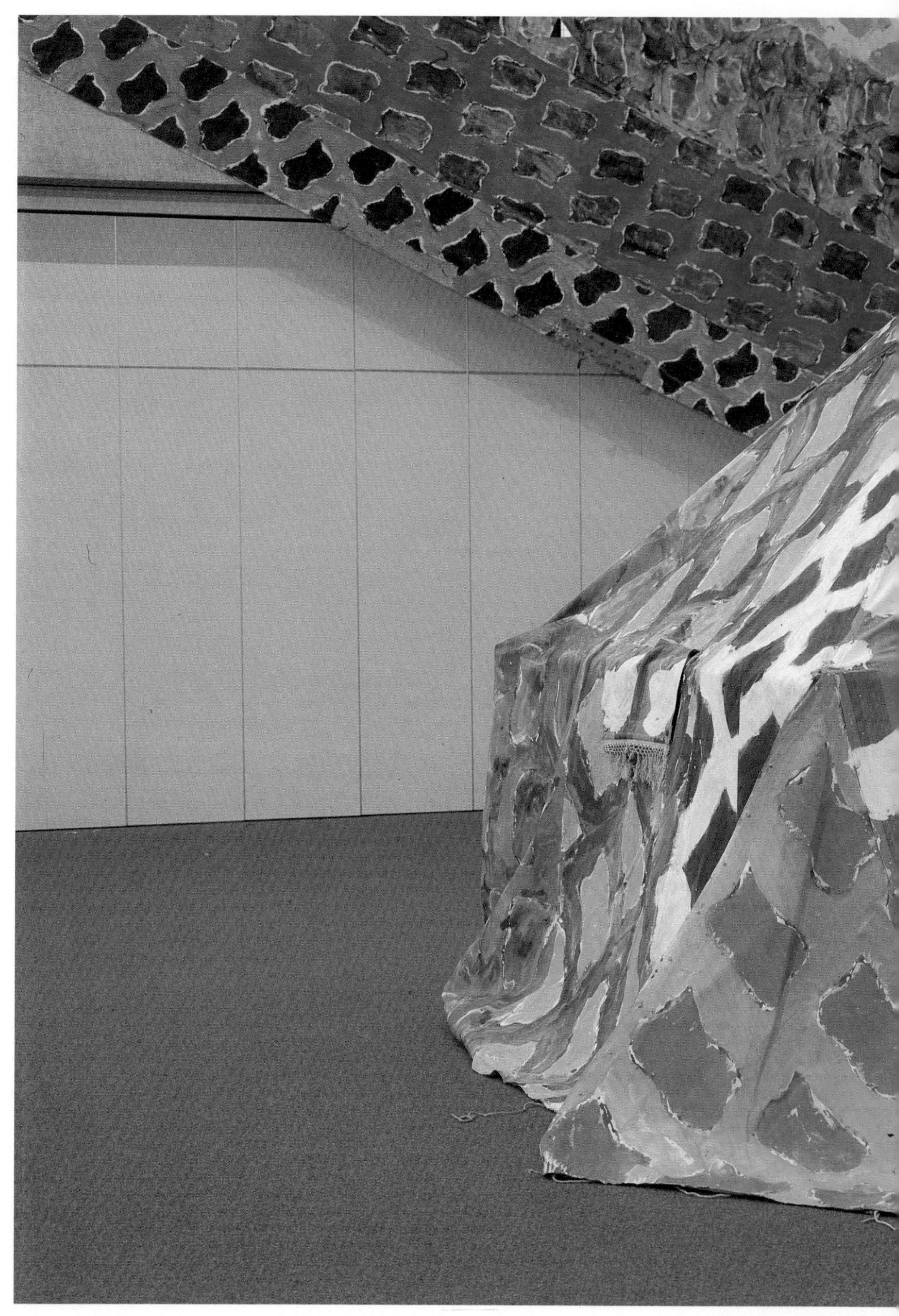

1981, Au premier plan : bâche rayée, acrylique, 300 × 400 × 270 cm.

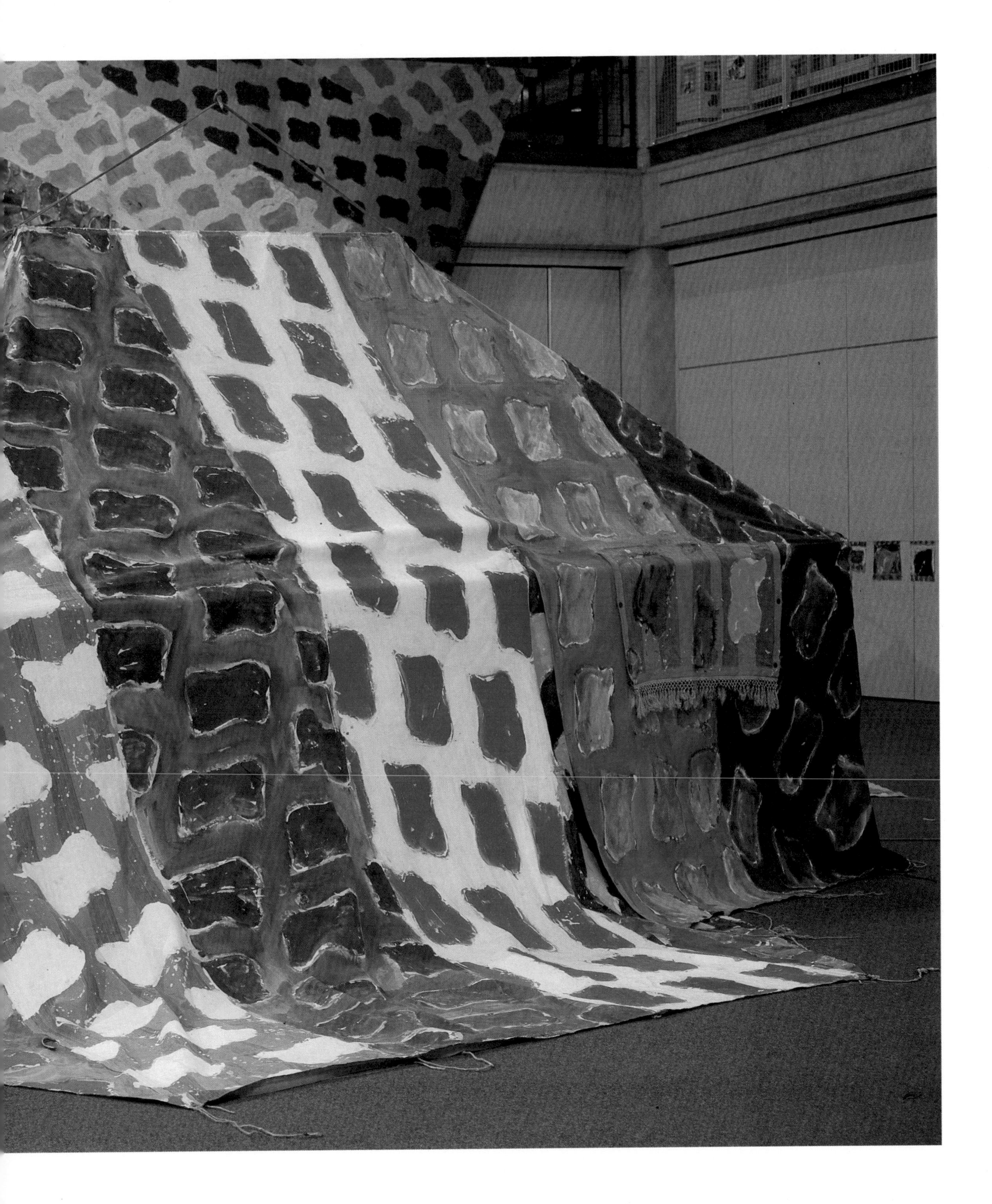

1981, Bâches et tente, acrylique.

1981, Toile rayée, acrylique, 290 × 410 cm.

Sur cette surface plate, grenue, de tissage, la couleur glisse fluide et s'étale, flaque légère qui pénètre la trame, dessin de son propre étalement.

Puis l'eau s'évapore et la pellicule se fige, regard tourné vers l'intérieur de l'œil là où la raison se fonde.

Le geste a seulement déterminé la trace qui s'est d'elle-même arrêtée.

Entre elle et l'autre toute une mesure.

Libre arpentage de surface que le regard constitue et que la mémoire et l'imagination argumentent.

Je vous trouverai de l'autre côté, raisonnant votre propre histoire et la fabrication même de ce qui vous est restitué, sans mots, sans code, à la limite matérielle de cette page.

1981, Tissus et triangles de bois, ficelles nouées, acryliques, dimensions variables.

1981, Parasol de marché, acrylique, 385 × 291 cm.

1980, Parasol, acrylique.

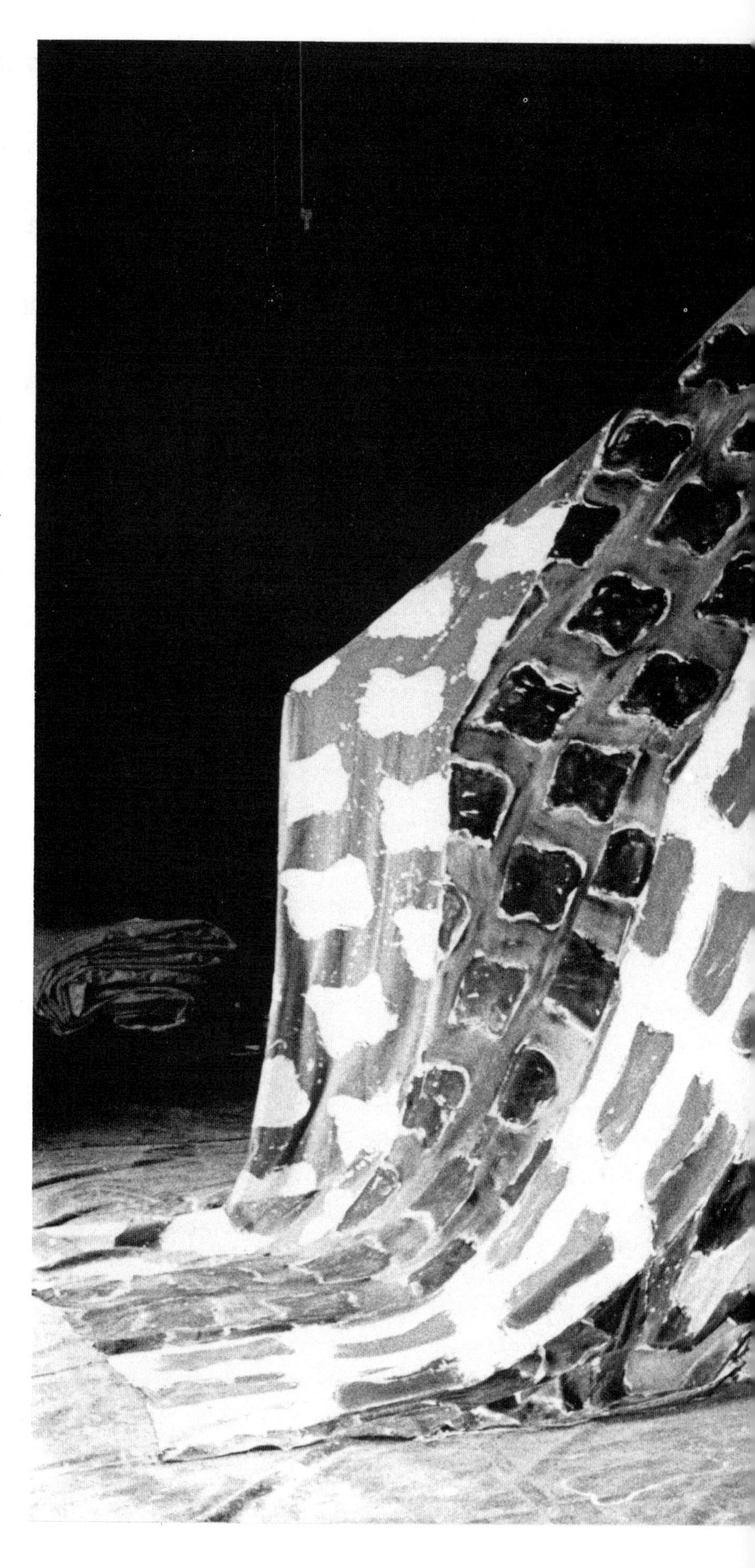

Une circulation de taupe ou de ver luisant.

Les dessins faits au trait à trois doigts, mammouths, cheval ; ou gravés, cervidés.

Ligne continue justifiant la forme, le plein par sa répétition. Suggestion plus que description.

Un dessin très mental, très inventé, très allusif dans l'amplitude du geste et du corps.

Uniquement de la boue prise au sol du bout des doigts et traçant la paroi indécise.

Comment et pourquoi faire cela ici, dans ce lieu isolé, clos, difficilement accessible, sous terre, dans le noir, 250 mètres de cheminement, de reptation et d'escarpements.

Exorcisme ou culte ? que reconnaître dans ce félin incomplet, et ce cheval perdu au milieu d'un troupeau de mammouths, une scène perçue au hasard d'une chasse, ou les craintes de plusieurs individus officiant le temps d'une cérémonie ou se relayant dans le temps en ce lieu.

Autour la roche tendre est striée de traînées digitales serrées, imbriquées, pressées en une surface continue dans toutes les parties directement accessibles.

Volonté d'occuper complètement l'espace, de marquer sa gesticulation incantatoire, de briser une surface trop immédiate ?

Comment relier cela à d'autres dessins pariétaux, faits en d'autres lieux, sans liaisons de rencontre ou de connaissance, à des centaines de siècles et de kilomètres de distance ?

Comment envisager un progrès devant la perfection, geste définitif, concis, radical dans sa scription et son image ?

Et pourquoi ces graffitis surajoutés, besoin de dire où les choses sont dites, de maculer, de provoquer, de se marquer, de dire son passage et son émotion dans l'imitation et la différence ?

Comment ne pas rôder autour ?

Quels progrès avons-nous faits ?

Notre travail est la force qui nous projette dans cette surface toujours là à remplir, toujours vide à combler.

Relance de regard ou balisage, où trouver une assurance dans cet impossible questionnement ?

1981, Tente, bâche, acrylique.

ANTHOLOGIE CRITIQUE

Seuls quatre textes, particulièrement importants, ont été retenus dans le cadre de cette anthologie succincte, et, faut-il le préciser, très incomplète.

— le texte de Marcelin Pleynet, «La peinture et son modèle», est extrait des *Lettres Françaises* du 3 juillet 1968. Tout premier texte écrit sur Viallat, il n'a jamais été republié par l'auteur. Marcelin Pleynet nous a adressé à ce sujet la lettre suivante :
«Le texte des «Lettres Françaises» n'a pas été repris parce que je ne souhaitais pas qu'il le fût. Si Claude Viallat et vous-même pensez qu'il a la moindre raison d'être dans le catalogue que vous préparez, je tiens beaucoup à ce qu'il n'y figure qu'à titre de «document» en indiquant qu'il fut «le premier texte écrit sur Viallat» et en l'accompagnant de la bibliographie de mes autres écrits sur le peintre. Ces brèves notations journalistiques sur la première exposition d'un artiste, dont n'étaient alors connues que quelques toiles, n'ont d'autre intérêt qu'indicatif : il fallait alors penser que quelque chose de l'histoire de la peinture passait par là — et je fus alors le seul à le penser et à le dire. Voyez ce qu'il en est et faites au mieux des intérêts du peintre bien entendu.»

Marcelin Pleynet, Paris, le 22 mars 1982.

N.B. Pour une bibliographie complète des écrits de Marcelin Pleynet sur Viallat, voir infra pp. 167, 169, 170 ;

— la double page signée J.C. (Jean Clair) et Marie-José Baudinet dans *Chroniques de l'art vivant,* n° 18, mars 1971, quelques mois après l'exposition *Supports-Surfaces* au Musée d'art moderne de la ville de Paris (ARC) ;

— la préface de Jacques Lepage à la première grande exposition de Viallat au musée d'Art et d'Industrie de Saint-Etienne en décembre 1974. C'est aussi l'occasion de la publication du premier catalogue consacré à Viallat ;

— le texte d'Yves Michaud, «L'ornement et la couleur», publié dans le catalogue de l'exposition Viallat au musée d'Art et d'Histoire de Chambéry en octobre 1978. Ce texte concerne tout particulièrement la présence dans l'exposition d'objets choisis par Viallat : bouclier rond indien cheyenne, quipu inca, etc., ainsi que les fiches de travail qui leur sont associées.

A.P.

LA PEINTURE ET SON MODÈLE

Marcelin Pleynet

Prise dans son histoire, dans cette histoire que nous connaissons plus ou moins bien, la peinture paraît entièrement dépendante du mode de représentation, de reproduction qui, jusqu'à nos jours et de nos jours encore, conditionne notre intelligence de cette histoire et de ses transformations. L'apparition de la peinture dite «abstraite», et le mot même d'abstraction le confirmerait, ne parvient pas à déplacer cette dépendance vis-à-vis du représentatif. Il n'est que de lire les naïves préfaces aux catalogues d'expositions de peintures «abstraites», pour voir combien est forte cette conviction que, figurative ou non, la peinture représente. Figurative elle représente bien sûr la figure — abstraite elle devient (dans ces préfaces) le tracé représentatif des sentiments du peintre. Dans un cas comme dans l'autre, elle est considérée comme tout à fait innocente de son histoire : la figure peut être peinte et dessinée comme Delacroix, il suffira qu'elle soit la figure d'un personnage ou d'un paysage contemporain — l'abstraction peut être peinte comme une figure sur un fond, il suffira qu'elle ne représente pas ce qu'on entend généralement par réalité (les formes naturalistes). Refusant de prendre en considération le seul problème qui aujourd'hui se pose à lui, à savoir : une théorie est-elle à l'œuvre dans l'histoire de la peinture? le critique se trouve condamné à tourner comme un écureuil dans sa cage représentative. Il n'est bien entendu pas question, dans le cadre de cet article, de revenir sur les transformations théoriques à l'œuvre dans l'histoire de la peinture. Je n'ai tenu à poser, pour commencer, les conséquences de l'absence d'implication théorique dans cette pratique critique que pour situer le lieu à partir duquel s'articule pour nous tout discours sur la peinture et pour, marginalement, tenter de montrer comment peut se réaliser aujourd'hui pour un peintre cette fonction du modèle représentatif.

De quelle façon allons-nous considérer les toiles, que le critique qualifiera «d'abstraites» que Claude Viallat expose à la galerie Jean Fournier? Le peintre dont c'est la première exposition habite en province. Il a une trentaine d'années, et si nous savons de lui qu'il a été, et qu'il est peut-être encore, en rapport avec ce qu'on appelle «l'école de Nice», cela n'éclairera guère notre chandelle, les toiles qu'il expose n'ayant heureusement aucun rapport avec la puérile production dont cette «école» inonde Paris. Comment expliquer que cette exposition plutôt qu'une autre nous arrête? A-t-elle quelque chose à faire, le jour où nous visitons la galerie, avec notre humeur? Allons-nous nous interroger sur nos sentiments devant telle ou telle toile? Irons-nous demander au peintre avec quel sentiment il a peint tel rouge ou tel bleu? Non, ce qui nous requiert là n'a décidément rien à faire avec cette poétique sentimentale de la nature, que «l'abstraction» aurait pour charge de représenter. Ce ne sont pas nos sentiments que cette peinture met en question, mais bien plutôt... disons pour aller au plus vite, notre savoir. Nous nous trouvons devant ces toiles pris dans un réseau de contradictions qui mettent notre savoir à l'épreuve, qui mettent notre plus ou moins grande connaissance de l'histoire de la peinture à l'épreuve. Et seule la possibilité que nous avons de faire fonctionner cette connaissance, ce savoir, nous dira dans quelle mesure ces contradictions sont productives, dans quelle mesure les problèmes que pose la peinture de Claude Viallat ont déjà été résolus par d'autres, et dans quelle mesure ils restent problématiques, c'est-à-dire producteurs.

L'exposition se compose de dix toiles, toile de drap non montée sur châssis et sur laquelle se trouve imprimée, à espace régulier et en diagonale, la même empreinte. La toile de drap peut être teintée de rouge ou de bleu ou garder sa couleur écrue, l'empreinte peut être bleue ou blanche et appliquée plus ou moins violemment soit à l'aide d'une éponge imbibée de peinture diluée dans la térébenthine (dans ce cas, la peinture étant bue par le drap, l'empreinte se trouve entourée d'une auréole plus claire), soit à l'aide d'une forme découpée, la peinture se trouvant alors sans doute appliquée au pinceau (dans ce cas les bords de l'empreinte sont beaucoup plus nets et durs et font penser à la reproduction de certains des papiers collés bleus de Matisse). L'empreinte donc peut être bleue sur blanc, appliquée violemment bleue sur rougeâtre avec entre chaque empreinte des éclaboussures et des traces d'auréoles; ou encore, et ce pour une seule toile rectangulaire en largeur, blanche sur le drap écru avec de chaque côté au bord et sur toute la hauteur une série d'empreintes blanches entourées de bleu, un bleu qui se trouve tout à la fois envahir et être repoussé par la couleur écrue qui comprend la plus importante surface de la toile. Les toiles plus ou moins froissées sont accrochées à la cimaise sans être tendues sur un châssis, ni par un poids qui les tirerait vers le bas, de telle sorte qu'elles ondulent légèrement sur la largeur. Le rapport de valeur de couleur, de l'empreinte à la couleur de ce qui l'entoure, est traité de telle façon que l'empreinte ne soit jamais une forme dessinée sur un fond, mais joue constamment à donner ce qui l'entoure comme également formel (ce que font admirablement certains grands papiers découpés de Matisse), renvoyant à la répétition de l'empreinte à intervalles réguliers, et à la répétition de ces intervalles (qui répètent l'empreinte), renvoyant à travers ces répétitions, à travers cette multiplication, à la multiplication de la surface qui théoriquement doit dès lors déborder la toile et s'appliquer comme théorie généralisée sur tout espace de lecture. C'est là l'activité de la répétition avec les variantes (toile à espacements écrus à empreintes blanches avec espacements bleus de chaque côté — toile à espacements rouges avec dans le bas espacements blancs, etc.), avec les variantes qui mettent l'accent non plus sur la répétition non signifiante (forme qui ne dirait rien d'autre que la forme, et qui se voudrait non-message, jeu objectif), mais sur la théorie que cette répétition entend mettre en évidence, réaliser : disparition du tableau, fonction généralisée de la théorie dans son rapport à la pratique (la lecture du tableau).

Tous ces problèmes qui sont attachés à la vie même de la peinture contemporaine ont déjà été soulignés par bien des peintres (Pollock entre autres) que Claude Viallat connaît sans doute (ou devrait connaître). La toile à empreintes blanches et à intervalles écrus n'est pas sans faire penser à certains Morris Louis de 1960-1961 qu'on a pu voir à Paris à la galerie Lawrence en 1962; et cette autre toile, où les empreintes se trouvent reliées entre elles par des coulures et des éclaboussures, n'est pas sans faire penser à certains Sam Francis qu'on a pu voir à Paris chez Jean Fournier... A ceci près que si Claude Viallat a admirablement compris le jeu théorique de la répétition démultipliante avec différences, il semble être resté un peu en deçà quant à son application. Les toiles, dans leur dimension, paraissent ne pas toujours bien comprendre les conditions réelles de leur application du système de lecture qu'elles commandent et proches de la dimension qu'elles devraient avoir (pour déborder une perception globale), mais en deçà de cette dimension, elles ne sont encore le plus souvent qu'une illustration de ce qu'elles proposent. Certes, présentant la peinture sur toile non tendue, Claude Viallat met d'autre part très fortement l'accent sur la disparition du tableau comme objet et sur ce que cette disparition commande, mais là encore la plus grande prudence est de mise, et l'on peut se demander si l'évidence de cette disparition de l'objet tableau, à partir d'une toile non tendue et accrochée au mur, n'a pas eu pour fonction objective de cacher au peintre le problème de la dimension de la toile comme rapport à l'unité globale de perception. Enlevant le châssis, il perturbe l'objet marchand (comme tableau), mais ne pensant pas la dimension de son tableau dans cette même condition, il maintient la propriété perceptive unitaire qui reconstitue le tableau.

Matisse vu avec et à travers Morris Louis, Sam Francis et certainement Pollock, produit le peintre français sans doute le plus intéressant de sa génération : Claude Viallat. Reste, pour revenir à ce que je disais en commençant, que pris dans le fonctionnement théorique qui est à l'œuvre dans la modernité de son histoire, la peinture doit pouvoir répondre d'une certaine adéquation à ce modèle théorique, faute de quoi elle ne saurait transformer ce modèle et, quelle que soit sa volonté transgressive, elle ne tarderait pas à se retrouver reprise par les vieux schémas expressifs. Dans ce sens l'aventure de Claude Viallat me semble exemplaire des dangers d'une démarche en cours et qui ne peut être restituée à elle-même qu'à partir de son modèle théorique...

Exposition du groupe "Support-Surface" à l'ARC (sept-oct. 70) : Bioulès, Saytour, Valensi, etc. . .

UN MATERIALISME NECESSAIRE

"Les tableaux, du point de vue de leur existence physique, sont de simples objets matériels. Nous considérons chaque tableau comme un seul objet, consistant en un support solide (pierre, bois, carton, etc. . .), plus les couches de couleur et de vernis qui le recouvrent. Bien que l'analyse puisse examiner à part ces divers éléments, on les considère d'abord comme constituant, pris ensemble, une seule unité matérielle douée des propriétés que les solides tiennent de leur matérialité" : si Etienne Gilson, dans Peinture et Réalité (1), affirmait ainsi l'être physique du tableau, ce n'était, conforme en cela à une esthétique spiritualiste, que pour dénier aussitôt cette matérialité au profit de son "être phénoménologique qui lui appartient lorsque, étant appréhendé comme œuvre d'art, il est véritablement un tableau. "L'histoire de l'art, en Occident, sera trop longtemps restée tributaire de cette vision idéaliste de l'œuvre. La peinture sur toile classique, si elle est d'abord un objet, (toile tendue sur un châssis et apprêtée) s'y voit immédiatement niée, en tant qu'objet, par un regard culturel qui, négligeant son objectalité, n'en considère que l'image phénoménale qu'elle propose dans les limites d'une représentation à deux dimensions, celle de la "fenêtre ouverte" : réduit, le monde s'y projette sous forme d'un signe, ou d'un système signifiant (figuratif ou abstrait) obéissant à un code dont une classe sociale privilégiée, détentrice des valeurs de la culture (et des moyens financiers qui permettent d'acheter ce produit phénoménologique) possède seule la clef. Une toile de Cézanne cependant, comme me le faisait remarquer Viallat, quand bien même l'utiliserait-on (comme cela fut le cas d'une œuvre récemment retrouvée) à boucher un clapier dans une ferme, ne cesse pas d'être une toile de Cézanne. Quand même elle n'est plus "appréhendée comme œuvre d'art", elle n'en reste pas moins, en tant qu'être physique, une toile de Cézanne.

Tout un courant aux Etats-Unis, on le sait, est revenu à cette affirmation de l'être physique du tableau : "Ma peinture est basée sur le fait que seulement ce que l'on peut voir là est là. C'est vraiment un objet et quiconque prend ce fait en considération doit finalement faire face à l'objectalité de cela qu'il est en train de faire : il fait une chose", écrivait en 66 Frank Stella (2). Pollock, dès 1949, en peignant directement sur une toile posée à même le sol et libre de tout format (free canvas), Newman, Morris Louis après lui, Olitski aujourd'hui, en usant de toiles non apprêtées où la couleur diffuse à travers le tissu (veil painting), Stella, Hinman, en usant de toiles galbées ou caissonnées (shaped canvas), c'est-à-dire en matérialisant la réalité du support physique du champ pictural (le châssis) furent les auteurs successifs de cet "Art du Réel".

C'est en France cependant, dès avant la guerre, que Matisse, en usant de formats géants et de champs monochromes saturés, avait le premier ouvert la voie à ce matérialisme libérateur. C'est en France encore que, parallèlement aux Américains mais d'une manière autrement radicale, un groupe, "Support-Surface", dont nous avons déjà eu l'occasion de parler ici (3), menait l'entreprise jusqu'à ses conséquences nécessaires. Si l'Art du Réel, en affirmant la présence physique de l'œuvre (sa surface), a ruiné la royauté de l'image que cette surface portait, c'est-à-dire aboli le champ imaginaire et ses présupposés idéalistes, c'est un art qui n'en continue pas moins de produire des objets, objets singuliers, autonomes et signés, dont la singularité et la signature sont autres que de simples accidents morphologique ici et biographique là. "Support-Surface" au contraire, en dissociant la toile du châssis, en séparant les éléments constitutifs du tableau, engageait la praxis picturale dans la voie d'un matérialisme authentique.

La singularité de l'œuvre s'y dissout en une pratique objective du langage pictural, en même temps que l'individualité de l'artiste tend au pur anonymat. Il est alors évident, comme l'écrivent Viallat et Saytour, que cette remise en situation fondamentale de ce qui a été jusqu'à nous un objet de culture et de spéculation, ne peut se faire sans reposer tous les problèmes qu'elle implique et qui la conditionne. La peinture devient un terrain et un moyen d'action".

J.C.

A voir : exposition du groupe Support-Surface (Bioulès, Cane, Devade, Dezeuze, Seytour, Valensi, Viallat) à la Cité Universitaire en avril.
Viallat à la Galerie Fournier, rue du Bac.

A lire : la revue "VH 101" prépare un numéro spécial sur le groupe Support-Surface.

(1) Paris, 1958, p. 54 sq.
(2) "Questions to Stella and Judd" in Art News, *sept. 66.*
(3) Voir L'Art Vivant, *nos 13 et 16.*

Claude Viallat : naît en 1936. Etudes aux Beaux-Arts de Montpellier puis, en 1958, aux Beaux-Arts de Paris. 1964 : Professeur aux Arts Décoratifs de Nice. Se compromet avec l'Ecole du même nom. Aggrave son cas en faisant peindre ses élèves avec des couleurs pures. 1967 : quitte Nice pour Limoges où il réside depuis lors.

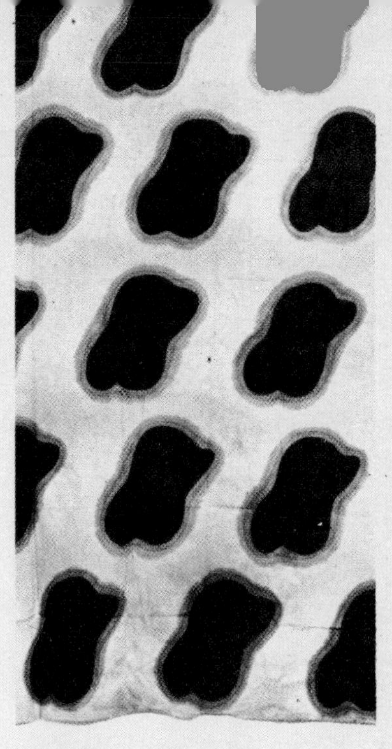

Toile rouge, teinte, forme bleu sombre 1970 , 260 x 213.

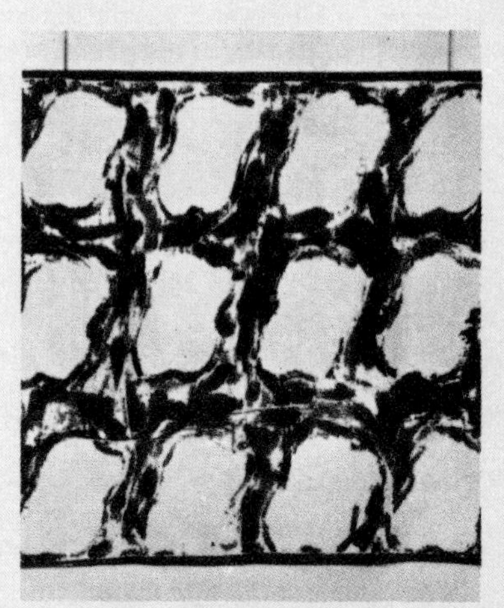

Réserve blanche, empreinte bleue, 1970, 156 x 156.

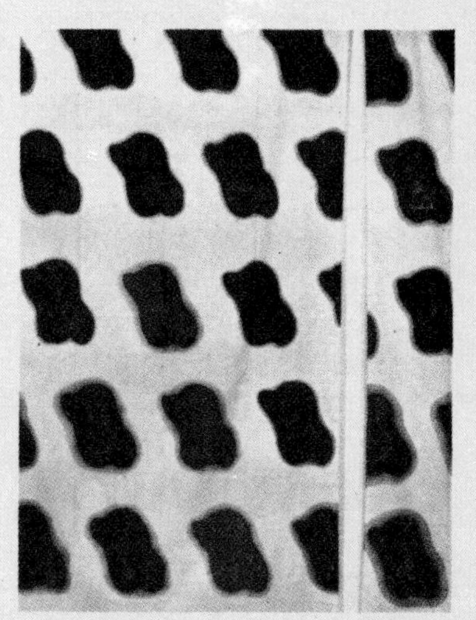

Disparitions multiples en 3 panneaux gris et grège, 1970, 272 x 155 (3 fois) (pann. g. : 1ère forme matrice et son empreinte).

Photos Jacqueline Hyde, SM

Les productions de Viallat semblent, sinon mettre un terme, du moins apporter une solution, au regard comme à l'appropriation fétichiste de l'objet - que l'on se réfère au fétiche réel - économique - qu'à son mécanisme imaginaire - fantasmatique - Ainsi l'objet cesse de faire illusion selon le processus classique de la fascination esthétique. En effet, du jour où l'image plastique alla s'inscrire sur la toile comme pur effet de vision sensible ou intellectuelle, l'objet prétendit être "création", autonome, s'accomplissant dans un cadre. Toile et cadre agissaient comme des présupposés indiscutables, contraintes matérielles, équivalentes de toute loi éthique et politique, au-delà desquelles, malgré lesquelles, le sens de l'œuvre était à rechercher. La relation esthétique constituait un spectacle imaginaire où la négation du travail soutenait la présence du sens. Nous trouvons là l'inversion du visible et de l'invisible qui coupe toute création d'un véritable procès de production. Un tel art fut depuis la Renaissance complice de l'environnement idéologique par quoi se définissent le sens du geste et celui du regard. Ainsi fut produit un stock d'objets à contempler, à ne pas toucher, à s'approprier.

Car illusion, jouissance, vision, appropriation ont formé et forment encore les termes majeurs de la structure fétichiste de la culture. L'effet imaginaire s'accomplit alors non pas par le jeu reconnu des moyens mis en œuvre, mais malgré eux, apparemment sans eux. Ainsi en est-il du fétichiste dont le plaisir s'instaure sur un déni de la réalité. Il n'est que de relire les analyses de Marx (Fétichisation de la marchandise) - ou de Freud (le Fétichisme) pour retrouver ici comme là ce refus fondamental du réel. Viallat n'inaugure nullement cette prise de conscience critique de l'aliénation du travail, de la perversion du geste. Le désir de rompre avec l'illusionnisme et la contemplation, avec l'univers du regard et de la propriété, avait animé la contestation Dada comme l'agression surréaliste. Mais la dénonciation des fétiches, la profanation de la toile, la rupture des cadres a conduit les premiers jusqu'à la stérilité du silence ou sur le terrain exigu des gestes du joueur d'échecs (Duchamp). Quant aux surréalistes, s'ils ont bouleversé le "tableau" et renouvelé l'objet, n'ont-ils pas succombé au "mana" surréel de nouveaux objets ? L'Afrique, la préhistoire, le hasard, la nature ont pris la place d'une authentique prise en compte du geste fabricateur. Désillusion orchestrée encore par le Pop'art qui démystifie davantage le monde de nos désirs qu'il ne nous fait aborder le continent d'une réalité productive. L'abandon du fétiche apparaît inséparable d'un aveu d'impuissance. Chez Viallat s'affirme au contraire la puissance du geste alors que celle de l'illusion se trouve du même coup abolie. L'individualité psychologique, affective, même intellectuelle ne cherche plus les voies imaginaires de l'expression : c'est dans la matière même que le fabricateur trouve et le lieu et la forme de son geste. Contre toute icône stable sur la toile, contre tout objet inerte ou investi de mana, Viallat trouve hors cadre, dans la toile, la réalité plastique elle-même. Roulée, déroulée, flottante, la toile se fait voile, matière souple et mouvante, soumise aux effets du soleil ou de la pluie. Comme dans le navire elle est contrainte matérielle, choix technique, programme et volonté de conduire ; mais comme dans le navire aussi elle subit un ensemble de conditions extérieures, agitée, modifiée dans un demi-hasard. La Toile est donc un jeu de sens et de matière, un lieu de contraintes et de contingences. Dès lors le spectateur est entraîné bien au-delà de

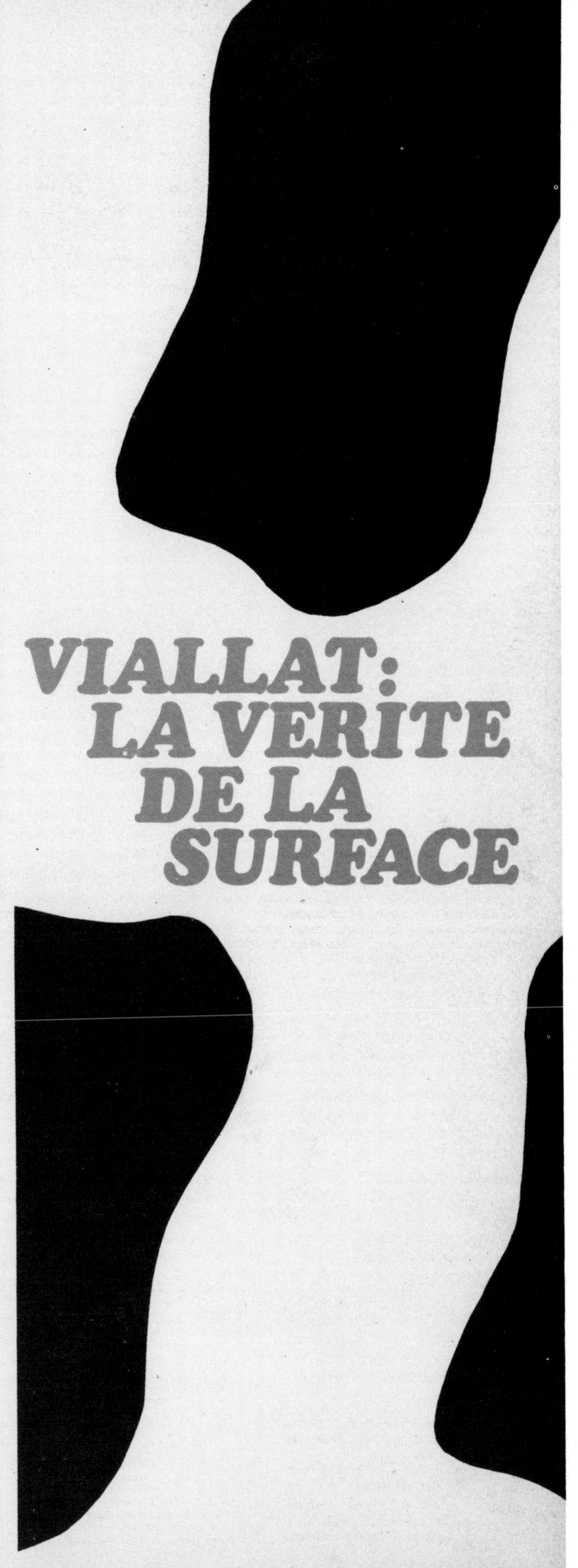

VIALLAT: LA VERITE DE LA SURFACE

la vérité métaphorique qui constitue l'apparition de la trame de la vision, du tissu du réel. Ce qui nous fait face rompt la fascination, les illusions vertigineuses de la profondeur, lieu sans épaisseur dont rien ne nous sépare et qui ne nous éloigne de rien. Plus question de nous évanouir à la recherche d'un sens évanescent ; nous regardons comme nous touchons. Il est permis de s'enrouler dans la surface qui n'enveloppe rien que nous-mêmes. C'est son propre épiderme qu'on découvre. La toile cesse de voiler, pour dévoiler ce qui est vérité de la surface. "Ce qu'il y a de plus profond en moi c'est ma peau" disait Valéry. Le plus profond de l'œuvre, c'est sa surface. Vérité du superficiel, c'est la vérité du corps tout entier dans sa réalité topologique. Désormais la conscience comme les viscères cessent d'être le siège d'une intériorité du sens. Nous rejoignons par là les thèmes les plus récents de la réflexion contemporaine sur la nature du signe et la puissance du signifiant. Mais les textures de Viallat portent au réel, mieux et plus vite que ne le font bien des discours, cette intimité du sens et de la périphérie. Finies les contradictions exquises du contenant et du contenu, les paradoxes académiques entre forme et matière. La surface est matière et lieu de rencontre comme la peau est celle du contact. Ce qui se voit et ce qui se touche ne dissimulent ni ne recèlent le moindre secret. Il en est du pli comme de la ride ou de la vague, c'est un effet de l'histoire et du temps.

L'effacement complet du créateur devant son geste de fabricateur, au profit d'une surface historique et matérielle n'aboutit alors nullement à un univers impersonnel, sans lumière et sans échange. La démystification, l'ascèse même, fait éclater la vie. En effet nous nous trouvons paradoxalement dans un monde du contact élémentaire, de la proximité primordiale. Les "toiles" de Viallat dégagent une sensualité toute nouvelle, infiniment plus puissante, plus obsédante que ne pouvait l'être la vie des sens par les artifices imaginaires de la vision. Comment s'opère cette atteinte globale du corps par la surface ? Le support textile est traité comme un film avec sa sensibilité propre et son rythme. Chaque texture est un choix dans le temps. La réalisation d'un possible. Nous y rencontrons la distribution rythmée d'un élément matriciel. Cet élément est dans la toile et non sur elle, il est pris dans la surface même, empreinte et imprégnation. Cette matrice compose à la fois l'espace et le temps de l'objet. Il s'agit d'un schème élémentaire, nullement anecdotique. Ce schème plus ou moins quadrilobé, asymétrique échappe à la définition géométrique, au concept, et pourtant il possède sa systématicité propre. C'est une systématicité organique, celle d'une forme primaire, d'une forme en formation, perçue comme un mouvement orienté. A titre d'élément elle a ses contours, ses bords mais ne renvoie à aucune figuration. A la systématicité organique de la forme correspond sa périodicité ; indéfiniment multipliable, elle constitue la temporalité de la surface comme celle du regard. Vague ou cellule elle est le mouvement d'un milieu sans imaginaire profondeur. Le jeu sur la profondeur concrète se confirme encore lorsque Viallat superpose plusieurs toiles pour obtenir des effets de contact et d'imprégnation successive. Tout se passe alors comme au développement d'épreuves ; la profondeur n'est rien d'autre que l'épaississement du réel par addition des surfaces. La prétention graphique disparaît, avec elle la virtuosité des rendus : les variations se produisent d'elles-mêmes par jeu de perméabilité et d'absorbsion. Variation, développement, multiplication sont autant de formes que prend le refus d'individualiser l'objet. Le parti pris de la surface prend à la fois une signification plastique et politique. Exempt de fétichisme esthétique, la "toile" échappe aussi au fétichisme de la singularité et de la propriété.

Ce qui constitue finalement le paradoxe apparent d'un tel geste, c'est que tout en instaurant un système pratique, doué de cohérence politique, il s'appuie sur des schèmes élémentaires qui pourraient faire croire à quelque naturalisme plus ou moins romantique. Il pourrait paraître suspect de cultiver l'ascèse et le retrait, d'invoquer tantôt le hasard, tantôt la "nature". Qui ne serait tenté de voir dans cet art "maigre" (Viallat) l'un des visages du "minimal" ? Il n'en est rien. Les contradictions ont toujours été théoriques. Du moment où il y a production effective, c'est qu'elles ont été surmontées, qu'une solution a été trouvée, actualisée dans un geste, portée au réel dans une matière. Il n'est pas contradictoire qu'une contestation de l'art consommable, l'art des épaisseurs et des épaississements immobiles soit en même temps un déploiement de toute la sensualité, un manifeste de pleine existence. On nous épargne ici le cri grinçant, le scandale excrémentiel, ou le cérébral "presque-rien". Ce qui paraît infiniment précieux chez Viallat c'est qu'il ne craint pas le plaisir ; il n'est pas un souffreteux et il ne nous fait nullement souffrir de cet abandon des fétiches, des idoles et des illusions de la peinture classique. En d'autres termes, la découverte de la surface comme choix formel, historique, temporel, susceptible de répétitions, d'équivalences, la participation constituante de l'"élémentaire", prouvent tout simplement que la démystification n'est pas synonyme de mort.

Disons pour finir quelques mots de cet autre aspect de la recherche de Viallat que sont les cordes, les cordages et les filets. Il s'agit en fait au départ d'un traitement linéaire de la surface, d'un "passage à la limite" de la même attitude pratique que celle qui anime la fabrication des "toiles". Au départ, utilisant le passe-poil, il s'agissait d'une condensation linéaire de la surface textile, puis par le biais de la corde et du cordage on assiste plutôt à une hypertrophie de la fibre. Il semble alors que les nœuds représentent à leur tour le matrice rythmique, imprégnée de couleur qui évoque non sans humour un traitement tridimensionnel du plan. Encore une fois nous retrouvons là toutes les possibilités d'interprétations topologiques, encore une fois les jeux de sens et de matière, dans lesquels la chaîne et la trame se combinent pour composer une transparence concrète.

Dans toutes ces manifestations, Viallat réussit à rendre indissociables le plaisir du corps et celui de l'esprit. On y est heureux de se comprendre par ce qu'on voit et ce qu'on touche.

Viallat lui-même peut-être ne souscrira t-il pas à tout ce qui est dit ici - mais il reconnaîtra le premier que le sens de son œuvre est de ne plus être sa propriété.

Marie-José BAUDINET

CLAUDE VIALLAT

Jacques Lepage

Une sémiologie des arts plastiques reste à faire. Tant qu'elle demeure en attente, tout travail critique s'arrête au discours sur la production et ne la traverse pas. La reconstitution empirique du (des) système(s) au(x)-quel(s) se réfèrent les arts plastiques est un préalable dont on distingue à peine l'amorce. C'est donc encore avec des moyens digressifs qu'il faut aborder les travaux de Claude Viallat et situer paradoxalement cette production matérialiste dans un contexte langagier dont nul n'ignore, en l'occurrence, le manque de pertinence.

Paradoxe qui situe le retard du travail critique en regard de la production : voici sept ou huit ans que Viallat ne cesse de questionner la peinture, d'en travailler le corps, non l'image, de l'analyser dans ses composants, notamment les moins envisagés jusqu'ici : les supports. Avec Dezeuze et Saytour il en fait une critique radicale à partir de la (dé)construction du tableau, mettant en cause pratique et théorie, rompant avec une tradition plusieurs fois centenaire.

Dans cette approche d'ensemble de la production d'un peintre disposons nos interrogations. A quels matériaux recourt-il? Quelles transformations cette «matière première» subit-elle? Comment se répartit-elle dans l'espace? Ce travail est-il tributaire du temps dans son développement? Quelles relations entretient-il avec les théorisations, les politiques, d'un mot avec le contexte socio-économico-culturel? Interrogations qui exigent des coupes historiques et synchroniques de ce corpus que l'œuvre constitue. Déceler enfin les moyens de son unité à travers sa polymorphie. Dire sa/ses lectures.

Les procédés actuels de diffusion occultent autant qu'ils révèlent. Pour des besoins, dont nous n'avons rien à dire ici, une seule partie de la production de Viallat fut mise en évidence et l'on vit son nom s'assimiler à l'impression de formes répétées sur toile non tendue. Un regard au musée d'Art et d'Industrie de Saint-Etienne infirmera cette version : non seulement la toile et sa texture, fil, corde, nœud, filet, mais galets et bois roulés, papiers, lièges, treillis métalliques, sont supports d'empreintes. La forme, que nous avons vue privilégiée par l'information, y fait place à des traces allant de la teinture des nœuds à l'immersion complète du matériau-support dans un bain colorant, des empreintes de mains, de cordes, de filets. Autant d'opérations qui surprendront peut-être, mais dont les apparentes divergences se résolvent dans une analyse d'ensemble.

Nous reviendrons sur la (dé)construction du tableau. Ce qui apparaît immédiatement du travail de Viallat est un *marquage* par application d'un pigment sur une surface à l'aide de la main ou d'un outil. La teinture est posée à l'aide d'une éponge ou d'un pinceau; elle imprègne le tissu. Aussi bien le matériau-support, nœuds, filets... sera plongé dans le colorant liquide, ou dans une peinture qui, séchant, le raidira. La main marque, mais un fer qui brûle le support a le même usage.

Le matériau n'est pas transformé, dans le sens où l'on peut dire qu'il le fut chez Duchamp, le ready-made recevant une charge symbolique. Le processus de projection et d'identification permanent, à travers la catharsis aristotélicienne, dans toute histoire de l'art, est, dans le travail de Viallat, rendu impossible. La spécificité du matériau s'accentue, est mise en évidence, sans qu'intervienne la dérision ou la sublimation. Sa *manutention* ne lui confère aucun caractère particulier, ne lui ajoute qu'un travail, intervention de l'ouvrier, qui ne le sacralise ni le détériore. Une corde comportera des nœuds, des cordes deviendront un filet, tous usages sans artifices d'une corde, d'un fil, d'une fibre. Remarquons, si le travail du peintre s'accomplit sur un tissu, que celui-ci n'exige pas d'être présenté tendu dans/sur l'espace. Il peut retomber en torchon, tenu par un angle, plié, ou flottant...

Marquer un support au moyen d'un outil, avec un pigment monochrome, est manifestement un travail sans secret sacralisant, sans mystère, décelable au premier regard. Il refuse de mettre en malaise, d'invoquer l'anecdote, de produire des interférences esthétisantes. Il pose l'équation : le matériau plus le geste productif impliquent l'image, produit l'image de ce travail qui est la peinture. Résultat, trace, *accepté* par le peintre qui, de créateur inducteur d'un inconnaissable, devient ouvrier soumis aux moyens qu'il utilise.

Cette subordination au processus d'exécution exige d'admettre les accidents, bavures, maladresses qui lui sont inhérents, étant l'image du travail producteur. D'autres agents s'y peuvent joindre. Ainsi à Anfo, en 1968 (1), Claude Viallat laissa aux orages d'été le soin de poursuivre son travail en détériorant les formes d'une toile flottante en pleine rue. Outre les intempéries, la solarisation, le vieillissement, le feu, l'infiltration, le ruissellement, ou encore la capillarité, les ingrédients chimiques, l'imprégnation avec déperdition en superposant les toiles, autant de moyens laissés à l'éventuel pour marquer les supports.

Viallat dispose ainsi d'une syntaxe extensive à partir d'un vocabulaire réduit. Celle dont les instruments viennent d'être énumérés, celle aussi que créent les relations entre la toile, sa texture, sa couleur et les teintures qui l'imprègnent partiellement ou en totalité. La toile crue, blanche — d'un blanc qui n'est pas neutre (2) — sert souvent de champ sur lequel se marquent les formes. Inversement celles-ci, en réserves, apparaissent sur un tissu teint. Actuellement prédominent les toiles entièrement colorées.

La relation au temps, chez Claude Viallat, est bivalente selon qu'on envisage la temporalité dans ses effets matériels : éléments transformateurs du travail premier sur lequel son intervention (au moyen d'agents : soleil, pluie, réactions chimiques, etc.) ajoute une nouvelle intervention aussi recevable que la première. Ou selon qu'on perçoive le temps comme durée, sous-tendant une évolution de l'œuvre vers un mieux idéal, modificateur de la proposition productrice, capitalisateur de nouvelles valeurs. S'il accepte que le temps change, mute la couleur et modifie son support, Claude Viallat exclut la notion de progrès : l'équivalence des travaux, image d'un travail quelconque, donc de tout travail, ne saurait privilégier partiellement une production dont tous les éléments sont, qualitativement, égaux. «Chaque toile, dira-t-il, est *en soi* fin et commencement, s'opposant, se complétant, se modifiant, chacune étant acceptée dans les qualités qui sont son évidence et qui la définissent et la proposent.» (3) Toute l'œuvre est *actuelle,* non *datable.*

Cette précision, qui inverse fondamentalement ce qui s'écrit sur l'art et sur son interprétation, doit précéder toute description, des travaux de Viallat, établie selon leur ordre d'apparition. Rien n'y échappe à la totalisation permanente : un travail ne s'ajoute point à une sommation antérieure, en quelque sorte lui appartenant déjà, tous travaux à venir y étant implicitement inclus, puisque tout «résultat (produit du travail), à partir du moment où il s'inscrit dans le champ de la peinture, est une image qui est celle du travail qui la produit». Production rayonnante, en étoile, et non linéaire. Intransitive.

La toile marquée d'empreintes, formes asymétriques sans contenu anecdotique, apparaît en 1966. Produit d'une réflexion sur le tableau, d'un questionnement de/sur la peinture. Support séparé du châssis, le tissu, ainsi mis en situation, entraîne une critique essentielle de la tradition. Celle de la perspective, il va de soi. A la «fenêtre ouverte» impressionniste, à l'espace de la toile des abstraits, s'oppose un espace de l'objet dans l'espace réel. Tout et partie d'un tout. Celle du dessin en conflit avec la couleur, dualisme et dichotomie qui cessent; l'empreinte n'étant ni l'un ni l'autre, étant l'un et l'autre : elle se délimite par sa propre marque. Sans laxisme, la couleur ne se résolvant pas en complaisance, en défoulement lyrique. Cette empreinte occupe, sur un unique plan non rigide, la totalité de la toile, la déborde, n'en privilégiant aucune partie, s'attestant fragment d'infini.

Dès ce moment, avec Daniel Dezeuze, puis Patrick Saytour, Viallat dresse l'inventaire des supports dans leurs composants, les met en cause dans leurs contrastes et leurs oppositions. Il les objectalise, affirmant la matérialité d'une production qui n'est plus un tableau mais un matériau ayant reçu un travail. Toute esthétique spiritualiste est évacuée. Avec elle, disparaît le tableau de chevalet, objet sacralisé, bourgeois, muséal, bancaire.

La toile est le résultat d'un tissage. La corde (réunion de fibres, de fils) sera donc l'un des éléments du lexique qui s'établit. Scandée de nœuds qui la marquent, que redouble leur coloration. Le croisement des cordes va donner le filet, leur entrelacement, des tresses, des nattes. Elastiques ou non, selon qu'elles sont de caoutchouc ou de chanvre. Points dans l'espace, les nœuds, les lignes, les cordes, matérialisent son occupation. Viallat s'en explique, «un point sur un espace compose cet espace. Un espace quelconque, un point quelconque. Chaque point sur chaque espace conditionne cet espace, chaque marquage, chaque élément de l'espace. L'espace lui-même est conditionné par sa mise en évidence.» Mais les cordes et filets peuvent aussi, porteurs d'un pigment, devenir «marqueur» et la toile conserve leur trace.

Le support, à travers ses avatars, s'il garde sa matérialité, perd sa cohérence. Toile, châssis, apprêt (et cadre qui l'isole) effritent leur personnalité au cours de l'analyse. Mais le marquant persiste. Nous le retrouvons dans les travaux les plus récents produits simultanément avec ceux déjà énumérés. Des matériaux non industrialisés lui servent de révélateurs : bois roulés et galets. L'outil médiateur disparaît : c'est la main qui marque; son empreinte assume la totalité de la trace, la totalité du travail.

Viallat va aller au-delà de cette absence de médiat. Eliminer cette intervention dernière. Le tissu, le filet seront plongés dans un pigment épais : leurs formes deviendront celles que la pesanteur leur impose et, rigidifiés par la couleur qui les enduit, ils recomposent une nouvelle série analytique où support et marquant se confondent, s'annulent. La matérialité est sans équivoque. La peinture n'est plus le résultat d'un travail mystifiant, ne crée plus une somme de profondeurs qui laisserait à l'esprit du spectateur un libre «vagabondage», elle s'affirme, physiquement, objet autonome échappant à toute métaphore.

La mise en cause du tableau n'est pas un épiphénomène. Un accident fortuit. Si elle s'appuie sur une praxis, elle la déborde. Point question d'une mode «comme» le marché de l'art aime en susciter. Pas davantage une «réduction» de la peinture à ses supports. Leur mise en évidence en cours d'analyse est conforme à la matérialisation du processus. Acquise, la rupture permet la génération de travaux sur le matériau, sur l'image. Image obligatoire, mais qui ne peut d'aucune manière être une fin en soi, mais résultat accessoire, mise en question et en réflexion.

Cette (dé)construction initiale s'articule dialectiquement sur une théorisation. Rien ne se produit hors un contexte où domine une idéologie. Si ces travaux précèdent mai 68, et, toutes proportions gardées, le préfigurent, ils ne le peuvent que par un accord de pensée, si l'on préfère une analyse commune, avec les étudiants et la base révolutionnaire de la classe ouvrière. Théorie, mais point théorisme. «La pratique d'une théorie peut seule la justifier. Cette théorie est un système en devenir qui doit tenir compte des diverses situations qu'il argumente, propose, et évoluer en fonction de celles-ci, sans verser dans une originalité compétitive qui ne peut qu'avoir un résultat inverse à celui recherché — simulacre de modernité — effet purement décoratif — au lieu de s'inscrire dans la modification d'un code social.»

Viallat tient ses textes pour partie intégrante de sa production. Ainsi que les dessins, projets, fiches, photos de réalisation, refusant de privilégier des travaux relativement à d'autres. Exigeant qu'on les perçoive dans leur globalité. Leur somme n'étant pas un spectacle en soi, mais — pour le peintre — le travail dont la compréhension et le sens se doivent établir dans «la prise de conscience complète de tout ce qui les produit et travaille à leur existence en luttant contre une société qui les détourne et les édulcore continuellement pour mieux les assujettir».

L'élaboration du discours théorique est directement issu de l'empirique. Il repose, au-delà d'une transgression, qui serait encore une valorisation de l'idéologie, sur un déplacement qui écarte l'idéologie, n'en laisse rien. Ainsi échappe-t-il aux chausse-trappes qui piègent tout discours dans l'idéologie. «L'histoire de l'Art jusqu'à nous, a été l'histoire des clivages qu'un type de fonctionnement social a imposé, pour affirmer son intelligence du monde et sa mainmise spirituelle sur lui. Nous essayons par notre travail et par la logique qui l'entraîne de faire peu à peu tomber ces barrières qui faussent notre compréhension et assurent les privilèges en instaurant les démarquages.» Pour évincer «l'épaisseur» non productive, dévier la pression idéologique, la mettre en échec, le peintre doit s'astreindre à annuler les automatismes qui s'instaurent dès qu'on cesse d'y veiller.

La pensée contemporaine substitue au problème de l'existence, celui du sens. Mais «le sens d'un signe, dit Barthes, n'est en fait que la traduction en un autre signe, ce qui est définir le sens non comme un signifié dernier, mais comme un «autre» niveau signifiant». L'un des intérêts des travaux de Viallat est la «mise entre parenthèse de la signification». La signification n'étant plus déchiffrage d'une production mais déséquilibre du système. La peinture devient un corps neutre, comme il en existe en physique; neutre mais capable d'interréactions en chaîne.

Peinture qui permet une multiplicité de lectures selon les axes qu'une sémanalyse a proposés. Traversée d'une théorie non dite, topologiquement travaillée, remettant en cause, sans finitude, les problèmes qu'elle implique et qui la conditionne.

L'élimination du châssis autorise non seulement ces nouvelles lectures, mais permet qu'elles s'articulent dans d'autres lieux que ceux dévolus jusqu'ici à la peinture : le salon bourgeois, la galerie marchande, le musée sacralisateur. La toile libre d'entraves, la corde, le filet, le cerceau de bois peuvent être présentés en tous lieux et le plein air leur est ouvert, si on ose dire. Notre propos n'est pas les manifestations tenues dans des lieux non élitaires depuis l'«occupation» du village de Coaraze en 1969 où les fondateurs de ce qui devint épisodiquement le groupe Supports/Surfaces exposaient pour la première fois : Dezeuze, Saytour, Viallat et Pagès (qui n'adhéra pas à Supports/Surfaces) s'engagèrent dans une série d'actions qui, à partir de 1970, devaient se répercuter à travers l'Occitanie, puis la France. Viallat en fut un des animateurs. Seul l'arbitraire d'un discours peut laisser supposer qu'il y ait ségrégation entre la production picturale et cette autre forme de travail. Ne s'en sépare également pas son enseignement (4), troisième volet d'un triptyque qui totalise l'ensemble des activités, des travaux coordonnés autour d'une même préhension du réel.

Ce que nous voulons retenir pour l'instant de la présentation de travaux de Viallat dans des paysages urbains ou ruraux, est son caractère de nécessité. Rien d'accidentel. Elle est en relation avec l'espace nouveau qui succède à celui des peintres impressionnistes, à celui des abstraits. «Si une toile est suspendue... les rapports signifiants-matériau qui les portent et les produisent, ne sont pas modifiés dans leur absolu, ils s'inscrivent dans le mouvement qui les incorpore et les particularise, au gré du rythme de l'espace qui la détient. Ainsi oblitéré, l'espace instaure entre les tissus, cordes, filets et les différents points du paysage qui les entoure un jeu visuel allant du plan de l'objet à l'infini et de l'infini au plan de la toile.» Ce travail va se faire directement sur l'espace (paysage) considéré non comme «motif», mais comme support de lectures multiples et non monoculaires. Les lieux «mis en condition» n'ont, par le fait, qu'une importance secondaire, mais la structuration, «l'arpentage visuel et mental» proposé, intervient en tant que géo-graphie. La «graphie» étant imposée sur une vision non figée.

«Exposer n'est plus s'exposer, c'est mettre un problème particulier en évidence, en question, en déséquilibre. Le peintre n'est que l'organisateur de cette mise en évidence. Le *sujet* est le travail, le résultat, l'image du travail. Le peintre n'est ni concepteur, ni créateur, mais un individu entre autres traversé par une époque». Le peintre reçoit en potentiel ce que l'humanité accumule depuis ses origines. Il en dispose selon ses moyens. Il n'est pas seulement l'héritier d'un fragment de civilisation, il n'est pas séparé, mais solidaire de l'historicité de l'espèce.

Les propos de Viallat situent en peu de phrases le lieu productif d'où se développent ses travaux. Un développement, non une évolution; une expérience, non des travaux expérimentaux. Leur totalité placée en marge du discours dominant, les «recettes» détruites, les «genres» abolis. Lieu «décentré», annulant la «représentation», «l'illusion-

nisme», hors «thématisation», animant une problématique matérialiste du procès de production.
Ainsi est repensée, non seulement l'idéologie, mais la matérialité même de la spécificité picturale. Démarche élémentaire et nécessaire. La rupture se produit alors, les lieux communs de la peinture détruits. Une démythification en résulte, non discursive, mais faisant violence aux paradigmes préétablis qui ne cessent d'engendrer les modes et les façons que nous voyons s'établir dans le champ de l'idéologie, sous d'apparentes réfutations. Car «penser la peinture dans ses moyens c'est la restituer dans la masse qui la produit et la transforme, résultat d'un travail qui participe à la transformation idéologique globale».

(1) Exposition en plein air, à Anfo (Italie) en août 1968.
(2) Mallarmé disait : «Le papier n'est blanc que si la feuille est vierge.»
(3) Extrait de «Fragments» de Claude Viallat, à paraître. Toutes les citations qui suivent ont la même origine.
(4) Claude Viallat a professé à Nice, Limoges et, actuellement, à l'Ecole des Beaux-Arts de Marseille.

Un peintre contemporain présente, à côté de ses fiches de travail, dont plusieurs ont été réalisées, des éléments de son musée imaginaire. D'emblée, la comparaison naïve et la reconnaissance d'identités suscitent plus d'énigmes que d'éclaircissements. Les «prises» de Viallat sont semblables aux galets préhistoriques à empreinte, ses cordes nouées en échelles font penser à des quipus d'Amérique du Sud, ses projections de mains sont comme celles qu'on peut trouver dans les grottes. Même si l'on dit avec lui que ce sont les mêmes gestes élémentaires qui sont à l'œuvre dans tous ces objets, même s'il en naît quelque sentiment nostalgique de l'immémorial ou l'évocation d'une régression préhistorique, on n'est guère avancé. Car, entre les deux séries, il y a justement le fossé de l'histoire — qui peut ici devenir un gouffre. Par-delà une ressemblance toute extérieure et somme toute fugitive, la coprésence ne fait que renforcer l'hétérogénéité, dite au demeurant par l'étiquetage et l'attribution. Viallat n'est pas faussaire en objets ethnographiques et ceux-ci ne sont pas plus de faux Viallat. C'est plutôt avec le comme et l'analogie suggérée que naissent les questions : qu'a-t-on voulu montrer et finalement qu'est-ce qui se montre?

Aussitôt s'ouvre une première piste : dans la juxtaposition de ce qui fut parure, objet de culte, trace du rite ou instrument de communication (même si en plus et en même temps il y a le fait de l'ornementation), et de ce qui ne peut se proposer bon gré mal gré que comme œuvre d'art, l'échange de place suggéré ne se fait pas sans dommage : l'œuvre de civilisation devient œuvre d'art, voire objet d'art, et l'œuvre d'art, sans pouvoir devenir œuvre de civilisation (l'innocence ne se retrouve pas), perd l'assurance de son statut d'œuvre. Chaque série devient, pour reprendre une expression de Robert Klein, parodie d'elle-même : «Toute chose placée dans un musée devient *ipso facto* parodie d'elle-même, mise là pour éterniser un geste désormais vide ou en porte-à-faux» (1). Geste effectivement vide du rite ou de l'usage perdus dont il ne reste que le document ethnographique ou l'objet d'art primitif; geste en porte-à-faux de la production artistique, dont il reste ce qu'on doit très précisément appeler un état, irrémédiablement intermédiaire, au terme d'un faire mais tout autant au début d'un autre. L'œuvre de civilisation tombe dans la parodie d'elle-même, et l'œuvre d'art, qui peut en être vue comme la parodie, se parodie elle aussi comme reste du travail. Mais par contrecoup, une démonstration s'opère : l'ébranlement du hiératisme de l'œuvre comme image parfaite et auto-suffisante et du hiératisme d'un objet destiné à d'autres fins qu'esthétiques fait apparaître deux caractères que la réduction de l'œuvre à sa présence occultait : le faire et le regard qui la constituent. D'un côté, elle peut être considérée comme le résidu d'un processus qui en lui-même peut valoir comme art, voire constituer sa propre fin (d'où la formule si souvent répétée de Viallat : «l'œuvre n'est que l'image du travail»). D'autre part, elle peut, selon le regard, être vue ou non comme art : on sait que ce fut exemplairement le cas pour les arts primitifs et les arts populaires et que, depuis Dada, cette démiurgie du regard s'est étendue jusqu'à nous mettre en face de mystères auxquels celui de la trans-substantiation n'a rien à envier. De ces deux éléments, le faire productif et le regard constitutif, l'objet n'est que le témoin plus ou moins défaillant, mais en tout cas bien présent : si du point de vue du faire et du regard tout peut être également art et non-art, seule reste finalement l'œuvre — au sens cette fois de la série des objets.

Si cette démonstration s'opère, il n'est pas certain toutefois que Claude Viallat la recherche. Certes, l'accent sur le faire, sur le travail de la peinture, est pour lui essentiel, ce qui, du coup, revalorise une notion d'habileté propre à l'exécution artisanale, mais on aurait du mal à trouver chez lui un jeu ironique sur le regard constitutif de l'œuvre. Si l'on reprend l'anecdote qu'il aime citer d'une toile de Cézanne qui aurait servi de porte à un poulailler, on s'aperçoit qu'il soutiendrait même tout le contraire, puisque, dit-il, «le Cézanne restait un Cézanne, de la peinture». Regard des poules ou pas, de l'amateur ou pas, c'était donc de la peinture, un Cézanne (2). On ne saurait dénier plus nettement la puissance du regard. Au demeurant, les choix de Viallat pour son musée personnel le confirment : on n'y trouve pas d'objets naturels non plus que d'objets quelconques promus magiquement au statut d'œuvre d'art, mais il se compose, d'une part, de peintures proprement dites, d'autre part, pour l'aspect qui nous intéresse plus particulièrement ici, de ce qu'il est convenu d'appeler de l'art primitif : parure indienne, quipu inca, bouclier africain, empreintes paléolithiques, etc. — mais curieusement pas de peintures préhistoriques.

Art primitif. Ici, il faut faire un détour; car l'expression est plus vite dite et plus immédiatement pertinente qu'aisée à expliciter. Des tableaux naïfs pas si naïfs et des œuvres de fous pas si fous aux masques nègres fabriqués à la chaîne et aux dessins d'enfants qu'on fait «s'exprimer», l'art primitif, sous toutes ses formes, est devenu une évidence culturelle à bon marché qui fait oublier sa reconnaissance difficile et tardive dans les dernières années du XIXe siècle. Bien sûr, on sait que le mot «primitif» signifie «qui naît le premier», qu'il renvoie à la source et à la souche, qu'il se trouve chargé de connotations ambivalentes puisque l'origine est aussi bien le plus rudimentaire que le plus vigoureux dans sa nouveauté. Mais, au-delà du dictionnaire, il faut considérer le contexte d'apparition de la représentation et du terme dans la deuxième moitié du XIXe siècle, lorsque l'histoire, la philologie et les théories évolutionnistes rendent possible un premier regard sur la diversité culturelle; considérer aussi les usages et fonctions de cette notion dans les domaines de la création artistique et de la critique d'art. Car la notion d'art primitif ne se forme pas aisément et elle n'apparaît pas tout de suite sous son nom. Elle se dégage lentement dans l'entrecroisement de plusieurs préoccupations différentes. Il s'agit d'abord de prendre en compte la diversité culturelle et spirituelle d'arts autres, que les progrès de l'archéologie et de l'érudition de ceux qu'on a appelé «les connaisseurs» mettent à jour : des arts antérieurs historiquement comme l'art égyptien ancien ou celui de la civilisation grecque géométrique, extérieurs géographiquement comme les arts orientaux ou moyen-orientaux, voire culturellement comme la production artisanale. Apparaît corrélativement le souci d'une caractérisation des styles qui gouvernent un type de production, d'ornementation ou d'époque. C'est Gottfried Semper qui, dans son ouvrage *Der Stil in den technischen und tektonischen Künsten oder praktische Aesthetik* (1861-1863) inaugure ce type de recherche; il le fait comme un naturaliste classant des formes et sur des bases matérialistes privilégiant d'une part les fonctions élémentaires des objets, d'autre part les matériaux et les procédés propres à un état de développement des techniques. A l'opposé, d'un point de vue idéaliste et historiciste, critiquant Semper mais se situant par rapport à lui, des théoriciens comme Riegl et ses élèves feront appel pour rendre compte des styles d'ornementation aux modalités esthétiques de la vision du monde propre à une époque : c'est ainsi que Riegl, dans ses *Stilfragen* de 1893, dont le sous-titre est «Fondements pour une histoire de l'ornementation» (3), introduit le concept de *Kunstwollen* — volonté artistique ou vouloir d'art s'exprimant dans un style. Ces recherches, Semper excepté, n'échappent pas à une vision évolutionniste, caractéristique de l'époque, qui cherche à inscrire les différentes formes de l'art dans une histoire rattachée à une origine et ordonnée à un développement (4). Ce mélange d'historicisme post-hégélien, de relativisme culturel timide et d'évolutionnisme contribue à produire l'idée d'une primitivité ambigüe où viennent se rejoindre et se confondre le primitif sauvage, les premiers hommes d'une recherche préhistorique balbutiante, l'artisan des civilisations antiques archaïques, le barbare de l'enfance gothique de l'art, voire très insidieusement l'enfant. C'est le schéma évolutionniste, permettant d'admettre la diversité sous la fiction d'une unité anthropologique en développement, qui assure l'unité apparente de ce rassemblement hétéroclite. Un ouvrage comme celui de Wilhelm Worringer sur l'art gothique *(Formproblem der Gothik,* 1911) est exemplaire de cet état de confusion : la volonté d'art de l'homme primitif (Worringer est un disciple de Riegl), ou du moins ce qui en est reconstruit psychologiquement, y est opposée à celles de l'homme oriental et de l'homme classique, pour préparer la description-reconstitution de celle de l'homme septentrional qui va produire le style gothique. Mais on s'aperçoit que le Grec ancien est, aux yeux de Worringer, un homme classique alors que l'homme septentrional reste un primitif, et que, d'autre part, la reconstitution de ces volontés d'art fait continuellement appel à nos propres intuitions psychologiques (par exemple à notre expérience du griffonnage fébrile), comme si nous pouvions réitérer en quelque sorte ces volontés, et donc comme si le primitif était encore en nous. Altérité rattachée à nous par une évolution, le primitif est en fin de compte toujours derrière nous et toujours en nous — ne serait-ce que sous la forme de l'enfant oublié. On retrouve l'identification plus ou moins avouée de la phylogenèse et de l'ontogenèse. Il vaut la peine de noter au passage que cette conceptualisation de la primitivité prépare une place de choix à l'interprétation psychanalytique, qui est d'ailleurs chronologiquement très proche : si l'autre est pensé comme origine, la présence de cet autre trouvera tout naturellement à être pensée comme inconscient (5).

C'est ce jeu de l'altérité et de l'origine qui fournit la clef des usages de la notion de primitivité. Qui s'intéresserait à une origine s'il n'y cherchait d'une manière ou d'une autre la sienne propre? L'idée de primitivité n'intervient jamais qu'à titre de préoccupation pour un présent dont elle doit assurer la justification, permettre la récusation ou favoriser le renouvellement par un retour aux sources. C'était bien ainsi que fonctionnaient déjà les spéculations des philosophes du XVIIIe siècle sur l'état de nature et le premier homme : non pour savoir ce qu'il en avait effectivement été mais pour justifier, par type ou contre-type, ce qu'il en était ou devait en être. Dans *La maison d'Adam au paradis* (6), où il est, entre autres, question de Semper et Riegl, Joseph Rykwert montre comment le mythe de la première hutte, de la cabane primitive, a pareillement toujours joué dans l'histoire de la pensée architecturale comme modèle prospectif de la bonne habitation. C'est pourquoi encore les expressions de primitif, de primitivisme, d'art primitif jouent chez les peintres comme des catégories floues indiquant selon les contextes le lieu du travail et les lieux du refus. Deux exemples. D'abord Gauguin. Sans parler du fait qu'il part pour de bon faire le primitif, quand il évoque les arts primitifs, il englobe sous ce terme l'art des Marquises avec son sens de l'ornementation pleine, celui de l'Egypte ancienne ainsi que les dispositions enfantines au jeu, à la gaieté et à la simplicité et c'est pour, à partir de là, récuser la vérité de la perspective et affirmer la liberté de la couleur — ce qu'il appelle son «art de papou» (7). De même Matisse : il range pêle-mêle parmi les primitifs «les Egyptiens hiératiques, les Grecs affinés, les Cambodgiens voluptueux, les productions des anciens Péruviens, les statuettes des nègres africains proportionnées selon les passions qui les ont inspirées», sans oublier ailleurs pour faire bonne mesure les primitifs italiens, les miniatures persanes et l'art populaire. Ce thème lui permet d'en appeler à la force de l'émotion et surtout à l'expressivité de la couleur libérée du statut de complément du dessin et de la description sautillante de l'impressionnisme (8). Il ne faudrait pas en déduire que finalement les primitifs se trouvent simplement réduits à l'état de source. Encore une fois, l'idée de primitivité est historiquement circonscrite, contemporaine de la crise commençante des certitudes européennes, même si elle se présente éventuellement comme une manière oblique de les renforcer par l'évocation de l'élémentaire, de l'inférieur et du rudimentaire (9); dans le domaine de l'art, elle est solidaire de l'émergence d'un anti-académisme de principe qui neutralisera à terme le phénomène d'avant-garde en le généralisant, et elle y fonctionne comme source d'un recommencement, lors même que l'art est mort ou plutôt qu'il n'en finit pas de se savoir mourant (10).

Ce détour nous permet de comprendre la fonction générale du primitivisme, et surtout d'en déterminer la portée aujourd'hui, quand il ne peut plus jouer avec la même innocence ni avoir la même charge exotique. Avec le déplacement et l'élargissement continuels des idées de production artistique, d'artiste, d'œuvre et de regard, la notion d'art n'a cessé de s'assouplir et de conquérir de nouveaux domaines contre le hiératisme de l'œuvre renaissante parfaite. Mais, du coup, le primitivisme est devenu le plus souvent un simple lieu commun sans fonction polémique ni productrice, trouvant sa place dans le musée imaginaire ou, au mieux, devenant objet de commémoration.

Qu'en est-il, dans ces conditions de ce que propose Viallat? Son choix réunit des objets appartenant à des aires culturelles très différentes : quipu inca, bouclier touareg, parure d'Indien d'Amérique du Sud, capitelles celto-ligures, galets préhistoriques, et même une toile à usage agricole couverte de reprises. On n'est donc pas très loin des usages du XIXe siècle et même, en inscrivant *de facto* le paysan dans la série, Viallat suit encore la tradition; comme le signale en effet Joseph Rykwert, «jusqu'à la fin du XIXe siècle, on considérait le paysan comme une manière de «primitif» à qui ses habitudes simples et son contact direct avec la terre et les animaux garantissaient une vision des choses plus instinctive, plus «vraie» (11)». Il faudrait rappeler à ce sujet encore que les peintures préhistoriques «figuratives», en particulier celles des grottes d'Altamira découvertes en 1879, passèrent d'abord pour l'œuvre d'habitants de la région et même de faussaires tant il était difficile dans une perspective évolutionniste de considérer l'homme préhistorique tailleur maladroit de silex comme aussi un producteur d'images. Et Viallat présente des empreintes préhistoriques, pas des images... Si l'on va plus loin dans l'examen, apparaissent les éléments communs à ces objets : des faires ou des gestes élémentaires comme nouer, tisser, coudre, teindre, empreindre, des conduites élémentaires comme se protéger, marquer, délimiter, orner, parader, des matériaux premiers comme la pierre, la fibre, le bois, le cuir, la corde. Panoplie de l'homme naturel plus vrai que culture, état de pure nature de la culture. Impossible de ne pas penser alors à Semper dont on finirait par croire qu'il s'était trompé de siècle : pour lui, toute fabrication humaine était d'abord le résultat d'un besoin (physique ou transposé symboliquement) et conditionnée par le matériau et le procédé. Il distinguait quatre faires élémentaires ordonnés à quatre conduites élémentaires : l'entrelacement et le tressage des fibres pour délimiter, tisser des barrières, l'ajointement du bois pour assembler, le moulage de la poterie lié à l'installation d'un foyer, l'entassement en hauteur qui mène à la maçonnerie. Gestes à la fois utilitaires et symboliques impliqués dans la construction de la première hutte, de la première installation et de la première partition de l'espace. Il insistait encore sur la priorité logique et chronologique du tressage et du tissage, dans une séquence allant de la fibre au fil, du fil à l'entrelacement et au nœud (l'objet utilitaire et symbolique par excellence), ce qui le conduisait à soutenir la priorité de la teinture sur la peinture, la première «peinture» ayant dû être un tissage, l'entrelacement de fibres teintes disposées en motifs géométriques. Etonnant rapprochement à un siècle de distance, où le symbolisme ne serait pas oublié puisque pour Semper, le faire est toujours déjà ornementer dans une sorte de simulation des lois cosmiques inintelligibles qui sont pour ainsi dire mimées-dominées dans l'objet.

Malgré la séduction du rapprochement, y a-t-il plus que la poésie du comme? Car, une fois que nous aurons dit que Viallat aussi fait des empreintes et des nœuds, qu'on retrouve chez lui la séquence fibre, fil, corde, tresse, tissu, teinture, peinture, qu'inlassablement il délimite et marque l'espace, que ses bannières sont aussi des barrières, entre le primitif et Viallat faisant le primitif — et déjà dans la présentation de dessins, études et projets plutôt que des objets correspondants, il y a l'indice d'une distance —, il restera encore et toujours le même fossé de l'innocence impossible.

Alors, peut-être faut-il faire un pas de côté et se demander si tout ce qui, dans la production de Viallat, rappelle directement des productions primitives, ne serait pas un simple mime, une «parodie» pour reprendre le terme avancé au départ, dont les effets pertinents seraient à chercher dans sa peinture proprement dite, dans ses toiles, où des éléments primitifs seraient réemployés mais dans leur rapport à la modernité. Ce que nous suggérons par là, c'est la nécessité de distinguer entre faire le primitif et inscrire certains aspects du primitivisme dans une peinture dont le rapport essentiel est d'abord celui à la peinture. Auquel cas, les projets de Viallat auraient le statut d'indice par rapport à ses toiles où les apports du primitivisme seraient à la fois plus opérants et moins évidents.

Viallat a écrit un jour que son travail était «nombreux et spiralé». L'étrangeté de la formulation fait aussi sa justesse. Travail nombreux effectivement, toujours le même et jamais le même, l'un dans le multiple et le multiple dans l'un; travail spiralé, c'est-à-dire revenant inlassablement sur lui-même mais jamais au même endroit, dans une répétition interminable où la petite différence fait chaque fois la nouveauté. Travail *immense* qui n'a ni borne ni mesure, mais des points d'ancrage à partir desquels il peut se déployer. D'abord cette empreinte indéfiniment reproduite. Empreinte, palette, fève, éponge, peu importe ici le nom qu'on pourrait lui donner et sur lequel on pourrait broder, pourvu que l'on s'arrête à sa non-signification tranquille (12) : elle tient à son unicité, à la monotonie de son retour qui n'est même pas celui du signe obsessionnel d'une écriture réduite à un caractère; elle tient très vraisemblablement aussi à ses qualités de *Gestalt*, de bonne forme : de ce point de vue, même si c'est par hasard, Viallat a fait cette découverte qu'appelaient tous les artistes préoccupés par l'usage de formes sans référence, celle d'une forme ni géométrique ni organique (13). Motif unique, forme solitaire d'un stock de formes qui se réduit à elle, elle permet d'occuper l'espace, de produire sur la surface les différences neutres permettant à la couleur de jouer sans menacer la platitude de cette surface et sans mettre en jeu l'effet mystique du monochrome. Autre point d'ancrage : l'hétérogénéité bien ordonnée des supports qu'utilise Viallat; pourvu qu'ils aient déjà eu un destin qui ne les vouait pas à devenir support de la peinture, ils ont ce qu'on pourrait appeler une sorte d'indifférence accidentée : draps usés avec leurs broderies et leurs pièces, nappes, toile neuve mais déclassée pour accrocs, rideaux réformés, chemises d'hôpital mises au rebut, bâches déposées des terrasses et auvents après trop d'intempéries et déjà beaucoup de reprises et réparations, tombées de bâche neuve, de couleurs différentes maintenant montées ensemble. Supports qui ont fini leur première vie pour entrer dans une nouvelle et dont Viallat accepte tous les accidents : formats, broderies, pièces, reprises, teintes passées, jaunissements du temps, du soleil, des intempéries, diversité des propriétés physiques par rapport à la couleur — embus, capillarité, empesage, plus ou moins forte perméabilité, coulures, bavures, à peindre ou à teindre selon l'épaisseur.

Ce travail infini, où chaque pièce n'est qu'un état d'une production fluide dont elle témoigne sans la récapituler, ce travail pour lequel toute surface est bonne à prendre/bonne à peindre pourvu qu'elle n'ait pas été académiquement destinée à cela, libéré des soucis de la représentation, peut-être maintenant pouvons-nous y reconnaître la présence des valeurs formelles de la primitivité. Dans un article sur les critères d'accomplissement dans l'art médiéval (14), Gombrich suggère qu'on pourrait caractériser l'art primitif en général par le réemploi d'un stock de formes stylisées, en ajoutant que «dans la mesure où la reconnaissabilité des symboles n'est pas compromise, où le signe reste un signe, des prédilections primitives peuvent se donner libre cours» (15). Là où on ne demande rien ni du côté de représentations crédibles ni du côté de la composition, poursuit-il, des valeurs purement formelles se retrouvent libérées : l'usage pur de couleurs précieuses et l'élaboration ornementale. Comme nous l'avons vu, dans les premières spéculations sur la primitivité, pour confuses qu'elles aient pu être, c'est le thème de l'ornementation qui venait le premier, et chez des peintres comme Gauguin et Matisse, la référence aux primitifs était liée à la revendication de la liberté ou de l'expressivité de la couleur. A titre de contre-épreuve, on constate qu'un «connaisseur» comme Berenson, pour qui la peinture ne peut pas être autre chose que l'éveil de l'imagination tactile à partir d'une surface organisée par des moyens perspectivistes, caractérise tout art auquel font défaut la dimension tactile illusionniste et la composition comme pure décoration colorée : «la ligne qui n'est pas fonctionnelle est pure calligraphie et la couleur en elle-même peut au mieux tacher une surface joliment» (16).

Ce sont finalement ces valeurs formelles du primitivisme qui sont en jeu dans la peinture de Viallat : l'usage flamboyant de la couleur et l'élaboration ornementale. Elles opèrent sous la condition du motif inlassable d'une empreinte qui assure la différence de la couleur et la reconnaissabilité d'un motif (et un motif peut être, surtout en art, un prétexte), sous la condition aussi d'une composition à la fois présente et absente, c'est-à-dire réduite à sa plus «simple» expression, qui décharge le peintre de son souci. Jusqu'il y a peu, un programme simplifié de parcours de la surface tenait lieu de composition : d'un haut arbitraire à un bas et de gauche à droite, avec la contrainte de l'espace au sol de l'atelier. Le recours depuis lors à une sorte de précomposition du support au stade de l'assemblage par le fabricant de tombées de bâche montées ensemble ou par l'utilisation des pans prédéterminés par les coutures des auvents ou des chemises récupérées, assure une détermination aléatoire du compartimentage de la surface qui est, pour le peintre, le maintien et la proposition d'une composition qui n'est ni la sienne ni immuable. Accidents du support, hasards bien tempérés d'une composition toujours déjà là : un peu comme les peintres préhistoriques pouvaient utiliser les potentialités de forme ou d'image de la paroi. A partir de là peut se donner libre cours la recherche de la couleur : mais il ne s'agit pas là non plus de l'arbitraire d'une couleur *recherchée,* puisque, de même que pour l'indifférence programmée du support et de la composition, Viallat fait jouer son habileté technique sur le tout-venant bien choisi des colorants industriels qu'on trouve chez le marchand de couleurs. La sophistication vient après : dans les effets accidentels provoqués, les mélanges, les interactions du support et de sa couleur avec celles qu'il reçoit.

Nous avons avancé le terme d'élaboration ornementale. Il ne s'agit, faut-il le préciser, ni de décoration, ni d'esthétisme. La constellation de significations à laquelle le mot d'ornementation appartient originellement non seulement ne peut laisser aucun doute mais renoue à peu près tous les fils qui ont été suivis jusqu'ici. L'ornement *(ornamentum),* c'est d'abord l'équipement, ce dispositif dont l'artifice vient démultiplier la force naturelle. Le mot se rattache à la racine *or, ar, er,* qui signifie l'emboîtement, l'articulation, le mode d'ajustement d'une chose à une autre, d'un ordre à un autre. S'y rattachent des mots aussi différents que «arme», les armes qui s'ajustent au corps, au bras (et la préoccupation de Viallat pour les boucliers?), «articulation» (*artus, articulus,* les membres, les doigts, les nœuds des articulations, du bois), «ordre» (*l'ordo,* c'est d'abord la rangée des fils dans la trame; ordonner, *ordiri,* c'est tramer, ourdir, tisser; l'ordre c'est aussi le rite : l'articulation des opérations exigées par la religion), et enfin «art» *(ars)* comme habileté acquise qui se surajoute, s'articule à la nature dans une activité non paresseuse (*iners,* sans métier, sans art, paresseux) (17). Ornementation, métier, art, activité incessante qui s'ajoute à la nature en lui articulant son ordre, en tissant ses fils et ses rites, en ourdissant sa trame : il se pourrait bien que Viallat fit moins l'Indien que l'Indo-Européen.

Resterait à dire l'essentiel, qui ne peut guère l'être : la puissance affirmative de cette peinture. On peut bien montrer — et on l'a fait — en quoi Viallat se situe dans la problématique de la modernité, dans l'héritage de Matisse et de la peinture américaine, dans le temps de la réduction/disparition du tableau illusionniste, confronter son travail à des recherches proches qui ont débouché sur des «solutions» différentes, comme le minimalisme par exemple (cf. la phrase de Judd citée en note plus haut). Mais pas plus qu'on ne peut parler de retour aux primitifs, on ne peut parler de Viallat en termes de déconstruction didactique et démonstrative inscrite dans une histoire qui se proposerait comme une partie de saute-mouton : une suite de problèmes à résoudre. Sa peinture n'a rien de réactif, elle est l'affirmation même (18). Les toiles de Viallat ne démontrent pas l'artifice du châssis, elles ne peuvent pas en avoir, elles ne traitent pas de la question ou du problème — comme on dit — des bords et des marges, elles s'arrêtent quand c'est plein, elles ne s'annoncent pas comme déconstruction de l'espace, elles le troublent, l'envahissent, en débordent avec une horreur du vide toute primitive.

Pour en revenir alors à l'énigme suscitée par les rapprochements trop clairs de cette section d'exposition, on pourrait dire maintenant qu'il y a chez Viallat deux usages du primitivisme : d'un côté, d'une manière trop évidente pour être convaincante — et Viallat est on ne peut plus rusé, ce qui convient assez bien dans le contexte sémantique du mot ornementation —, Viallat fait le primitif. Ce n'est pas une raison pour se laisser égarer sur la voie d'un pathos du premier homme, de l'élémentaire et du naturel à nuances écologistes. Mais, d'un autre côté, ce mime, cette simulation sont l'indice d'une reprise entièrement affirmative des valeurs formelles du primitivisme dans une peinture qui, «libérée des soucis de la reconnaissabilité et de la composition», sans être pour autant condamnée à dire compulsivement la mort de la peinture, peut donner libre cours à la couleur et à l'ornementation : au-delà du tableau, il y a toujours la peinture — ce que signifiait en son fond l'anecdote du poulailler où survivait quand même un Cézanne. A faire le primitif, on cache à peine qu'on en a retrouvé la conviction — mais ailleurs : dans la peinture.

(1) R. Klein, «Notes sur la fin de l'image» dans *La forme et l'intelligible,* Paris, Gallimard, 1970, p. 376.

(2) L'anecdote est précédée de la remarque suivante : «Chez Cézanne, il me parut important que la peinture y prenait le pas sur le sujet». Le lecteur naïf pourrait en conclure que, si les poules sont supposées ne pas voir le sujet, elles peuvent au moins voir la peinture — qui ne peut guère être ici que la couleur. Nous y reviendrons plus sérieusement par la suite.

(3) Le thème de l'ornementation abstraite, par opposition au naturalisme de la représentation, est indissociable de l'émergence de la notion de primitivité. Il faut à cet égard signaler que l'ouvrage de Worringer, *Abstraktion und Einfühlung,* écrit en 1907, qui oppose systématiquement un art primitif abstrait à fonction d'expression et un art naturaliste de la représentation, dans une perspective évolutionniste stricte qui lui fait dénier aux peintures préhistoriques le statut d'art, a connu un succès remarquable dans les milieux artistiques, en particulier chez les expressionnistes et les premiers peintres abstraits.

(4) Cette origine «primitive» est à la fois reconstruite conceptuellement et cherchée du côté de faits disparates empruntés à l'histoire, à l'ethnologie commençante, à l'ornementation artisanale, aux débuts de la recherche en préhistoire, sans oublier les expositions universelles ou coloniales.

(5) On peut dès lors penser qu'une grande partie de la critique d'art ayant pris la voie de la psychanalyse n'a fait qu'exprimer dans cet appareil conceptuel ce qui aurait pu l'être dans un discours prenant au sérieux la question de la référence à l'art primitif : en quelque sorte le régressif a pris la place du primitif. A quoi il n'y a en apparence rien de grave, jusqu'au moment où l'on réfléchit que la réduction des questions à ce qui n'est jamais qu'une problématique de l'intériorité — même sans sujet — mène au mieux à une psychologie des génies et des monuments de l'histoire de l'humanité, au pire à la biographie complaisante, en laissant échapper ce qui est de l'ordre des faits assignables d'une histoire de l'art. C'est pourtant une des maximes qui rendent possibles et l'histoire et l'histoire de l'art qu'on ne doit en appeler aux grands hommes que lorsqu'on ne peut vraiment plus faire autrement.

(6) J. Rykwert, *La maison d'Adam au paradis,* trad. franç., Paris, Seuil, 1976.

(7) Paul Gauguin, *Oviri, écrits d'un sauvage,* rééd., Paris, Gallimard, coll. Idées, pp. 158, 161, 171, 225, etc. Il s'agit de textes de 1895.

(8) Henri Matisse, *Ecrits et propos sur l'art,* Paris, Hermann, 1972, pp. 56-58, 199, 203. Le premier texte cité, de la main d'Apollinaire, est de 1907.

(9) En sociologie, le concept de primitif triomphera dans les années 20 : la plupart des ouvrages de Levy-Bruhl *(La mentalité primitive, L'âme primitive)* datent de cette période, qui est aussi celle de la plus grande désorientation.

(10) A cet égard, le couple pertinent de la fin du XIXe siècle est celui du primitivisme et de la décadence.

(11) J. Rykwert, op. cit., p. 18.

(12) A l'exception d'une signification bien présente : celle de la marque Viallat.

(13) «Une forme qui ne serait ni géométrique ni organique serait une très grande découverte» Donald Judd cité par C. Millet, *Textes sur l'art conceptuel,* Paris, Templon, 1972, p. 14. Les minimalistes, pour leur part, ont cherché la neutralité du côté des formes géométriques. A bien des égards, les marques minimales de B.M.P.T. entrent dans cette problématique.

(14) E.H. Gombrich, «Achievement in Mediaeval Art» in *Meditations on a Hobby Horse,* Londres, Phaidon Press, 1963, pp. 70-77.

(15) Ibid. p. 74.

(16) B. Berenson, *The Italian Painters of the Renaissance,* rééd., Londres, Collins, 1962, p. 61. Il s'agit d'un texte de 1896.

(17) Cf. *Dictionnaire étymologique de la langue latine* de Ernout et Meillet.

(18) Ceux qui font aujourd'hui de l'art de l'art ou de l'art sur l'art, que ce soit pour le déconstruire ou pour le reconstruire, les «réactifs», sont très précisément des maniéristes.

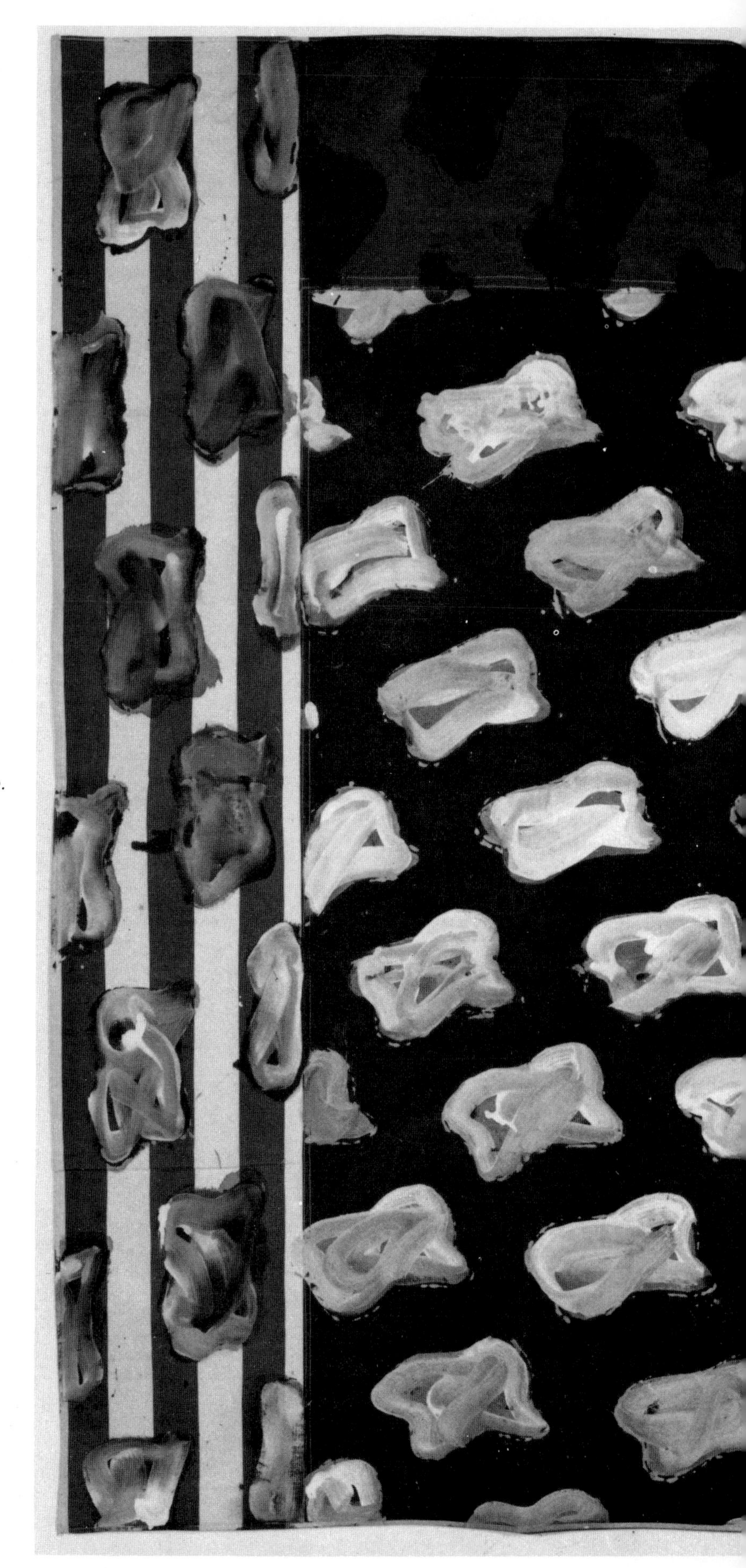

1980, Bâche imprimée avec fenêtre, recto-verso, acrylique.

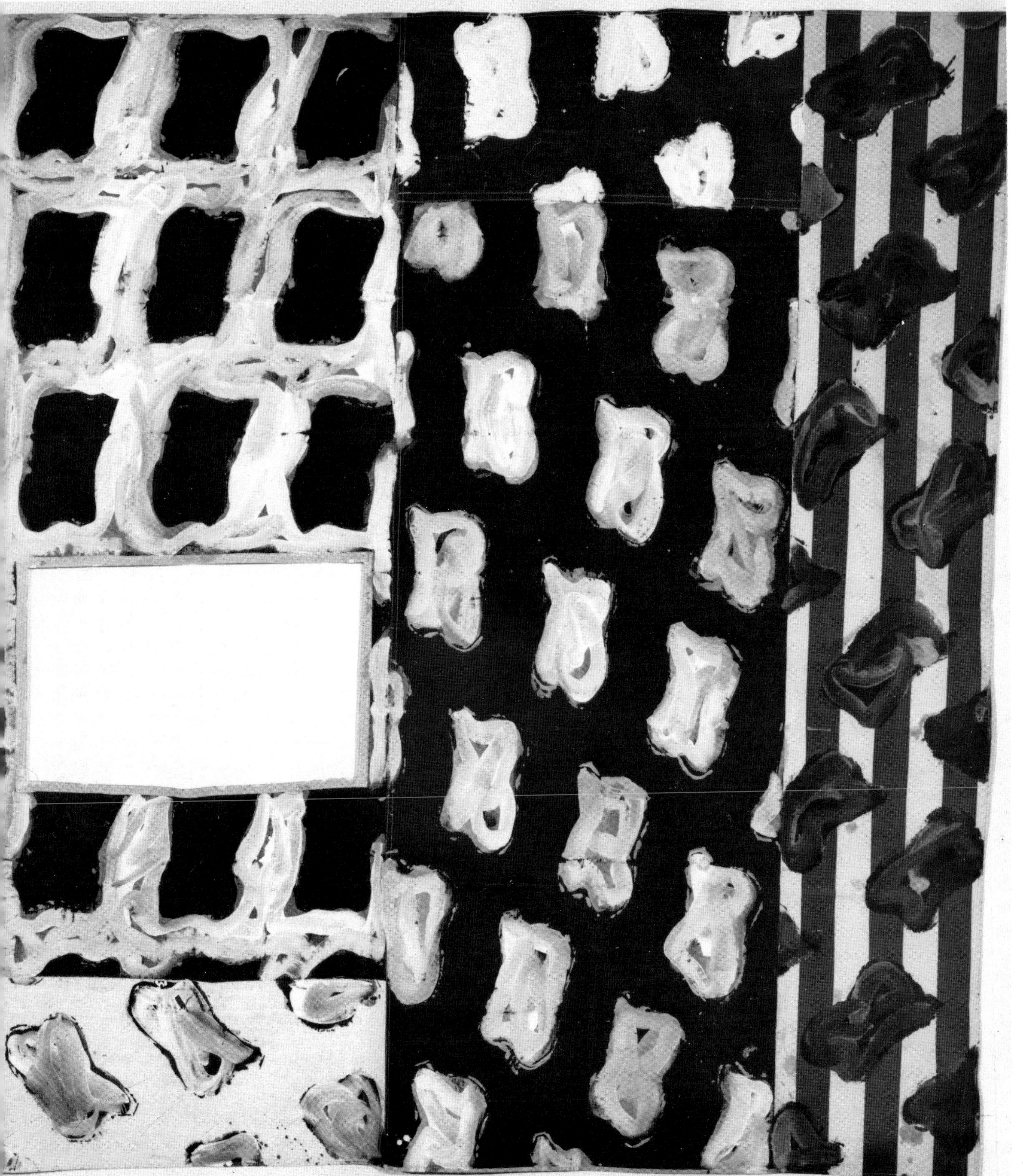

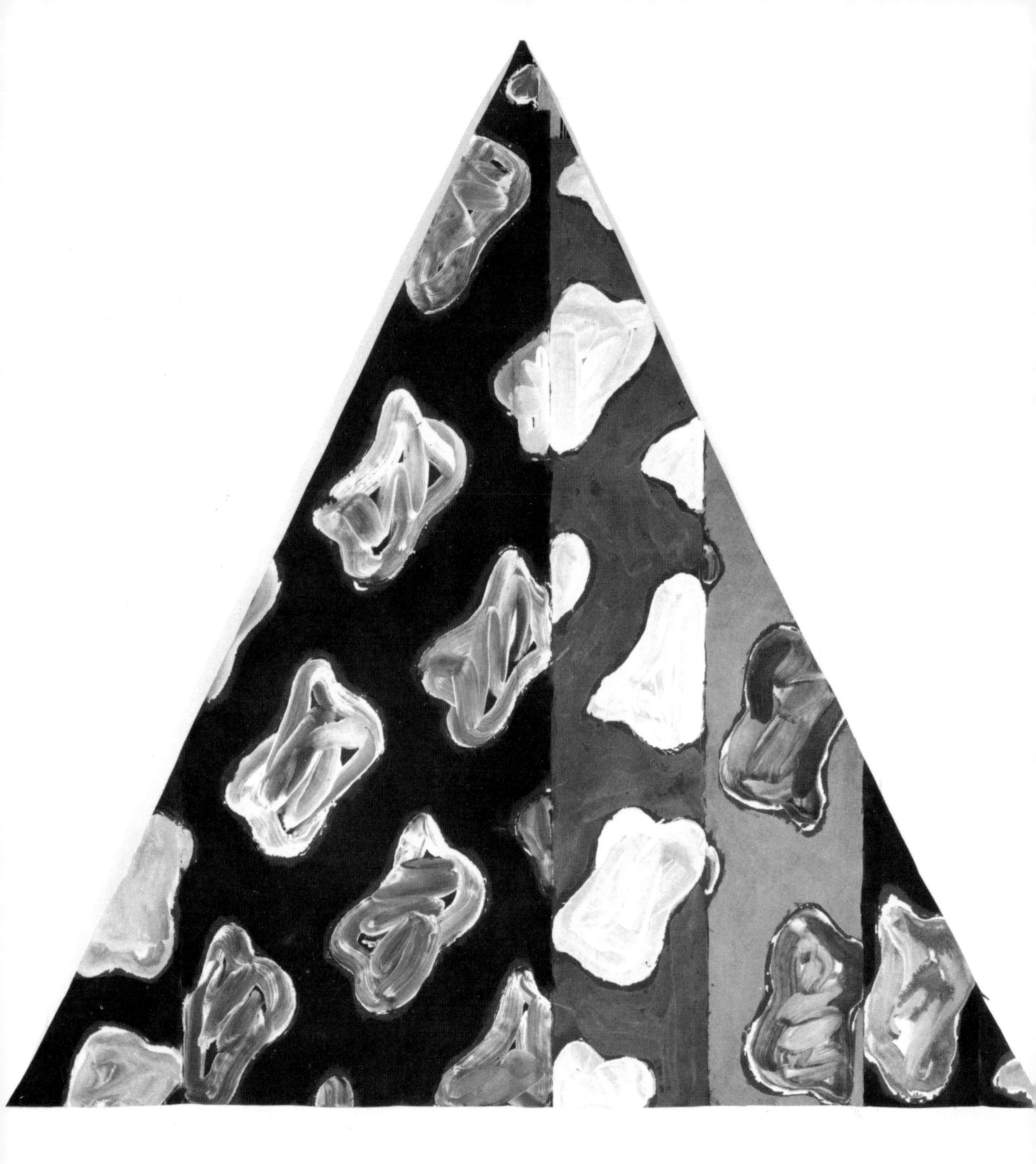

1981, Bâche, acrylique.

1981, Bâches, acrylique.

Rien de neuf ne peut se peindre qui ne détourne le regard et pose ses propres principes d'être.

Là où la modification avance il ne peut être question de retours ou de redites mais de placements autres, d'autres hiérarchies, d'autres stratégies. Les seuls caractères permanents devant être la mobilité critique et le questionnement actif.

Trop de contraintes sclérosent l'activité picturale depuis la mise en spectacle, jusqu'aux circulations. Chaque relation se devrait établir pour être mise en cause, créant ainsi une activité de relance permanente des idées et des gestes.

La peinture se parle avec une langue nouée et le langage qui la dit est en constants détours et en perpétuelles réinventions pour n'être que l'approximative image d'un débordement.

 1981, Housse de voiture, acrylique.

1981, Drap à jour et broderie, acrylique.

Jouer et déjouer la lumière, glissements de place en place, de forme en forme, de parois alternées.

Lire les lignes dans leurs courses et leurs ruptures, entrelacs et arabesques.

Ici la grotte nous enferme, espace clos dont la seule issue est mentale. Retour sur l'origine et la matrice, traversées de courants, de sensations d'idées énergétiques.

Dire l'abri et la latence, l'impondérable et en attendre toute énergie et dynamique.

Dans cet espace qui m'enclôt toutes fantaisies pressenties, souvenirs immémoriaux.

Redoublement ; la main portée laisse traîner son ombre.

Entre la main anonyme et la forme innommée, prendre à partie l'espace.

Etablir le réseau des possibles, en bannir l'illusion et tenir l'attention soutenue, flottante, non ancrée dans une certitude mais prête à tous les jeux kaléidoscopiques.

Garder la vision dans sa mouvance, dans son va-et-vient, dans toutes les surcharges qui peuvent l'affecter et en fortifier les échappatoires. Placement du corps dans sa confrontation pariétale, pleins et vides, espaces ou plans, formes contreformes, énumérations ou groupements. Laisser l'absolue mobilité rebondir jusqu'au vertige dans le tournoiement qui nous affecte.

Seule ressource, l'attitude, corps écarté et traversé.

Chaque déplacement en modifie la respiration.

Visage miroir, et peinture en reflet.

Traits brouillés de couleur méconnaissables.

Flaques, tâches, biffures, formes lâchées, débords, toujours l'autre perdu, cherché, jamais connu.

Quête suivie obstinément de quelle reconnaissance ?

Surtout ne pas être où vous êtes attendu, emporté de l'autre côté dans la démesure, sur cette face qui échappe et que le souvenir seul déforme et restitue.

N'est autre que la traînée d'un pinceau chargé de pâte, écriture et plissements, relief dans l'humide, le tour du poignet et la caresse de la main.

Rétrospectif, les heurts se modèlent et se modulent, l'enchaînement crée le passage et multiplie les sens.

Ici, tout a affaire avec quelque chose déjà, la sensualité avertie, décelée à peine, promesse d'elle-même seulement, mais répétée, insistante, forte de son entêtement.

Le regard ouvre le travail, l'éventaille et le découvre, le projette aussi pour lui-même, en lui-même, au-delà, déjà cette certitude.

Situation corporelle : ici se place et autour agit.

Champ de sol : le pas à faire et l'espace à redresser.

Ici redresse la muraille, plein sans creux, sans vide, et jeux pleins et vides, forme contre-forme, dessin, va-et-vient.

Avoir l'esprit clair et libre, le regard seul différencie.

Extrême leurre, extrême intervalle, tout se passe dans cet écart et la fausse innocence qu'il annonce ; le détour qu'il avoue.

Amplitude de la jouissance physique, brassage et écartèlement.

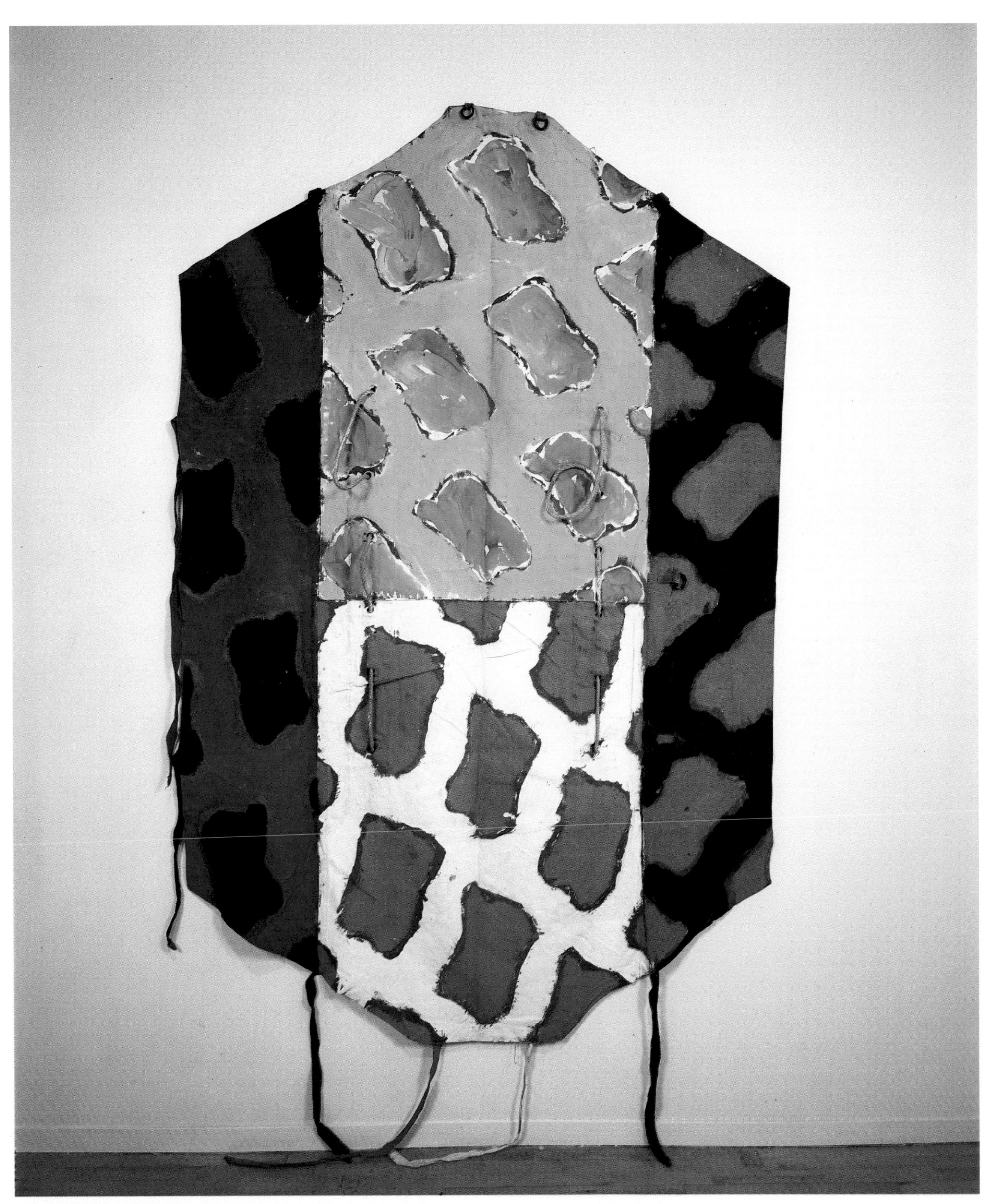

1981, Bâche kaki, acrylique, 265 × 180 cm.

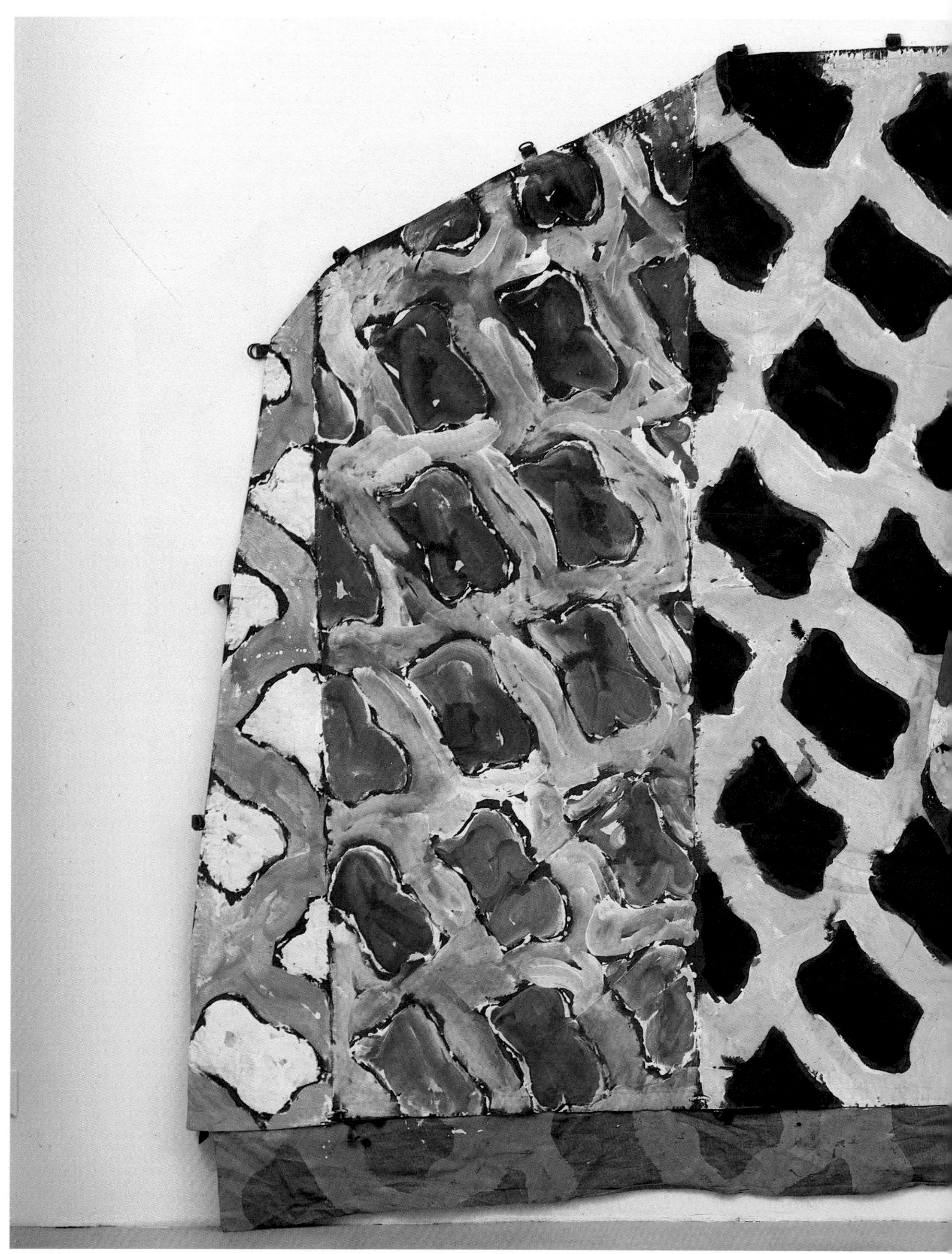

1981, Bâche kaki, acrylique, 320 × 475 cm.

mai 1981, Vue de l'exposition à la Ace Gallery, Venice, Californie.

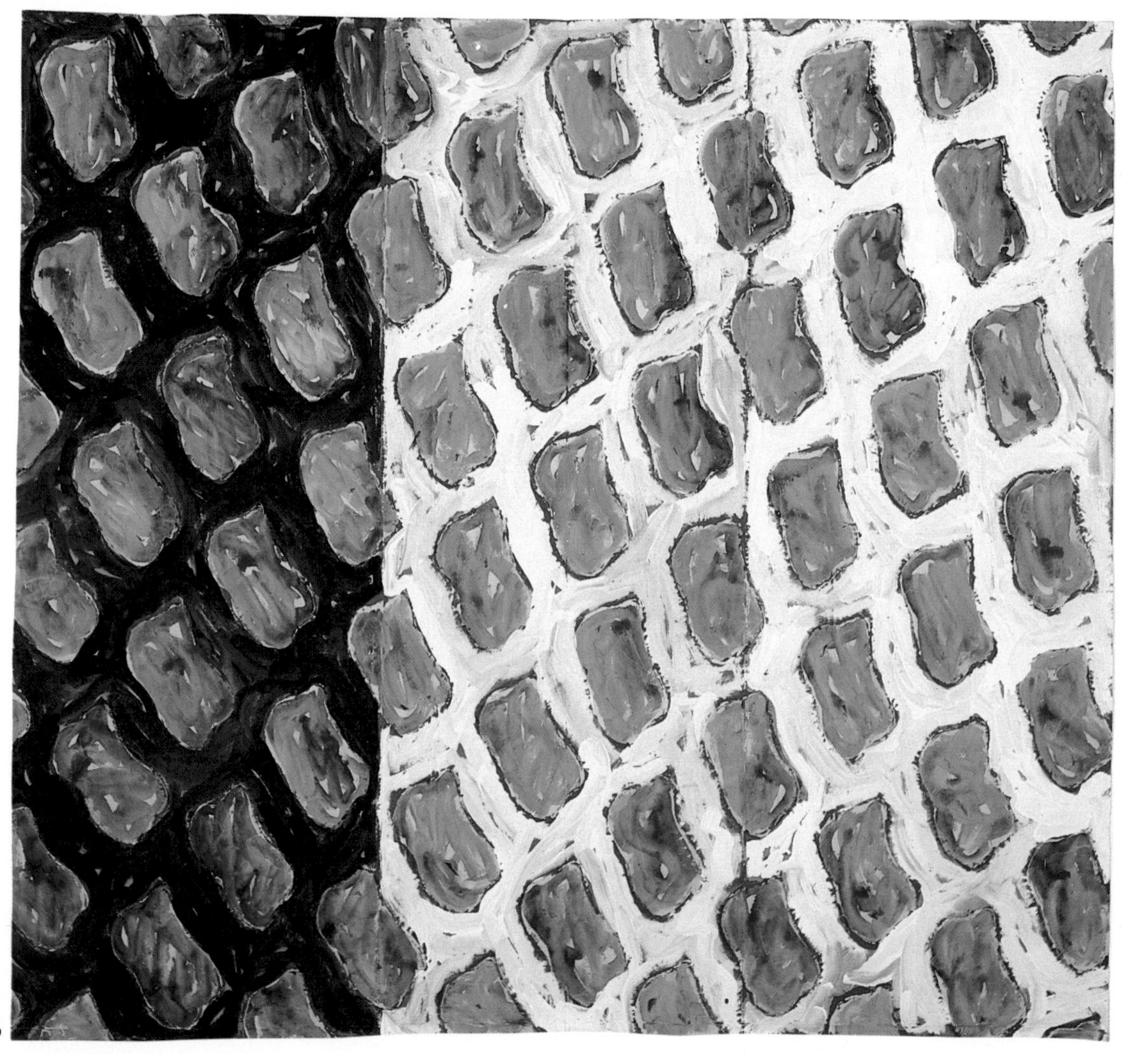

1982, Bâche, acrylique, 292 × 325 cm.

ÉLÉMENTS DE CHRONOLOGIE

c. 1957, Huile sur carton, Portrait de mon père.

c. 1957, Huile sur isorel, Portrait de ma mère.

c. 1958, Huile sur toile.

c. 1958, Huile sur toile de jute.

c. 1960, Huile sur bois.

c. 1963, Ripolin sur toile.

CLAUDE VIALLAT

1936

Né le 18 mai à Nîmes.

1955-1959

Etudes à l'Ecole des Beaux-Arts de Montpellier.

1959-1961

Service militaire en Algérie, ainsi qu'à Briançon, Marseille et Montpellier.

1962-1963

Etudes à l'Ecole des Beaux-Arts de Paris dans l'atelier de Raymond Legueult.

1964-1967

S'installe à Nice où il enseigne à l'Ecole des Arts Décoratifs.

1966

Première exposition personnelle à la galerie A, Nice. Commence à travailler systématiquement avec une seule forme et expose pour la première fois des toiles sans châssis.

1967

Obtient un poste de professeur à l'Ecole des Beaux-Arts de Limoges.

1968

Première exposition personnelle à la galerie Jean Fournier en mars. Expositions en plein air en Italie.

1969

Début des expositions à l'origine de *Supports-Surfaces :*
— à Paris à l'Ecole Spéciale d'Architecture avec Alocco, Dezeuze, Dolla, Pagès, Pincemin, Saytour;
— au Musée du Havre avec Cane, Dezeuze, Saytour;
— en extérieur dans le village de Coaraze avec Dezeuze, Pagès, Saytour, Valensi.

1970

Suite des expositions à l'origine de *Supports-Surfaces :*
— au FIAP à Paris avec Dezeuze, Pagès, Saytour, Valensi;
— pendant l'été dans douze lieux du sud de la France, le plus souvent en extérieur avec Dezeuze, Pagès, Saytour, Valensi;
— participe à l'exposition *Supports-Surfaces* à l'ARC, Musée d'art moderne de la ville de Paris avec Bioulès, Devade, Dezeuze, Saytour, Valensi.
Publie pour la première fois des notes de travail.

1971

Deuxième exposition personnelle à la galerie Jean Fournier avec une préface de Marcelin Pleynet.
Nouvelle exposition *Supports-Surfaces* à la Cité Internationale de Paris avec Arnal, Bioulès, Cane, Devade, Dezeuze, Dolla, Pincemin, Saytour, Valensi.
Viallat démissionne le 3 mai du groupe *Supports-Surfaces :*
«... Je préfère quitter le groupe plutôt que de participer avec réticence à une action qui ne me convient plus.» (1)
Il participe néanmoins à l'exposition *Supports-Surfaces* au Théâtre de Nice en juin.
Arnal, Bioulès, Cane, Devade et Dezeuze légalisent le titre *Supports-Surfaces* tandis que Dolla, Toni Grand, Saytour, Valensi et Viallat prennent position dans un tract commun. La scission est définitive.

1972

Accepte l'invitation à l'exposition *Douze ans d'art contemporain en France* au Grand Palais, Paris.
Participe à l'exposition *Amsterdam-Düsseldorf-Paris* au Musée Guggenheim.
Se rend à New York à cette occasion.

1973

En janvier, s'installe à Marseille pour enseigner à l'Ecole des Beaux-Arts de Luminy.

1974

Participe à l'exposition *Nouvelle peinture en France - Pratiques/Théories* inaugurée au Musée d'Art et d'Industrie de Saint-Etienne.
Exposition personnelle dans ce même musée.

1977

Exposition personnelle à la galerie Jean Fournier : *Les peilles.*

1979

S'installe à Nîmes où il est nommé Directeur de l'Ecole des Beaux-Arts.

1980

Réalise des peintures monumentales qu'il expose à l'Entrepôt Lainé à Bordeaux.
Vit à Nîmes, travaille à Nîmes et à Aigues-Vives dans le Gard.

(1) Publié in *Peinture/Cahiers Théoriques,* n° 1, Paris, juin 1971, p. 135.

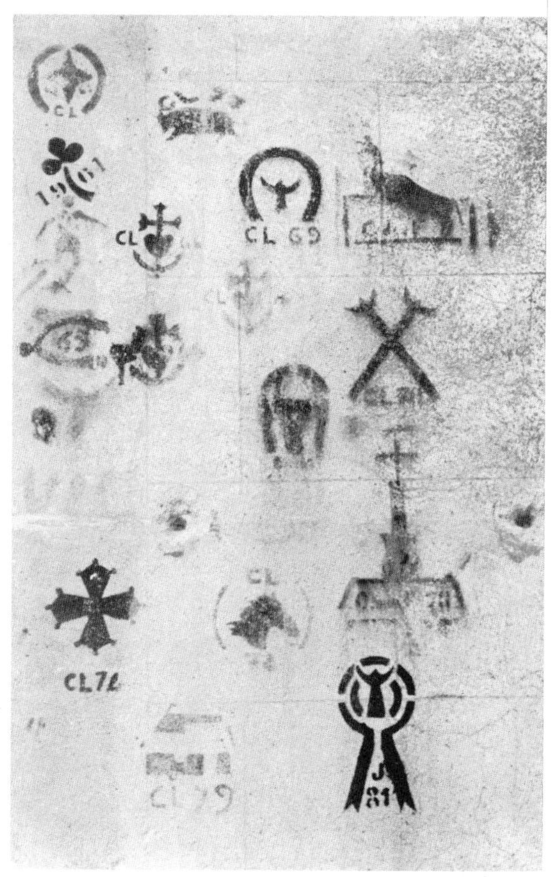

1981, Empègues traditionnelles. Mur à Aubais Gard .

Tous sens tendus par la concentration, corps plaqué au pourtour, muscles bloqués, l'homme regarde le taureau immobile au milieu de la piste.

Une détente et les espadrilles filent sur le sable décrivant une courbe parfaite.

Le taureau se retourne en entendant le pas et, dans un jeu de muscles roulant sous la peau noire, s'élance cornes basses.

L'homme évite le choc d'une torsion de buste et, plaçant le crochet de fer sur le frontal frisé, griffe gland et cocarde.

Le mouvement, un instant suspendu, se dénoue.

La respiration bruyante de la foule s'enfle en clameur portée par de multiples bouches.

La fluidité des formes s'accélère en élan et l'envol dans le saut porte à son paroxysme l'inquiétude exaltée, exhalée dans un cri.

Tout le poids du taureau s'écrase sur les planches, naseaux saignants, cornes tendues vers le corps abrité.

1980, Aubais.

1980, Aubais.

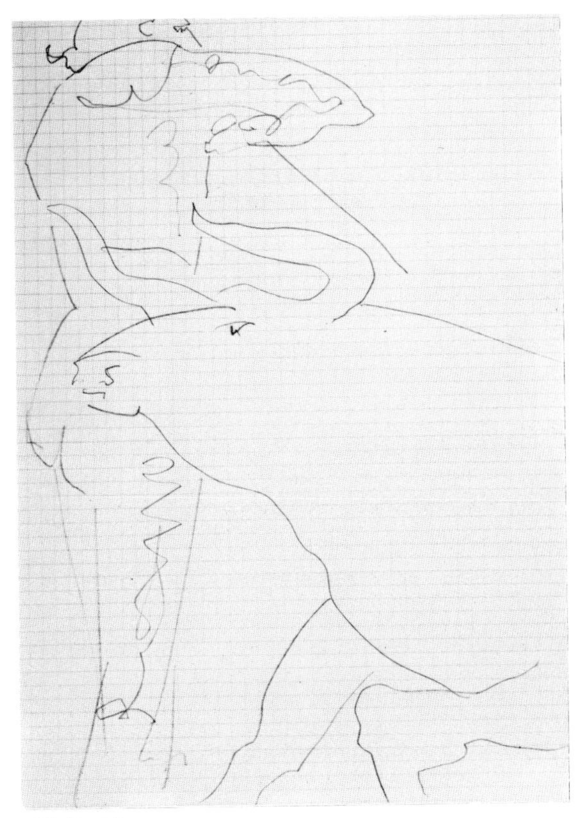

1981, Dessin.

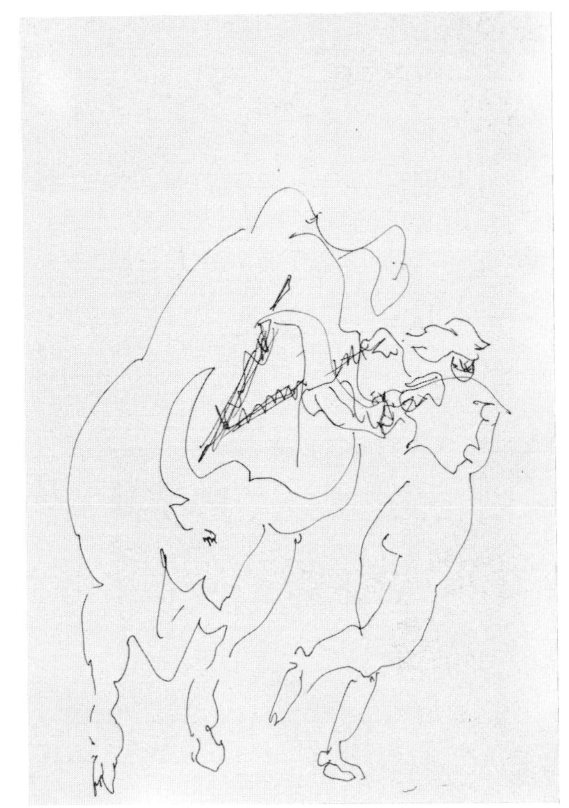

1981, Dessin.

1973, Aubais.

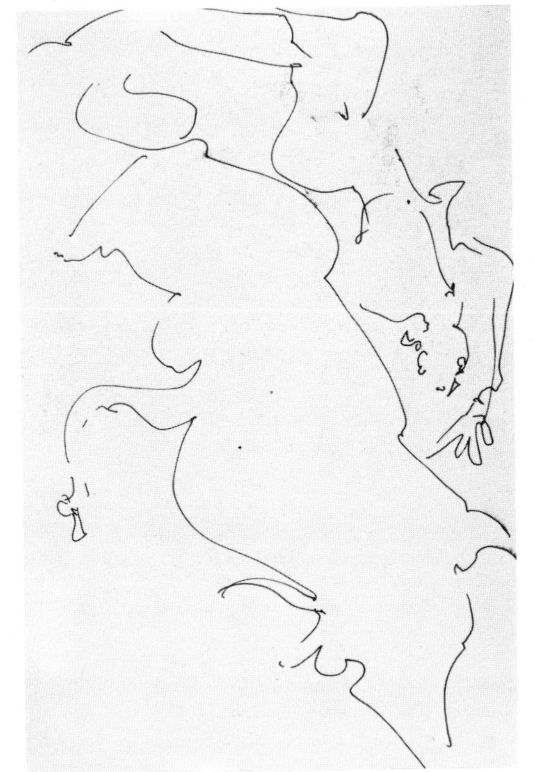

1981, Dessin.

EXPOSITIONS PERSONNELLES

1966

Galerie A, Nice, mai.

1968

Galerie Jean Fournier, Paris, 22 mars-20 avril.
Musée d'art moderne, Céret, 7 août-30 septembre.

1971

Galerie Jean Fournier, Paris, 17 février-13 mars.

1973

Galerie Jean Fournier, Paris, 8 février-12 mars.
Galerie Daniel Templon, Milan, octobre.

1974

Musée d'Art et d'Industrie, Saint-Etienne, décembre.
Galerie Delta, Bruxelles, 12 mars-18 avril.
Galerie Malabar et Cunégonde, Nice, août.

1975

Galerie Jean Fournier, Paris, 27 février-25 mars.
«Claude Viallat-Toni Grand»,
Galerie Athanor, Marseille, 2-16 octobre.

1976

Galerie A.16, galerie Le Flux, Perpignan, 4-28 février.
Pierre Matisse Gallery, New York, 16 mars-5 juin.
Palais des Beaux-Arts, Bruxelles, 30 mars-24 avril.
«Jean-Michel Meurice-Claude Viallat»,
Von Der Heydt Museum, Wuppertal, 11 avril-16 mai.
Galerie Daniel Templon, Milan, 6 mai-5 juin.
Galerie CM, Saint-Etienne, novembre.

1978, Vue de l'exposition au Musée d'Art et d'Histoire, Chambéry.

1980, Vue de l'exposition, entrepôt Lainé, Bordeaux.

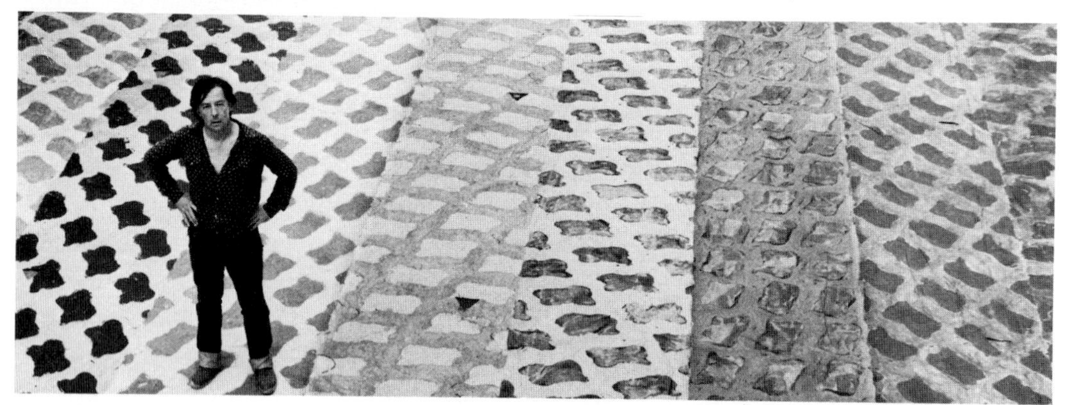

Août 1981, Aigues-Vives.

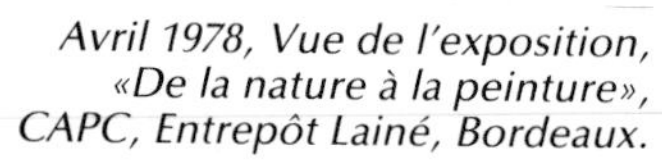

Avril 1978, Vue de l'exposition,
«De la nature à la peinture»,
CAPC, Entrepôt Lainé, Bordeaux.

1977

Galerie Jean Fournier, Paris, 9 juin-9 juillet.
Galerie Sanguine, Collioure, août.

1978

Galerie Arta, Genève, février.
Maison de la Culture, Orléans, 12 février-29 mars.
«Hantaï-Viallat»,
galerie Vega Manette Repriels, Plainevaux, mars.
Abbaye de Sénanque, Gordes, 3 juin-25 juillet.
Galerie Athanor, Marseille,
20 septembre-21 octobre.
Musée d'Art et d'Histoire, Chambéry,
14 octobre-18 décembre.

1979

Galerie Wentzel, Hambourg, 20 novembre-26 janvier.

1980

CAPC (Centre d'arts plastiques contemporains),
Entrepôt Lainé, Bordeaux, 25 février-19 avril.
Galerie Jean Fournier, Paris, 15 mars-19 avril.
Neue Galerie, Aix-la-Chapelle, 26 avril-8 juin.

1981

«Les Viallat de J. Lepage»,
galerie l'Atelier, Nice, 31 janvier-10 février.
Kamakura Gallery, Tokyo, juin-juillet.
Ace Gallery, Venice, Californie, 25 avril-30 mai.
Ace Canada Gallery, Vancouver, 17 novembre-
15 janvier.

1982

Galerie Wentzel, Cologne, hiver.
Leo Castelli Gallery, New York, février.
Musée national d'art moderne,
Centre Georges Pompidou,
Paris, 24 juin-20 septembre.

EXPOSITIONS COLLECTIVES

1965

IIIe Festival des Arts Plastiques de la Côte d'Azur,
Musée de Saint-Paul de Vence, 15 mai - 30 juin

1966

«Impact I», Musée d'art moderne, Céret, mai,
exposition organisée par Jacques Lepage
et Claude Viallat.

Ben, Bioulès, Buraglio, Buren, Dufo, Gette, Fahri,
Kermarrec, Malaval, Miralda, Parmentier,
Rouan, Toroni, Venet, Viallat.

IVe Festival des Arts Plastiques de la Côte d'Azur,
Bastion Saint-André, Antibes, 15 mai - 30 juin.

«Le litre de var supérieur coûte 1,60 F»,
galerie de la Salle, Nice, octobre,

Alocco, Ben, Bozzi, Brecht, Chubac, Dietman, Fahri,
Mosset, Klein, Oldenbourg, Viallat.

«École de Nice ?», galerie de la Salle, Vence,
18 mars - 18 avril.

«Hall des remises en question», Nice,
14 décembre-janvier,

Alocco, Arman, Ben, Biga, Brecht, Cane, Chartron,
Dolla, Fahri, Filliou, Joe Jones,
Klein, Raysse, Saytour, Spoerri, Viallat.

1968

«École de Nice-Documents», Club Antonin Artaud,
Nice, décembre,

Alocco, Ben, Biga, Brecht, Chubac, Fahri,
Gette, Klein, Leclerc, Malaval, Pollet, Raysse,
Tréal, Venet, Verdet, Viallat.

«Nouvelles tendances de l'École de Nice»,
Guinochet, Lyon, 22-30 mars,

Alocco, Biga, Dolla, Pignon, Serge III,
Saytour, Strauch, Viallat.

«Quelque chose» exposition de plein air,
plage de la Croisette devant le palais des festivals,
Cannes, 18 mai

Alocco, Chubac, Saytour, Viallat.

Expositions de plein air en Italie
à Fiumalbo, Novare, Anfo, juillet-août,

Alocco, Chubac, Dolla, Pagès, Viallat...

«Dossier 68», Nice, octobre,

Alocco, Arman, Ben, Biga, Bozzi, Cane,
Charvolen, Chubac, Dezeuze, Dolla,
Pagès, Saytour, Tobas, Viallat...

«Jeunes de l'École de Nice», Salon d'automne,
Palais de Bondy, Lyon.

1969

«Alocco, Dezeuze, Dolla, Pagès, Pincemin,
Saytour, Viallat»
École Spéciale d'Architecture, Paris, 14 avril - 4 mai.

«Environs», «Origine de Nice», Tours, mai,

Alocco, Ben, Chubac, Dolla, Fahri, Maccaferi,
Miguel, Pagès, Saytour, Viallat.

«Salon de mai», Musée d'art moderne,
Paris, 12 mai - 1er juin.

«La peinture en question», Musée du Havre,
le Havre, 7 juin - 7 juillet,

Cane, Dezeuze, Saytour, Viallat...

Exposition de plein air, Coaraze, juillet,

Dezeuze, Pagès, Saytour, Viallat.

VIe Biennale de Paris, 2 octobre - 2 novembre.

Sigma V, galerie des Beaux-Arts, Bordeaux,
novembre, Groupe de Nice et de Vierzon.

1970

«De l'unité à la détérioration»,
galerie Ben doute de tout, Nice, 21-27 février,

Alocco, Buren, Cane, Charvolen, Dezeuze,
Dolla, Mosset, Osti, Parmentier, Pincemin,
Saytour, Toroni, Viallat.

FIAP
(Foyer International d'Accueil de la ville de Paris),
Paris, mars,

Dezeuze, Pagès, Saytour, Valensi, Viallat.

«100 artistes dans la ville», Montpellier, 5-20 mai,
au musée du Travail :

Anderson, Arnal, Bioulès, Cane, Devade,
Dezeuze, Dolla, Pincemin, Saytour, Viallat.

«Rencontres», Limoges, 16-23 mai,
exposition organisée par Bec, Jude, Viallat
à travers la ville.

«Vision 70», Perpignan, 7-21 juin.

«Intérieur-Extérieur», 12 expositions en plein air
dans le Sud de la France : Céret, Perpignan, Le
Boulou, Maguelonne, Levens,
Villefranche, Aubais, Nice, Banyuls, Cantaron... été,

Dezeuze, Pagès, Saytour, Valensi, Viallat.

«Supports-Surfaces»,
ARC, Musée d'art moderne de la ville Paris,
23 septembre - 15 octobre,

Bioulès, Dezeuze, Devade, Saytour, Valensi, Viallat.

1971

«Accrochage des travaux de l'été 70»,
galerie Jean Fournier, Paris, 15-22 avril,

Dezeuze, Pagès, Saytour, Valensi, Viallat.

«Supports-Surfaces», théâtre de la Cité
Internationale,
cité universitaire, Paris, 19 avril-8 mai.

Bioulès, Devade, Dezeuze, Saytour, Valensi, Viallat
(Arnal, Cane, Dolla, Pincemin
(participant à titre «d'invités»).

«Supports-Surfaces»,
Théâtre municipal, Nice, 15-20 juin.

Arnal, Bioulès, Cane, Dezeuze, Dolla,
Devade, Grand, Saytour, Valensi, Viallat.

«Peintures et Objets»,
musée Galliera, Paris, 23 juin-12 septembre.

«Interventions au Québec»,
rivière des Outaouais, lac des Castors, Québec, août.

Dolla, Saytour, Valensi, Viallat.

VIIe Biennale de Paris,
Parc Floral, Paris, septembre-octobre.

1972

«Douze ans d'art contemporain en France»,
Galeries Nationales du Grand Palais,
Paris, mai-septembre.

«Amsterdam - Düsseldorf - Paris»,
Solomon R. Guggenheim Museum, New York,
8 septembre-15 octobre.

France : Ben, Boltanski, Kermarrec, Le Gac,
Raynaud, Sanejouand, Titus-Carmel, Viallat.

«Aspects de l'avant-garde en France»,
Théâtre de Nice, 13-20 octobre.

Alocco, Ben, Barré, Boltanski, Dupuy, Filliou,
Jacquet, Le Gac, Raysse, Sanejouand,
Titus-Carmel, Venet, Viallat.

Expositions de plein air, 1972-1973,
La Rochelle, Perpignan, Saint-Etienne,
Toulouse, Montauban...

1973

«Réalité-Réalités»,
musée d'Art et d'Industrie, Saint-Etienne, mars.

«Haricots», Salon des réalités nouvelles,
Floralies de Vincennes, Paris, 5 avril-5 mai.

Rencontres internationales d'art contemporain,
La Rochelle, 12-21 avril.

EXPOSITIONS COLLECTIVES

«Regarder ailleurs»,
Palais de la Bourse, Bordeaux, 5 mai-7 juillet.

Jean Otth, Gina Pane, Titus-Carmel, Viallat.

«Signal», exposition de plein air, Grasse, août.

«La reflessione sulla pittura», Acireale, Sicile.

1974

«Dolla, Isnard, Viallat»,
Galleria La Bertesca, Gênes, février.

«Saytour, Viallat»,
Maison de la Culture, Rennes, 19 février-10 mars.

«Faucher, Hantaï, Rouan, Viallat»,
Pierre Matisse Gallery, New York, 6-26 avril.

«Nouvelle peinture en France, pratiques/théories».
Bioulès, Dezeuze, Dolla, Jaccard, Meurice,
Pagès, Pincemin, Saytour, Valensi, Viallat.

Musée d'Art et d'Industrie,
Saint-Etienne, 21 juin-29 juillet.

Musée d'Art et d'Histoire,
Chambéry, 5 août-15 septembre.

Kunstmuseum,
Lucerne, 29 septembre-3 novembre.

Neue Galerie/Sammlung Ludwig,
Aix-la-Chapelle, décembre.

CAPC, Entrepôt Lainé,
Bordeaux, mars-avril 1975.

X[e] anniversaire de la fondation Maeght,
Saint-Paul de Vence, juillet.

«Peinture», galerie Delta, galerie MTL,
Bruxelles, octobre.

Delahaut, Dezeuze, Dias, Dolla, Gerz, Ledune,
Vermeiren, Viallat.

«Peinture française d'aujourd'hui», galerie d'art T,
Mulhouse.

«Nouvelle peinture : 11 peintres actuels»,
Salle des Jacobins, Dijon.

«Hommage à Chevreul, contraste simultané des
couleurs»,
Entretiens de Bichat, Faculté de Médecine,
Pitié-Salpêtrière, Paris.

1975

«12 X 1», Europalia 75,
Palais des Beaux-Arts, Bruxelles,
5 novembre-5 décembre.

France : Ben, Boltanski, Buren, Cane, Dezeuze,
Erro, Filliou/Pfeufer, Le Gac, Meurice, Monory,
Pommeureulle, Viallat.

«Peintures sans châssis», exposition organisée par
le Musée national d'art moderne,
Centre Georges Pompidou, Paris.

Dolla, Isnard, Jaccard, Pincemin,
Saytour, Valensi, Viallat.

Musée de Rouen, 15 décembre-18 janvier 1976.
Musée de Brest, janvier.
Maison de la Culture, Amiens, avril.
Maison des Jeunes et de la Culture,
Chaumont, 20 juin-14 juillet.
Centre d'Art Contemporain,
Flaine, 15 juillet-15 septembre.
Ecole des Beaux-Arts,
Lyon, 22 novembre-22 décembre.
Maison de la Culture, Nanterre, janvier 1977.
Charlotte Square Gallery, Scottish Art Council,
Edimbourg, 5 mars-3 avril.
Art Council of Northern Ireland Gallery,
Belfast, 20 avril-14 juin.

«Dessins,
Musée municipal, Saint-Paul de Vence, 7-24 avril.
Boice, Cane, Devade, Dolla, Groborne, Hafif,
Kirili, Martinez, Petersen, Valensi, Viallat.

«Grand, Jaccard, Pagès, Saytour, Viallat»,
galerie Maillard, Saint-Paul de Vence,
4 juillet-31 août.

1976

«1960-1975», Fransiz Sanati Panoramisi»,
Ankara Devlet Güzel Sanatlar
Galerisi, Istamboul, printemps.

«06-ART 76».
Aillaud, Erro, Poirier, Rouen, Titus-Carmel, Viallat,
University Art Museum, University of California,
Berkeley, octobre-novembre.

Sarah Campbell Blaffer Gallery, University of
Houston,
Texas, novembre-décembre.

Neuberger Museum, State University of New York,
College at Purchase, Purchase, janvier-février 1977.

1977

«A propos de Nice», Musée national d'art moderne,
Centre Georges Pompidou, Paris, 31 janvier-11 avril.

«3 villes - 3 collections», L'avant-garde 1960-1976,
Grenoble, Marseille, Saint-Etienne.
Musée Cantini, Marseille, février-mars.
Musée de peinture et de sculpture, Grenoble,
avril-mai.
Musée d'Art et d'Industrie, Saint-Etienne, été.
Musée national d'art moderne,
Centre Georges Pompidou, Paris, automne.

«Jaccard, Pincemin, Viallat»,
galerie Athanor, Marseille, 26 février-26 mars.

«Collectif génération», catalogue raisonné des livres
publiés de 1969 à 1976,
Musée national d'art moderne, Paris, 16 avril-1er juin.
Bibliothèque municipale, Bayonne, novembre.
Musée des Beaux-Arts, Lyon, 15 mai-15 juin 1978.
Bibliothèque de l'Agora, Evry, mars 1979.
Ecole des Beaux-Arts, Orléans, mai.

«Artiste/Artisan ?»,
Musée des Arts Décoratifs, Paris, 23 mai-5 septembre.

«Tissu et Création. 1. Les peintres»,
ELAC (Espace Lyonnais d'Art Contemporain),
Lyon, juin-septembre.

«Art actuel américain et européen»,
Fondation du château de Jau, Cases-de-Pène,
15 juin-15 septembre.

«Rosc'77, the poetry of vision», National Museum of
Ireland, Dublin,
21 août-30 octobre.

«Canvases without Stretchers»,
Gimpels Fils Gallery, Londres, 4 octobre-
12 novembre.

Arnal, Cane, Dolla, Jaccard, Meurice, Pincemin,
Viallat.

«Les nouveaux peintres français»,
galerie Arta, Genève, novembre.

«Toile sans bois, bois sans toile»,
Centre Noroît, Arras, novembre-décembre-janvier.

Dezeuze, Jaccard, Meurice, Pagès, Viallat.

1978

«L'art moderne dans les musées de province»,
Galeries Nationales du Grand Palais,
Paris, 3 février-24 avril.

«Panorama de Arte Francesca de 1960 à 1975»,
Fundaçao Calouste Gulbekian, Lisbonne, février.

«Biennale de Paris '59-73'»,
The Seibu Museum of Art, Tokyo, 3-29 mars.

«Arman, Ben, Pagès, Viallat»,
galerie CM, Saint-Etienne, avril.

«Espace/Nature»,
CAPC, Entrepôt Lainé, Bordeaux, printemps-été.

«Nationale 20»,
Musée de Cahors, Auzole, 30 juin-31 août.

«D'hier à demain, 1968-1978-1988»,
galerie de la Marine, Nice, été.

«Henri Matisse en de Hedendaagse Kunst/
Henri Matisse et l'art français contemporain»,
Museum van Hedendaagse Kunst & Gravensteen,
Gand, 7 octobre-20 novembre.

1979

«Œuvres contemporaines
des collections nationales, accrochage II»,
Musée national d'art moderne, Centre Georges
Pompidou, Paris, 7 février-2 avril.

«French Art 1979 : an English Selection»,
Serpentine Gallery, Londres, 7 avril-6 mai.

Salon d'art contemporain de Montrouge,
mairie de Montrouge, Paris, 25 avril-27 mai.

«Fête de la Marseillaise,
Parc Chanot, Marseille, mai.

«Le tondo de Monet à nos jours»,
musée de l'abbaye Sainte-Croix, les Sables-d'Olonne,
30 juin-30 septembre.

«Pittura-Ambiente», Palazzo Reale, Milan,
9 juillet-16 septembre.

«Pintura de uèi en Occitània»,
Universitat Occitània d'Estiù, Nîmes, septembre.

«Tendances de l'art en France. 1968-1978. 1»,
ARC, Musée d'art moderne de la ville de Paris,
13 septembre-21 octobre.

1980

«Peinture», Fédération du Parti Communiste Français,
Montpellier, 10 janvier-9 février.

Alkema, Clément, Gauthier, Reynier, Saytour, Viallat.

«Les nouveaux fauves/Die Neue Wilden»,
Neue Galerie, Aix-la-Chapelle, 19 janvier-21 mars.

«Année du patrimoine», Echirolles, mai.

«Peinture contemporaine : Le plaisir interdit?»,
Office municipal socio-culturel de Gardanne,
Gardanne, mai.

«Esperienza a Bordeaux», Biennale de Venise,
Chiesa San Lorenzo, Venise, 29 mai-29 septembre.

Salon d'art contemporain de Montrouge,
mairie de Montrouge, Paris, printemps.

«Cantini 80», musée Cantini, Galeries de la Charité,
Marseille, 1er juillet-26 octobre.

«Communication - Art - Régions - Situation 1».
Provence-Côte d'Azur, Maison des Beaux-Arts André
Malraux,
Maison de la Culture, Créteil, 17 septembre-
16 novembre.

«Kunst i Dag/Art d'aujourd'hui 1»,
Ordrupgaardsamlingen,
Copenhague, 26 septembre-26 octobre.

«Beograd'80»,
exposition internationale des arts plastiques,
Musée d'art moderne, Belgrade, 1er octobre-
1er décembre.
France : Raynaud, Viallat.

«Neue Tendenzen der Malerei in
Frankreich/Nouvelles tendances de la peinture en
France»,
Neue Galerie am Landesmuseum, Kustlerhaus, Graz,
18 octobre-16 novembre.

«Après le classicisme»,
musée d'Art et d'Industrie, Saint-Etienne,
21 novembre-10 janvier.

1981

«37 aktuella konstnarer frän Frankike/37 peintres
français contemporains», Liljevalchs, Kunsthalle,
Stockholm, 27 février-26 avril.

«Blickfelder 81, Malerci in Frankreich heute/Champs
visuels 81, peinture en France aujourd'hui»,
Kunsthalle, Bielefeld, 17 mai-28 juin.
Mannheimer Kunsverein, 6 septembre-11 octobre.

«For a new art, Toyama now'81»,
The Museum of Modern Art, Toyama,
5 juillet-23 septembre.

«Chacallis, Charloven, Grand, Jaccard, Viallat»,
galerie Athanor, Marseille, 16 décembre-24 janvier.

«Baroques 81, les débordements
d'une avant-garde internationale»,
ARC, Musée d'art moderne de la ville de Paris,
1er octobre-15 novembre.

Galleri Engstrom, Stockholm.

1982

«Du cubisme à nos jours : collection de dessins
contemporains»,
Musée Cantini, Marseille, 15 mars-15 mai.

«Panorama de l'art français»,
Museum Moderner Kunst, Palais Liechtenstein,
Vienne, maunst, Palais Liechtenstein,
Vienne, mai-septembre.

TEXTES DE CLAUDE VIALLAT

«Il est difficile d'écrire sur son travail...»
in catalogue *Alocco, Dezeuze, Dolla, Pagès, Pincemin, Saytour, Viallat,*
Ecole Spéciale d'Architecture, Paris, 1969.

«J'essaie de faire fonctionner le répétitif...»
in feuilles ronéotypées publiées
à l'occasion de l'exposition au FIAP,
Paris, 1970, (notes sur les formes autocollantes).

«S'il me fallait, d'une manière très sommaire...»
in *Chroniques de l'Art Vivant,*
Paris, n° 11, mai-juin 1970, p. 6.
(témoignage sur Matisse).

«Le fait de montrer indifféremment
le travail dans des lieux publics...»
(Aubais, août 1970)
in catalogue *Eté 70.*

«Le peintre n'a plus à justifier un savoir...»
(Aubais, août 1970)
in catalogue *Supports-Surfaces,*
ARC, Musée d'art moderne de la ville de Paris, 1970.

«Notes de travail» (Aubais, décembre 1970)
in *VH 101,* Paris, n° 5, printemps 1971, pp. 114-117 ;
//in *Art Press,* sous le titre «Penser la peinture»,
Paris, n° 4, mai-juin 1973, p. 12 ;
//in catalogue *Regarder ailleurs,*
Palais de la Bourse, Bordeaux, 1973.

«Travail extérieur : un quadrillage de sangles...»
(Texte signé Saytour et Viallat, octobre 1970)
in *Chroniques de l'Art Vivant,*
Paris, n° 16, décembre-janvier 1971, p. 11.

«La pratique de la peinture...» (Aubais, août 1971).
«C'est au départ la mise en évidence...»
(Aubais, novembre 1971)
in catalogue *Douze ans d'art contemporain en France*
Grand Palais, Paris, 1972 ;
//in catalogue *Claude Viallat,*
musée d'Art et d'Industrie, Saint-Etienne, 1974 ;
//in catalogue *ABXL,*
galerie Albert Baronian, Bruxelles, 1976 ;
//in *Travaux XIV,* Geste, Image, Parole, CIEREC
(Centre Interdisciplinaire d'Etude et de Recherche sur l'Expression Contemporaine), université de
Saint-Etienne, 1976, p. 59.

«Parce que mon activité dans le groupe...»
(Limoges, 3 mai 1971)
(lettre de démission, tract ronéotypé)
in *Peinture/Cahiers Théoriques,*
Paris, n° 1, juin 1971, p. 135.

«L'histoire de l'art jusqu'à nous...»
in catalogue *Haricots,* Salon des Réalités Nouvelles,
Floralies de Vincennes, Paris, 1973 ;
//in catalogue *Regarder ailleurs,*
Palais de la Bourse, Bordeaux, 1973.

«Penser la peinture» (Aubais, septembre 1972)
in *Art Press,* n° 4, Paris, mai-juin 1973, p. 12 ;
//in *Travaux XIV,* op. cit.

«Filet - Nœud - Tension»
in catalogue *Regarder ailleurs,*
Palais de la Bourse, Bordeaux, 1973.

«Support = Tableau = Toile + châssis...» (Aubais, 1971) in catalogue *Dolla-Isnard-Viallat,*
galerie La Bertesca, Gênes, 1974 ;
//in *Travaux XIV,* op. cit.

«La mémoire m'a souvent servi dans mon travail...»
in *Chroniques de l'Art Vivant,*
Paris, n° 49, mai 1974, p. 16 ;
//in catalogue *Claude Viallat,*
musée d'Art et d'Industrie, Saint-Etienne, 1974 ;
//in *Travaux XIV,* op. cit. ;
//in catalogue *Tissu et Création,* ELAC, Lyon, 1977.

«Couleur - Travailler la couleur en tant que marquant...» in catalogue *Claude Viallat,*
musée d'Art et d'Industrie, Saint-Etienne, 1974 ;
//in *Travaux XIV,* op. cit. ;
//in catalogue *Tissu et Création,* ELAC, Lyon, 1977 ;
//in catalogue *Œuvres contemporaines des collections nationales - Accrochage II,*
Musée national d'art moderne,
Centre Georges Pompidou, Paris, 1979.

«Toiles - Mon travail de l'été 66...»
in catalogue *Claude Viallat,*
musée d'Art et d'Industrie, Saint-Etienne, 1974 ;
//in catalogue *Tissu et Création,*
ELAC, Lyon, 1977.

«Une toile située dans l'espace oblitère l'espace...»
in catalogue *Claude Viallat,*
musée d'Art et d'Industrie, Saint-Etienne, 1974 ;
//in *Travaux XIV,* op. cit.

La peinture commence à la prise de
conscience de son support...»
in catalogue *Claude Viallat,*
musée d'Art et d'Industrie, Saint-Etienne, 1974.

«Ne pas prendre ce travail comme une fin en soi...»
in catalogue *Claude Viallat,*
musée d'Art et d'Industrie, Saint-Etienne, 1974 ;
//in *Travaux XIV,* op. cit.

«Dans un premier temps il était important de se situer...» in catalogue *Claude Viallat,*
musée d'Art et d'Industrie, Saint-Etienne, 1974 ;
//in *Travaux XIV,* op. cit.

«Coupé le papier ne reconnaît plus le ciseau...»
in catalogue *Claude Viallat,*
musée d'Art et d'Industrie, Saint-Etienne, 1974 ;
//in *Travaux XIV,* op. cit.

«Lors d'une visite avec Dezeuze et Saytour
chez Pierre Soulages...»
in *Opus International,* Paris (dossier Soulages), n° 57, octobre 1975, p. 28 (témoignage sur Soulages).

«Fragments» in *Travaux XIV,* op. cit.

«La matière de l'œuvre» (Aubais, novembre 1975)
Art Actuel, Skira Annuel, Paris, 1976, p. 73.

«Si je dois qualifier mon travail...»
in *Art Présent,* n°s 4-5, Paris, 1976, p. 39.

Entretien avec Raoul Hausmann
par Anne Glancier et Claude Viallat
(Limoges, novembre 1970)
in *NDRL,* n° 2, Paris, automne 1976, pp. 21-23.

«Hommage à Matisse - Fenêtre à Tahiti»
projet de livre, manuscrit, 1976 ;
//en partie in catalogue *Claude Viallat,*
musée d'Art et d'Histoire, Chambéry, 1978.

«Travailler la peau des choses...»
«Peindre en écart de soi...» (été 1978)
in catalogue *Claude Viallat,*
musée d'Art et d'Histoire, Chambéry, 1978 ;
//Skira annuel 1980, p. 45 ;
//in *Bulletin d'information* sur
les expositions du CAPC, Bordeaux, n° 6,
février-mars-avril 1980.

«Le travail récent sur les peilles...»
in *Textuerre,* n°s 13-14, Montpellier, octobre 1978, pp. 64-66.

«Le bouclier indien»
in catalogue *Pintura de uèi en occitània d'Estiù,*
Nîmes, 1979, p. 45.

«Tout le travail s'additionne...»
«Je voudrais dire, cette chose-là ici se place...»
(Nîmes, 17 octobre 1979).

«Mettre en pièces, mémoire...»
«Les éléments progressivement se rassemblent...»
«Placés face à cet espace...» (Nîmes, 17 octobre 1979)
«Multiplier les séquences...» (Nîmes, 17 octobre 1979)
«Une faille, une fissure...» (Nîmes, 17 octobre 1979)
«Ni ombres, ni lumières...» (Nîmes, 17 octobre 1979)
«Ce que la main gauche ignore, la droite...» (Nîmes, 17 octobre 1979).
«Travail, couleurs, matières, tons...»
«Le dos tourné, la mémoire intervient...»
«Plan, relèvement du plan...»
in catalogue *Claude Viallat,*
CAPC, Entrepôt Lainé, Bordeaux, 1980.

«Lentement le bras s'allonge...»
in *Corrida,* n° 10, Nîme1982, p. 35.

JEAN CLAIR :
«Nouvelles tendances depuis 1963»
in catalogue *Douze ans d'art contemporain en France,* Grand Palais, Paris, 1972.

BERNARD CEYSSON :
«Claude Viallat ou la peinture toujours recommencée»
in catalogue *Claude Viallat - Œuvres nouvelles,* Centre international de création artistique de Sénanque, abbaye de Sénanque, Gordes, 1978.

BERNARD CEYSSON :
préface du catalogue *Peinture contemporaine : plaisir interdit?*
Office municipal socio-culturel de Gardanne, Gardanne, mai 1980.

JEAN-FRANÇOIS DE CANCHY :
préface du *catalogue 06-Art 76,* Berkeley, 1976.

DOMINIQUE FOURCADE :
«Store à franges»
in catalogue *Claude Viallat-Traces,* musée d'Art et d'Histoire, Chambéry, 1978.

JEAN-LOUIS FROMENT :
«Claude Viallat : Légendes»
in catalogue *Claude Viallat,* CAPC, Entrepôt Lainé, Bordeaux, 1980 ;
//en partie in catalogue *Beograd'80,* Musée d'art moderne, Belgrade, 1980.

HENRI GALY CARLES :
préface du catalogue *Panorama de Arte Francesca 1960-1975,* Fundaçao Calouste Gulbekian, Lisbonne, 1978.

GAYA GOLDCYMER :
«Chiffre et Paraphe»
in catalogue *Blickefelder 81, Malerei in Frankreich heute,* Kunsthalle, Bielefeld, 1981.

FRANÇOISE GUICHON :
préface du catalogue *Claude Viallat-Traces,* musée d'Art et d'Histoire, Chambéry, 1978.

ELIZABETH HAGLUND :
«Claude Viallat»
in catalogue *37 aktuella Konstnärer fran Frankike,* Liljevalchs, Konsthall, Stockholm, 1981.

OTTO HAHN :
préface du catalogue *Statements, Leading contemporary artists from France,* New York, 1982.

SEIRVO IKAWA:
«Claude Viallat»
in catalogue *Claude Viallat,* Kamakura Gallery, Tokyo, 1981.

JACQUES LEPAGE :
«Claude Viallat»
in catalogue *Regarder ailleurs,* CAPC, Palais de la Bourse, Bordeaux, 1973.

JACQUES LEPAGE :
«Dolla-Isnard-Viallat»
in catalogue *Dolla-Isnard-Viallat,* galerie La Bertesca, Gênes, 1974.

JACQUES LEPAGE :
«Claude Viallat»
in catalogue *Claude Viallat,* musée d'Art et d'Industrie, Saint-Etienne, 1974.

JACQUES LEPAGE :
«Créativité à Nice»
in catalogue *A propos de Nice,* Musée national d'art moderne, Centre Georges Pompidou, Paris, 1977.

JACQUES LEPAGE :
«Un aspect de l'art actuel»
in catalogue *D'hier à demain, 1968-1978-1988,* galerie de la Marine, Nice, 1978.

JACQUES LEPAGE :
«Claude Viallat»
in catalogue *Claude Viallat-Traces,* musée d'Art et d'Histoire, Chambéry, 1978.

YVES MICHAUD :
«Luminy : la peinture sans modèle»
in catalogue *Luminy, ateliers de peinture de l'Ecole d'Art de Marseille,* ARC, Musée d'art moderne de la ville de Paris, 1976.

YVES MICHAUD :
«L'ornement et la couleur»
in catalogue *Claude Viallat-Traces,* musée d'Art et d'Histoire, Chambéry, 1978.

CATHERINE MILLET :
préface du catalogue *Nouvelle peinture en France - Pratiques/Théories,* musée d'Art et d'Industrie, Saint-Etienne, 1974.

CATHERINE MILLET :
«Matisse, présent sans en avoir l'air»
in catalogue *Henri Matisse en de Hedendaagse Kunst,* Museum Van Hedendaagse Kunst & Gravensteen, Gand, 1978.

CATHERINE MILLET :
«Les Français et les autres»
in catalogue *Blickefelder 81, Malerei in Frankreich heute,* Kunsthalle, Bielefeld, 1981.

TOSHIAKI MINEMURA :
«Claude Viallat or an unsaturated Ocean» in catalogue *Claude Viallat,* Kamakura Gallery, Tokyo, 1981.

ALFRED PACQUEMENT :
«Nouvelles peintures»
in catalogue *12 X 1,* Palais des Beaux-Arts, Bruxelles, 1975 ;
//en partie pour la préface du catalogue *Peintures sans châssis,* Musée national d'art moderne, Centre Georges Pompidou, Paris, 1975.

ALFRED PACQUEMENT :
préface du catalogue *Œuvres contemporaines des collections nationales,* accrochage II, Musée national d'art moderne, Centre Georges Pompidou, Paris, 1979.

ALFRED PACQUEMENT :
«Quelques aspects de l'art actuel en France»
in catalogue *For a new art, Toyama now'81,* The Museum of Modern Art, Toyama, 1981.

ALFRED PACQUEMENT :
«Claude Viallat»
in catalogue *100 œuvres nouvelles, 1977-1981,* Musée national d'art moderne, Centre Georges Pompidou, Paris, 1981.

MARCELIN PLEYNET :
«Disparition Multiple : Matrice, Germe, Empreinte»
in dépliant *Claude Viallat,* galerie Jean Fournier, Paris, 1971.

MARCELIN PLEYNET :
«La scène primitive»
in catalogue *12 X 1,* Palais des Beaux-Arts, Bruxelles, 1975 ;
//en partie in catalogue *Statements, Leading contemporary artists from France,* New York, 1982.

MARCELIN PLEYNET :
«Tendances de l'art en France»
in catalogue *Tendances de l'art en France, 1968-1978,* ARC, Musée national d'art moderne de la ville de Paris, Paris, 1979.

MARCELIN PLEYNET :
«Positions et particularités de la peinture française contemporaine»
in catalogue *Blickefelder 81, Malerei in Frankreich heute,* Kunsthalle, Bielefeld, 1981.

JEAN-MARC POINSOT :
«Notes pour une biographie de Claude Viallat»
in catalogue *Claude Viallat,* CAPC, Entrepôt Lainé, Bordeaux, 1980.

CHRISTIAN PRIGENT :
«Claude Viallat»
in catalogue *Saytour, Viallat,* Maison de la Culture, Rennes, 1974.

DORA VALLIER :
«Claude Viallat»
in catalogue *Neue Tendenzen der Malerei in Frankreich,* Neue Galerie am Landesmuseum, Kunstlerhaus, Graz, 1980.

ARTICLES DE PRESSE

DANIEL ABADIE, ALFRED PACQUEMENT :
«La création depuis 1970»,
in *L'Express*, Paris, 7-13 janvier 1981, pp. 124-132.

JEAN-LUC ALEXANT
«Claude Viallat»
in *Flash Art*, n° 117-118, Milan, octobre-novembre 1974, pp. 76-78.

XAVIER AMOUDRU :
«Toile sans bois et bois sans toile»
in *La Voix du Nord*, Lille, 19 novembre 1976.

MARIE-JOSÉ BAUDINET :
«Viallat : la vérité de la surface»
in *Chroniques de l'Art Vivant*, n° 18, mars 1971, Paris, pp. 10-11.

JACQUES BEAUFFET :
«Exposer Viallat»
in *Art Press*, n° 15, Paris, décembre-janvier 1975, p. 34.

GEORGES BOUDAILLE :
«Nyt Fransk Maleri»
in *Louisiana Revy*, n°2, Humlebaek, janvier-mars 1976, p. 2.

CLAUDE BOUYEURE :
«Les trameurs du temps : Viallat, Renouf, Gilliam»
in *Cimaise*, n° 117-118, Paris, octobre-novembre 1974, pp. 76-78.

GENEVIÈVE BREERETTE :
«Une toile est une toile»
in *Le Monde*, Paris, 11-12 septembre 1977.

GENEVIÈVE BREERETTE :
«L'ornement n'est pas un crime»
in *Le Monde*, Paris, 9 avril 1980.

GENEVIÈVE BREERETTE :
«Artistes français à New York, l'invasion»
in *Le Monde*, Paris, 14-15 février 1982.

PIERRE CABANNE :
«Le marché américain a-t-il besoin des artistes français ?»
in *Le Matin de Paris*, Paris, 13 février 1982.

JEAN CLAIR :
«Expositions Supports/Surfaces»
in *Chroniques de l'Art Vivant*, n° 16, Paris, décembre-janvier 1971, pp. 10-11.

JEAN CLAIR
«Un matérialisme nécessaire»
in *Chroniques de l'Art Vivant*, n° 18, Paris, mars 1971, p. 10.

BERNARD CEYSSON, JACQUES BEAUFFET :
«A propos d'une exposition»
in *Art Press*, n° 12, Paris, juin-juillet-août 1974, p. 28.

WILLIS DOMINGO :
«Support-Surface»
in *Art Monthly*, n° 12, Londres, novembre 1977, pp. 14-15.

RENÉ DEROUDILLE :
«Interrogations de Claude Viallat à Saint-Etienne»
in *Dernière Heure Lyonnaise*, Lyon, 6 janvier 1974.

RENÉ DEROUDILLE :
«Donner à voir le travail de l'artiste»
in *Le Dauphiné Libéré*, Grenoble, 7 novembre 1977.

CATHERINE FRANCBLIN :
«Claude Viallat, l'éveil permanent»
in *Art Press*, n° 36, Paris, avril 1980, pp. 12-13.

JEAN-LOUIS FROMENT :
«Regarder Ailleurs» (entretien)
in *Artitudes International*, n° 4, St-Jeannet, avril-mai 1973, pp. 44-45.

EDWARD GAGE :
«Liberating the painter's canvas»
in *The Scotsman*, Edimbourg, 7 mars 1977.

MICHAEL GIBSON :
«French accent in New York»
in *Art News*, n° 2, New York, février 1982, pp. 107-109.

DANIÈLE GIRAUDY :
«Les deux avant-gardes»
in *Chroniques de l'Art Vivant*, n° 14, Paris, octobre 1970, p. 12.

ANNIE GRANGER :
«Claude Viallat»
in *Le Soleil de Colombie*, n° 26, Vancouver, 4 décembre 1981.

NICOLAS HADJINICOLAOU :
«Aspects du parisianisme»
in *Opus International*, n° 61-62, Paris, janvier-février 1977, pp. 68-72.

OTTO HAHN :
«Pourquoi font-ils de la peinture»
in *L'Express*, Paris, 12-18 octobre 1970.

OTTO HAHN
«Made in France»
in *Connaissance des Arts*, n° 360, Paris, février 1982, pp. 50-55.

JACQUES HENRIC :
«Lettre de Paris»
in *Art International*, n° 4, Lugano, avril 1971, pp. 55-56.

BERNARD LAMARCHE VADEL :
«De Supports-Surfaces à l'abstraction analytique»
in *Opus International*, n° 61-62, janvier-février 1977, pp. 12-13.

MARC LE BOT :
«Matière, geste, hasard»
in *XXe siècle*, n° 49, Paris, décembre 1977, pp. 56-63.

MICHEL CONIL-LACOSTE
«Peintures et objets, Paris 1971»
in *Le Monde*, Paris, 14 juillet 1971.

JACQUES LEPAGE :
«Découverte de la province, vers un art sauvage»
in *Chroniques de l'Art Vivant*, n° 33, Paris, octobre 1972, pp. 8-11.

JACQUES LEPAGE :
«Peinture/peinture ?»
in *Chroniques de l'Art Vivant*, n° 49, Paris, mai 1974, pp. 14-17.

JACQUES LEPAGE :
«Dolla-Isnard-Viallat»
in *Opus International*, n° 50, Paris, mai 1974, p. 104.

JACQUES LEPAGE :
«Dossier province - Les étapes d'une transformation - Enquête en quinze questions»
in *Opus International*, n° 51, Paris, juin-juillet 1974, pp. 18-29.

JACQUES LEPAGE :
«Supports-Surfaces»
in *Opus International*, n° 61-62, Paris, janvier-février 1977, p. 27.

JACQUES LEPAGE :
«Claude Viallat, un travail spécifique du champ pictural»
in *Opus International*, n° 61-62, Paris, janvier-février 1977, pp. 33-35.

JEAN-JACQUES LÉVÊQUE :
«Claude Viallat, une peinture qui pavoise»
in *Le Quotidien du médecin*, Paris, 26 mars 1980.

ANNE LINSEL :
«Jenseits in Traditionen»
in *Neue Rhein Zeitung*, Wuppertal, 12 avril 1976.

RICHARD LORBER :
«Art Reviews»
in *Arts Magazine*, New York, juin 1976, p. 20.

NANCY MARMER :
«Waiting for gloire»
in *Art Forum,* n° 6, New York, février 1977, pp. 52-59.

PHILIPPE MATHONNET :
«Quand les éléments du tableau se suffisent à eux-mêmes»
in *Le Journal de Genève,* Genève, 8 octobre 1977.

JEAN MAZEAUFROID :
«Textes/Textures, vers un circuit rouge»
in *Génération 3/4,* Colombes, automne 1970, pp. 49-53.

SUSAN MERTENS :
«Artist finds life in a sponge»
in *Vancouver Sun,* Vancouver, 18 novembre 1981.

YVES MICHAUD :
«Viallat, nefs et vaisseaux»
in *Critique,* n° 396, Paris, mai 1980, pp. 513-519.

CATHERINE MILLET :
«La rentrée de l'ARC»
in *Les Lettres Françaises,* n° 1354, Paris, 7-13 octobre 1970, p. 27.

JEAN-PAUL MOREL :
«Vingt-et-un artistes français à la conquête de New York»
in *Le Matin de Paris,* Paris, 13 février 1981.

HELGA MUTH :
«Claude Viallat»
in *Das Kunstwerk,* n° 31, Stuttgart, décembre 1978, p. 60.

MICHEL NURIDSANY :
«Multiples splendeurs de Claude Viallat»
in *Le Figaro,* Paris, 28 mars 1980.

CORDELIA OLIVIER :
«Peintures sans châssis»
in *Gardians,* Edimbourg, 24 mars 1977.

PAUL OVERY :
«Gallery : French at the serpentine»
in *Architectural Review,* n° 986, Londres, avril 1979, pp. 245-248.

MICHEL OZENNE :
«Supports-Surfaces cinq ans après»
in *Le Quotidien de Paris,* Paris, 26 mai 1975.

ART PERRY :
«Viallat takes painting out of closet»
in *Vie des Arts,* Vancouver, 17 novembre 1981.

MARCELIN PLEYNET :
«La peinture et son modèle»
in *Les Lettres Françaises,* n° 1 239, Paris, 3-9 juillet 1968, p. 29.

MARCELIN PLEYNET :
«Disparition du tableau»
in *Art International,* octobre 1968.

JEAN-MARC POINSOT :
«Pittura e teoria in Francia»
in *Data,* n° 26, Milan, mai-juin 1976, pp. 86-95.

JEAN-MARC POINSOT :
«France-Bordeaux»
in *Artforum,* n° 9, New York, mai 1980.

JEAN-LOUIS PRADEL :
«La stratégie de Supports-Surfaces»
in *Opus International,* n° 61-62, Paris, janvier-février 1977, pp. 63-66.

MONIQUE PRISCILLE :
«Les expositions à Genève»
in *La Suisse,* Genève, 7 novembre 1977.

MONIQUE PRISCILLE :
«Supports-Surfaces ou la peinture sans [isme]»
in *La Suisse,* Genève, 15 novembre 1977.

CARTER RATCLIFF :
«New York Letter»
in *Art International,* n° 4-5, Lugano, avril 1976, p. 56.

KLAUS U. REINKE :
«Kunst Geht um die Ecke»
in *Westdenche Zeitung,* Wuppertal, 10 avril 1976.

J.-P. RENKO :
«Une nouvelle peinture française : la peinture sans châssis»
in *La Tribune de Genève,* Genève, 11 novembre 1977.

MARTIN RIES :
«Group Show»
in *Arts Magazine,* New York, juin 1974, pp. 64-65.

PAUL RODGERS :
«Toward a theory/Practice of painting in France»
in *Artforum,* n° 8, New York, avril 1979, pp. 54-61.

EFFIE STEPHANO :
«Interrogating the artist»
in *Arts and Artists,* n° 5, Londres, août 1973, pp. 28-33.

CLAIRE STOULLIG :
«Claude Viallat»
in *Art Press,* n° 4, Paris, mai-juin 1973, p. 10.

CLAIRE STOULLIG :
«Claude Viallat»
in *Actualité des Arts Plastiques,* n° 35, Paris, janvier-février 1977.

MARIE LUISE SYRING :
«Ausgemustert- neue tendenzen in Frankreich»
in *Du,* n° 6, Zurich, avril 1979, pp. 64-68.

ANNE TRONCHE :
«Viallat»
in *Opus International,* n° 46, Paris, septembre 1973, pp. 37-38.

MICHEL VACHEY :
«Claude Viallat»
in *Phantomas,* nos 72-78, Bruxelles, décembre 1968.

BARBARA WRIGHT :
«Canvas without Stretchers»
in *Art Reviews,* n° 21, Londres, 14 octobre 1977.

XXX «Le conceptuel en liberté»
in *Chroniques de l'Art Vivant,* n° 7, Paris, janvier 1970, p. 27.

XXX «L'art dans la cité»
in *Chroniques de l'Art Vivant,* n° 11, Paris, mai-juin 1970, p. 5.

XXX «Claude Viallat»
in *Actualité des Arts Plastiques,* n° 7, Paris, 1971, pp. 20, 21, 22.

XXX «Claude Viallat»
in *Le Figaro,* Paris, 4 mars 1971.

XXX «Avant-première : Montpellier 71»
in *Chroniques de l'Art Vivant,* n° 19, Paris, avril 1971, p. 4.

XXX «Groupe Supports-Surfaces»
in *Le Nouvel Observateur,* Paris, 26 avril 1971.

XXX «Sur les expositions d'été»
in *Connaissance des Arts,* n° 256, Paris, juin 1973, p. 23.

XXX «Viallat»
in *Le Nouvel Observateur,* Paris, 12 mars 1973.

XXX «Claude Viallat»
in *l'Humanité,* Paris, 14 mars 1975.

XXX «Avant-garde et peinture»
in *Le Figaro,* Paris, 15 mars 1975.

XXX «Claude Viallat»
in *Art Magazine-Bijutsu Techo,* Tokyo, mars 1981.

XXX «Claude Viallat»
in *Art Magazine-Bijutsu Techo,* Tokyo, juillet 1981.

ENTRETIENS

Transcription d'un débat public enregistré
lors de l'exposition *Claude Viallat*
à la galerie Delta, Bruxelles, 1974,
in ±0 Genval, n° 6, novembre 1974, pp. 19-20.

Entretien avec
Bernard Ceysson
in catalogue *Claude Viallat,*
musée d'Art et d'Industrie, Saint-Etienne, 1974 ;
//extrait in catalogue *Peintures sans châssis,*
Musée national d'art moderne, Centre Georges
Pompidou, Paris, 1975 ;
//in affiche *Viallat 73/75,*
Pierre Matisse Gallery, New York, 1976.

Entretien in catalogue *Peinture,*
Fédération du Parti Communiste Français,
Montpellier, 1980.

Entretien avec Bernard Lamarche Vadel
in *Artistes,* n° 8, Paris, mars-avril 1981, pp. 16-21.

Entretien avec
R. Pons
in *Axe Sud,* Toulouse, automne 1981, p. 13.

Entretien avec
Dominique Seijoo
in *Jorn,* n° 7, Le Garn, mai 1982.

Entretien avec Christian Prigent
in *Spirales,* n° 14, Paris, avril 1982, p. 46.

OUVRAGES GÉNÉRAUX

JEAN CLAIR :
Art en France : une nouvelle génération,
Ed. du Chêne, Paris, 1972.

JEAN-LUC DAVAL,
Skira Annuel, Ed. Skira, Genève, 1976.

ACHILLE BONITO OLIVA :
Europe/America, the different avant-gardes,
Ed. Deco Press, Milan, 1976.

MARCELIN PLEYNET :
L'enseignement de la peinture, Ed. du Seuil, Paris, 1971.

MARCELIN PLEYNET :
Art et Littérature, Ed. du Seuil, Paris, 1977.

MARCELIN PLEYNET :
Transculture, Union Générale d'Editions, Paris, 1979.

EDWARD LUCIE SMITH :
Art in the Seventies, Ed. Phaidon, Oxford, 1980.

ANNE TRONCHE, HERVÉ COAGEN :
L'art actuel en France, du cinétisme à l'hyperréalisme,
Ed. Balland, Paris, 1973.

DORA VALLIER :
Repères, la peinture en France,
début et fin d'un système visuel, 1870-1970,
Ed. Alfieri & Lacroix, Milan, 1976.

ESSAI

CHRISTIAN PRIGENT :
Viallat La Main Perdue,
Ed. Remy Maure, octobre 1981.

1981, Atelier Aigues-Vives.

OUVRAGES ILLUSTRÉS

Jacques Lepage :
LES YEUX DÉCHIRÉS
2 encrages de Claude Viallat, tous les encrages (800) réalisés manuellement sont différents.
400 exempl. 40 p. 16 × 23, Imprimerie de Créteil, Ed. A l'enseigne du Verseau, 1968.

Jacques Lepage :
APPROXIMATION
2 dessins imprimés de Claude Viallat. 60 exempl. 28 p. 21 × 27, Ed. Encres Vives, Collection Manuscrit, 1971.

Michel Vachey :
THOT AU LOGIS
6 sérigraphies de Claude Viallat en signets.
285 exempl. sur Grifoffset, 80 exempl. marqués S.P., 80 p. 23 × 16, Imprimerie Technique, Limoges, Génération n° 5, Paris, 1971.

Badin-Viallat
lino de Claude Viallat
10 pl. 55 cm, Imprimerie Richard, Céret, 1972.

Gérard Duchêne :
CHANTIERS
1 empreinte découpée de Claude Viallat.
30 p. en feuillets non paginés, 33 × 33,5, emboîtage bois, Génération n° 14, Paris, 1973.

Jacques Lepage :
NON-LIEU
15 illustrations dues à Arman, Ben, Cane, Chubac, Dolla, Fahri, Gette, Gilli, Malaval, Pagès, Pinoncelli, Raysse, Saytour, Viallat.
110 exempl. 20 feuillets, 15 ill. 24 × 24, Ed. Non-Lieu, 1973.

Jacques Lepage :
TRACE/MAILLE/PIÈGE
12 sérigraphies de Claude Viallat.
60 exempl. 60 × 80, 1974.

COLLECTIF GÉNÉRATION :
46 travaux de 34 écrivains et peintres français et québécois ayant collaboré aux activités de Génération entre 1968 et 1973.
4 empreintes de brûlage de Claude Viallat, suite de 2 travaux au crayon de couleur.
Exempl. unique, entièrement manuscrit, 104 p. en feuillets non paginés, 22,5 × 18,5, Génération n° 8, Paris, 1974.

Gervais Jassaud :
MAKE UP
20 lavis en couleurs de Claude Viallat dont 17 en surimpression sur le texte.
30 exempl. numérotés, 6 exempl. HC, 40 p. en feuillets, sous couverture, 20 ill. 35 × 27, composé à la main par Alain Sanchez à Libos, Génération Plus n° 2, Paris, 1975.

Maurice Roche :
AS YOU LIKE IT - DO IT YOURSELF
18 peintures originales en couleurs et fonctionnant en puzzle de Claude Viallat.
36 p. en feuillets non paginés, sous couverture :
18 ill. 35 × 27, composé à la main par Alain Sanchez à Libos, Génération Plus n° 4, Paris, 1975.

COLLECTIF GÉNÉRATION 1974-1976
Ensemble de textes manuscrits, de peintures et dessins originaux, 4 empreintes sur papier calque de Claude Viallat.
Exempl. unique, 66 feuillets non paginés, 24,5 × 20,5, Génération n° 23, Paris, 1976.

TERRIERS, n° 13
(cahiers de littérature)
«Noir et Blanc», tirages lithographiques
Nîmes, mai 1982.

1981, Travail dans l'atelier, Aigues-Vives.

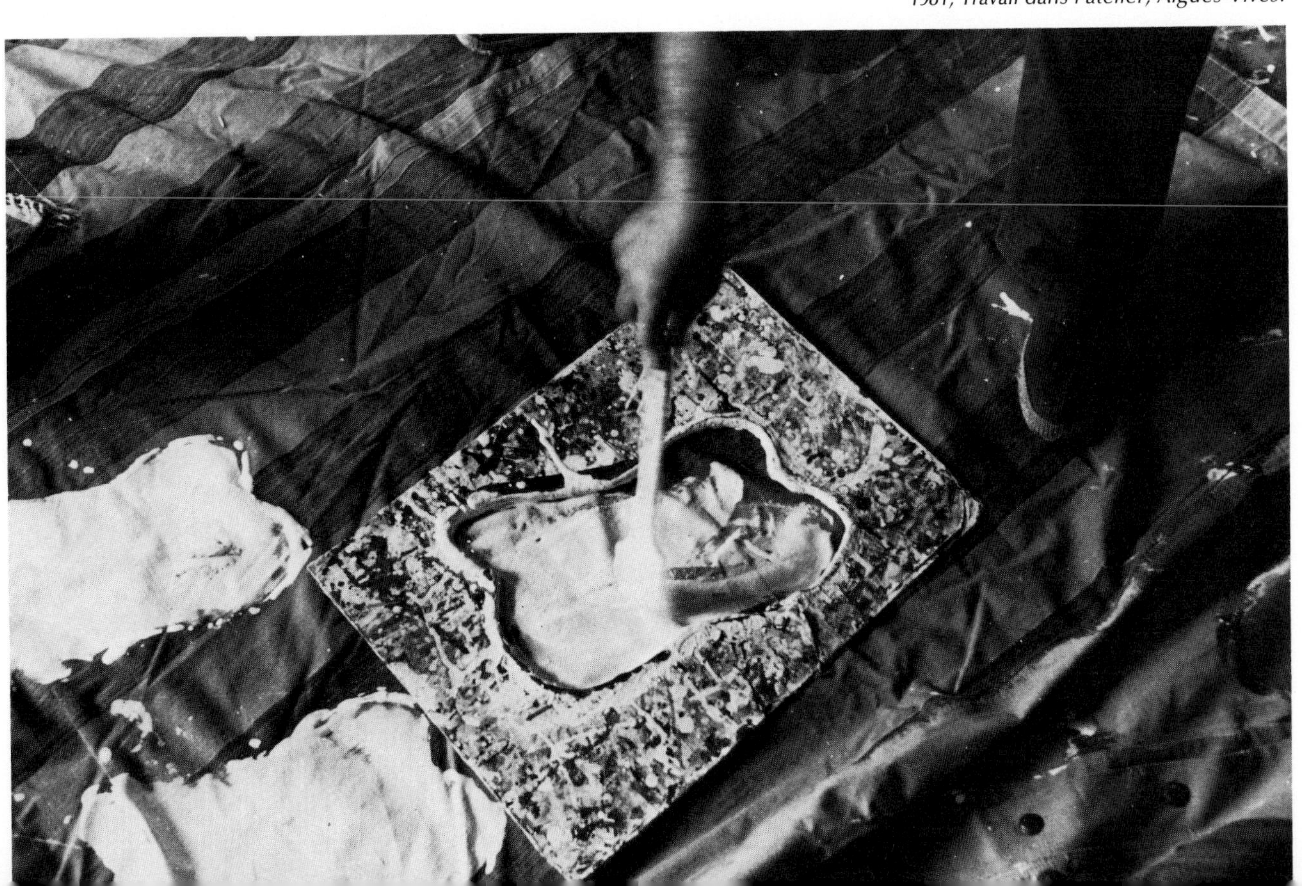

CRÉDITS PHOTOGRAPHIQUES

André-Pierre Arnal, Montpellier
Jacques Clauzel, Nîmes
Jesse A. Fernandez
Patrice Gadea, Montpellier
Jacqueline Hyde, Paris
François Lagarde, Montpellier
Jacques Lepage, Nice
P. Maréchal, Avignon
André Morain, Paris
Bernard Moschini, Nîmes
Daniel Rey
Glenn Steigelman, New York
Piotr Trawinski, Paris
Viallat, Nîmes
Roger Vulliez
CAPC, Entrepôt Lainé, Bordeaux
Ace Gallery, Venice, Californie (U.S.A.)
Musée de Chambéry
Jacques Faujour, Musée national d'art moderne,
Centre Georges Pompidou, Paris
Adam Rzepka, Musée national d'art moderne,
Centre Georges Pompidou, Paris
Musée national d'art moderne, Paris
Galerie Jean Fournier, Paris
Réunion des Musées Nationaux, Paris
Musée d'Art et d'Industrie, Saint-Etienne

© Centre Georges Pompidou
Musée national d'art moderne, Paris
N° éditeur : 304
ISBN : 2-85850-153-X
Achevé d'imprimer le 23 juin 1982
sur les presses de l'imprimerie Lafayette, Paris
Photocomposition : Diagramme, Paris
Photogravure : Haudressy, Paris
Dépôt légal : juin 1982

Couverture : 1981, toile de tente kaki, acrylique (détail).

Dos de couverture : 1980, Chemise ancienne écrue, acrylique, 102 × 94 cm. «Robe d'Henriette n° 2».